PENETRATIES

ROGER H. SCHOEMANS

PENETRATIES

Davidsfonds/Literair

Roger H. Schoemans

Penetraties

In dit boek gaat het volledig om fictie: elke overeenkomst met bestaande personen, toestanden of instellingen is toeval.

Blijde-Inkomststraat 79-81, 3000 Leuven
Omslagontwerp en -foto: B2

D/2004/0201/11
ISBN 90-6306-495-0
NUR: 332

1.
De Gielenhof

Geo herkende haar rug meteen.

Een nek en schouders die niet zouden misstaan bij een tennisster op anabole steroïden. De taille van een mannequin. Billen van een sambadanseres. Iets te dikke dijen en te zware kuiten, benen als van een afgetrainde ballerina. De achterkant van Estelle Draps.

Ze droeg het jurkje dat Geo van haar verwachtte bij een luchtige, artistieke gebeurtenis op een zonnige, hete zaterdagmiddag. Kort, vederlicht en transparant, in een modieus vaal oranje waardoor hij nauwelijks kon uitmaken waar de stof ophield en haar gebronsde huid in het bodemloze rugdecolleté begon.

Omdat hij haar zo goed kende, veronderstelde Geo dat het niemendalletje haar het beste deel van een maandsalaris had gekost. En wist hij dat ze eronder alleen een wit katoenen broekje uit de Wibra aanhad.

Estelle.

Zo heette ze toen ze nog met hem getrouwd was. Estelle Draps, journaliste, echtgenote van fotograaf Geo Joosten.

De dag dat ze hem de bons gaf, had ze haar naam veranderd in Stella. Tot ze een baan bij het nieuwsmagazine AQS versierde en haar chique lifestyle-reportages ineens met 'Este D' signeerde. Het had met imago te maken, veronderstelde Geo.

Hij klemde de cameratas tegen zijn buik en draafde langs de patserige limousines onder de schriele linden van de oprijlaan naar het cultuur- en kunstencentrum De Gielenhof. Na een paar meter was hij er zich pijnlijk van bewust dat hij helemaal niet meer in conditie was. Hij moest er dringend aan werken, dacht hij, terwijl hij het zweet van zijn voorhoofd wiste. Hij droeg een rood-wit geruit hemd dat helemaal niet bij de gelegenheid paste, net zomin als zijn vuile spijkerbroek en tot op de draad versleten sportschoenen.

Estelle keek om toen hij een paar stappen van haar verwijderd was. Verbaasd. Een beetje. Minimaal. Blijkbaar hoorde dat bij haar nieuwe stijl, want ze had haar zwarte haar tot het absolute borstelminimum laten millimeteren en op haar gezicht droeg ze het soort make-up dat de indruk wekte dat je alleen maar blote, natuurlijke huid zag. Gebronsd door pure, dure, verre zon. De Seychellen, ten minste.

Ze heeft een snoepreisje cadeau gekregen, dacht Geo spontaan.

'Jij hier?' vroeg ze voor hij dag kon zeggen en toonde zich daardoor toch meer dan minimaal verrast.

'Waarom niet?'

'Sinds wanneer interesseer jij je voor cultuur?'

Hij haalde zijn schouders op. Ze stak een hand uit, bedacht zich, vond een handdruk toch te afstandelijk en presenteerde hem een wang voor een zoentje zonder betekenis. Ze geurde naar parfum waarvan Geo veronderstelde dat het even duur, modieus en minimaal was als haar jurkje. Zij moest het stellen met zijn lucht van zweet, sigaretten, bier en hutspot met veel look.

'Lang geleden,' zei hij.

'Een jaartje,' meende ze. 'Bij de radio, was het niet?'

'Ik ben in jaren niet meer bij de radio geweest.'

'Tja,' zei ze en ze deed geen moeite meer.

'Valt er hier zoveel speciaals te beleven dat jij je ervoor verplaatst hebt?' vroeg Geo om het gesprek niet meteen te laten stilvallen.

'Bedoel je speciaal voor mij of speciaal voor jou?'

Het klonk kattiger dan ze het bedoelde. Het laatste jaar van hun huwelijk hadden ze ruzie gemaakt over alles, behalve over hun werk. Zij had het streeknieuws toen al geruild voor beter betaald gezwets in vrouwenbladen en dat vond hij prima. Hij schoot elke dag zijn portie gouden bruiloften, autowrakken en mopperende buurtcomités en daar zag zij geen kwaad in. Werk was werk. Ambitie, of het gebrek eraan, was het waarover ze wel ruzie hadden gemaakt. Eindeloos. Hopeloos.

'Iets speciaals voor mij,' antwoordde hij. 'Of er voor jou iets te rapen valt, kan ik niet beoordelen.'

Ook dat had een venijnig klankje, even onbedoeld. Ze deed alsof ze het niet gevoeld had en antwoordde, gespeeld afstandelijk.

'Ik denk dat er stof voor een paar bladzijden in zit. Kunst met een grote K. Niet meteen iets voor jouw bladen, zou ik denken.'

'Mm.'

Een ander zou zich gekwetst gevoeld hebben door de toon waarop ze 'jouw bladen' had gezegd, maar Geo tilde er niet zwaar aan. Hij had er zich allang bij neergelegd dat verwaande collega's uit Brussel of Antwerpen op hem neerkeken.

Joosten? Een fotograafje dat banale plaatjes schoot voor de regionale editie van een nationale krant en (erger nog!) voor een paar huis-aan-huisbladen die nog niet in handen waren gevallen van het almachtige, provinciale monopoliebedrijf.

Joosten! Een ritselaar die zijn foto's na publicatie ook nog aan zijn onderwerpen probeerde te slijten. Eén of twee gratis afdrukken voor de feestvarkens en dan twintig te betalen kopieën voor de familie tegen tien tot twintig euro per stuk. Zwart in het handje. De dames en heren met hun officiële vergunning zouden groen van nijd worden als ze ontdekten hoeveel hij daarmee kon binnenhalen, troostte Geo zich.

'Ken je Piet Vanden Bulcke?' vroeg Estelle.

Vanden Bulcke was de eigenaar van De Gielenhof. Niet de officiële directie van het cultuur- en kunstencentrum had de pers opgetrommeld, maar hij. 'Piet Vanden Bulcke heeft de eer u te mogen uitnodigen...' stond op de kaart. Persoonlijk. Menselijk. Een trucje om de ontvangers de indruk te geven dat de grote Piet VDB hen kende en op hun aanwezigheid gesteld was.

'Vaag,' antwoordde Geo. 'Ik heb hem een paar keer gefotografeerd. Enkele weken geleden nog. Voor een interview in de weekendkrant. Het ging over zijn jongste grote project. Je weet wel, het oude tramstation.'

'O! Dat!'

Hij onderdrukte een opwellend triomfgevoel. De toon van haar 'O! Dat!' betekende dat ze nog niet gehoord had van het museum dat Vanden Bulcke wilde onderbrengen in het verlaten stationnetje. Het interview kon ze niet gelezen hebben, want Geo's populaire krant gunde ze vanzelfsprekend geen blik, laat staan dat ze zich zou verdiepen in de sectie Limburgs streeknieuws.

‘Hoewel het stationsproject slechts bijzaak is,’ voegde hij eraan toe.

Het was geen mededeling, maar een brokje aas. Als ze twee bladzijden over Vanden Bulcke wilde schrijven, moest ze Geo nu wel vragen wat er in dat interview gezegd was. En daarmee zou ze toegeven dat hij meer over Vanden Bulcke wist dan zij. Hij, de sullige editiefotograaf, was beter geïnformeerd dan zij, de zogenaamde experte die alles wist over de Kunstscene met grote K. Hij proefde al de smaak van de overwinning. Zij stelde het moment van haar nederlaag uit.

‘Tja, ja, ik heb wel gehoord dat hij plannen heeft met industriële monumenten en moderne kunst,’ mompelde ze. ‘Hoort dat station daarbij?’

‘Ja. Plus nog een en ander.’

Nog een brokje aas.

‘O?’ deed ze.

Ook die klank herkende hij. Ze gaf zich gewonnen. Geo triomfeerde.

‘Er zijn maar weinig mensen die zijn echte plannen doorhebben. De ware reden waarom hij dat station wil restaureren en volstoppen met een kunstcollectie.’

Hij pauzeerde, voor een groter effect.

‘In feite interesseert hem alleen het oude rangeerterrein dat bij het station hoort,’ zei hij toen.

‘Om er een winkelcentrum op te trekken?’

Ze raadde het moeiteloos.

Geo voelde zich gepakt. Wist ze dan toch meer dan ze had laten blijken? Hij gaf het spelletje op.

‘Er komt een shopping-mall in Amerikaanse stijl,’ zei hij. ‘Vanden Bulcke zal er miljoenen mee binnenhalen. Intussen laat hij zich voor dat snertmuseumpje vieren als de grote, onbaatzuchtige mecenas.’

Estelle haalde haar schouders op. Haar spierbundels rolden als bij een bodybuildster in volle training. Joostens verontwaardiging irriteerde haar. Voor de cultuurbijlage van AQS bestonden er geen speculanten. Voor haar lezers heetten mannen zoals Piet Vanden Bulcke Ontwikkelaars. Met hoofdletter. Of Visionaire Ontwikkelaars, als ze genoeg reclameruimte kochten in de bladen uit de AQS-stal.

Een nieuwe shopping-mall annex museum zou honderden bladzijden reclame opbrengen. Plus een paar bijlagen die handig als journalistieke extra's gecamoufleerd waren. AQS zou miljoenen binnenhalen. Reden genoeg om de toekomstige Visionaire Ontwikkelaar niet tegen de haren in te strijken.

'Kurt ken je natuurlijk ook,' zei ze om Joosten af te leiden.

'Ik heb hem niet zo lang geleden gefotografeerd. In zijn atelier.'

'Vanden Bulcke ziet blijkbaar veel in hem. Na vandaag verwacht ik dat iedereen een installatie van Valcke zal willen. Groene kunst. Dat wordt de nieuwe trend. Denk je ook niet?'

'Tja,' antwoordde Geo, die nauwelijks wist wat een installatie was en zich helemaal niet kon voorstellen wie er een in huis zou willen halen.

Groene Kunst en de reputatie van mecenas Piet Vanden Bulcke waren niet de redenen waarom de redactie Geo naar De Gielenhof had gestuurd. De eindredacteur van de editie Limburg had in Brussel een e-mail gekregen van cultuur- en kunstencentrum De Gielenhof. Het ging over iets dat *Freyja's Penetratie* heette, een titel waarbij een hoop uitleg werd gegeven, maar die sloeg de editieredacteur over omdat zijn geoefende oog meteen op een stel prikkelende termen viel, zoals 'aardse lust', 'groene sensualiteit' en 'harde penetratie'.

'Wat zijn ze daar van plan?' had hij aan Geo gevraagd. 'Een orgie tussen de appelbomen?'

'Het zou me verbazen,' had de fotograaf geantwoord, want Zuid-Limburg leek hem niet meteen een regio om publieke orgieën te organiseren. 'De Gielenhof is veel te deftig voor zoiets,' had hij eraan toegevoegd in de hoop zijn vrije zaterdagmiddag te redden.

'Ga toch maar eens kijken,' had de eindredacteur besloten zonder zich af te vragen wat hij met foto's van harde penetratie kon aanvangen in een krant waar zelfs een schim van schaamhaar de brievenrubriek van verontwaardiging kon laten ontploffen.

De grote, groen en beige geschilderde toegangspoort van De Gielenhof stond voor de gelegenheid wijd open, maar dat was slechts schijn.

Onder de hoge boog had een Maastrichts beveiligingsbedrijf een sluis van buizen en dranghekken geïnstalleerd, waar nepagenten de gasten beleefd maar kordaat checkten. Ze gebruikten zelfs een metaaldetector van luchthavenformaat om mogelijke terroristen te ontmaskeren. Na de controle kregen de gasten een bij hun status passende badge opgespeld. Wit voor het voetvolk, geel voor journalisten, groen voor vips.

Geo onderging de pesterij gelaten. Er wervelde een tochtbriesje door de poort en hij genoot van de koelte. En van het kippenvel op Estelles armen. En nog meer van haar tepels die zich groot en hard onder de dunne stof oprichtten. Het meest genoot hij echter van het feit dat een arrogante veiligheidsagent luid niesde en even opzij moest om zijn neus te snuiten. De kerel zou met een flinke verkoudheid naar huis terugkeren. Zou hem leren.

Ook al heette de tot cultuur- en kunstencentrum omgevormde Haspengouwse hoeve De Gielenhof, ze had nooit een eigenaar gehad die Gielen heette. In haar verleden figureerde een paar eeuwen de familie Pieraerts, gevolgd door de clan Reweghs en daarna een stam Appeltans, met helemaal aan het eind het geslacht Swinnen. Namen die bij het land pasten als pulpkuilen en appelkelders. De Swinnens hadden de ruïne verkocht aan Kees Krediet, een makelaar uit Coevorden. Hij droomde ervan de verweerde baksteenmuren en verbrokkelde dakpannen om te toveren tot een oase van discrete fiscale vrede. Het 'geleeg' was echter met zijn fortuin omgesprongen zoals met het geld van zijn voorgangers. Het had elke cent opgevreten en daarna de eigenaar uitgespuwd.

Nog één keer bewees Kees Krediet dat hij een zakenman van formaat was. De dag voor hij de puinhoop op de markt gooide, liet hij een rij kunstmatig roestende, ijzeren letters tegen de gevel spijkeren. Het 'geleeg van Swinnen' heette ineens De Gielenhof en onder die naam prees het 'monument van rurale architectuur' zichzelf aan in dure bladen, waarvan de sarcastisch gniffelende dorpsbewoners het bestaan niet vermoedden. Voor een prijs waarover ze alleen maar durfden te fluisteren.

In minder dan een week waren Krediet en Piet Vanden Bulcke het eens. Krediet omdat hij het geld nodig had. Piet VDB omdat hij een plan had. Hij zou De Gielenhof opwaarderen tot een ruraal cultuur- en kunstencentrum annex congresruimte met hotel- en restaurantaccommodatie, en bewijzen dat hij een nog knappere zakenman was dan de verdwaalde Hollander.

De Vlaamse minister van Cultuur was de eerste die lucht mocht krijgen van het plan. Zijn oude gabber Piet nam hem in Harelbeke apart tijdens een receptie ter ere van een bijna seniele dichter, die een prijs kreeg omdat hij zijn oeuvre gedurende veertig jaar consistent obscuur en hermetisch had kunnen houden.

'Eddy,' fluisterde vriend Piet de minister in het oor. 'Eddy. Je kunt je niet voorstellen wat ik nu voor je heb gevonden. Een actieve, levende cultuurschuur. Organische kunst op het platteland. In een echte boerderij. Uniek in de wereld, als je het mij vraagt. Net waar jij het altijd over hebt. Een kwalitatief hoogstaand project, toegankelijk voor iedereen en een smak in het gezicht van de verstarde kunstpausen!'

Minister Eddy Van de Bulpaep begreep snel dat zijn medewerking aan het cultuurluik niet alleen essentieel was, maar ook voordelig voor zichzelf en voor partijgenoten op zoek naar een goed betaalde baan waarbij ze niet te hard hoefden te werken. Hij beloofde een steunend woord te laten vallen bij zijn kabinetscollega van Landbouw.

'Mariette,' grijnsde Piet VDB naar de om haar magerzucht beruchte minister van Landbouw tijdens een gegarandeerd hormonenvrije en gecontroleerd diervriendelijke veekeuring in Hoogstraten. 'Mariette. Je kunt je niet voorstellen wat ik nu voor je heb gevonden. Een biologische voorbeeldhoeve met cultuurfunctie. Educatief en multifunctioneel, zoals ik het in je beleidsnota heb gelezen. Het beste van het boerenbedrijf, zij aan zij met eigentijdse kunst. En het hoeft je niet meer te kosten dan een beetje subsidie uit een Europese pot.'

Mariette Van den Berghe zag snel het licht en beloofde een steunend woord te laten vallen bij haar collega van Ruimtelijke Ordening.

'Fons!' had Piet VDB tegen de minister van Huisvesting en Ruimtelijke Ordening gezegd toen die het lintje kwam doorknippen bij een complex van sociale woningen in Lo-Reninge. 'Fons. Je moet me helpen om een project op de sporen te zetten voor Eddy en Mariette. Een huwelijk tussen biologische landbouw en eigentijdse kunst. In Haspengouw. Voor die ene keer dat ik iets kan doen in jouw streek, mag je me niet in de steek laten!'

Minister Alfons Vandebrande knipperde met zijn ogen. De omgeving van De Gielenhof was tegen zijn zin als waardevol landbouwgebied ingekleurd. Wie daar ook maar één vinger naar uitstak, kreeg een divisie groene scherpslijpers over zich heen. Lastposten, die de minister kon missen als de pest.

Piet Vanden Bulcke verzekerde hem dat in zijn plan traditionele landbouw centraal zou staan, zodat Europa een collectief van groene mee-eters zou subsidiëren om op De Gielenhof dingen te doen die ecologisch verantwoord en economisch waanzinnig waren.

Minister Alfons knipperde nog harder toen vriend Piet uitlegde dat hij een schuur en een woonhuis zou transformeren in een congrescentrum van superhoog niveau. Met een exclusief restaurant en een klein dozijn chique hotelkamers.

Vanden Bulcke gaf toe dat dit op het randje was, maar: 'Bij de congressen zullen we ons specialiseren in thema's rond cultuurpolitiek, landbouwpolitiek, het groene beleid, de organisatie van de open ruimte, je begrijpt wat ik bedoel.'

Vandenbrande begreep dat vriend Piet hem inviteerde op uitgelezen maaltijden, al dan niet gevolgd door nachten in donszachte bedden met vorstelijke roomservice. Hij bedacht ook dat de bevoegde ambtenaar niet de moeilijkste was. Voor rede vatbaar. Een trouwe partijsoldaat. Benoemd door een partijvriend uit de provincie.

'Ik zie geen onoverkomelijke problemen,' zei de minister van Huisvesting en Ruimtelijke Ordening.

De buren van De Gielenhof voorspelden dat de Oost-Vlaamse indringer even roemloos ten onder zou gaan als de Hollandse fiscale migrant. Nauwgezet ontleedden ze de kosten die de nieuwe eigenaar maakte. Ze deden het met kennis van zaken, want elke morgen raasde de helft van het dorp in busjes naar bouwwerven in Brussel of Antwerpen om daar werk te verrichten waarvoor andere mannen met andere busjes uit de andere kant van het land naar De Gielenhof raceten. Ze kruisten elkaar halfweg tussen Tienen en Leuven.

Dat Vanden Bulckes project niet te pletter was gestort, gaven de pessimistische dorpelingen pas toe toen drie ministers schouder aan schouder stonden om de 'stijlvol en met een totaal respect voor historische elementen gerestaureerde hoeve' (aldus de perstekst) plechtig te openen.

'Mijnheer Joosten!' riep Vanden Bulcke. 'Blij dat je kon komen. Proficiat voor de foto's bij het interview! Klasse. Vakmanschap. Nietwaar, mevrouw...'

Terwijl hij Geo's hand drukte, tastten zijn ogen Estelle af. Geen wonder, dacht Geo. Ze was tenslotte zoveel bloter en vooral mooier dan hij.

Volgens haar badge heette ze Este DAQS. Vanden Bulcke kon perfect verbergen dat hij niets begreep van de lettersoep. Geo legde er zich bij neer dat hij in één klap totaal oninteressant was geworden.

'Estelle Draps,' stelde hij haar voor. 'Mijn ex-vrouw. Ze werkt voor AQS. Het nieuwsmagazine.'

'Eigenlijk voor de cultuurkrant van AQS,' verbeterde Estelle hem. 'Ik schrijf over kunst en lifestyle.'

'Ach, ja, natuurlijk,' antwoordde VDB. 'AQS-Cultuur? Mis ik nooit. Ik heb beslist al iets van je gelezen. Mag ik je een glas aanbieden? Heb je zin om alvast kennis te maken met de ster van de dag?'

Geo zuchtte en berustte in zijn lot. Als bezwete editiefotograaf met een luchtje van hutspot moest hij het afleggen tegen een lifestylejournaliste van Vlaanderens meest kakkineuze weekblad.

De titel AQS stond voor 'Answers and Questions', een gewilde omkering van Q&A. Volgens de reclame beloofde AQS vragen te beantwoorden voor de lezer ze kon verzinnen, en hem zo te prikkelen om de wereld kritisch ter discussie te stellen. In werkelijkheid had het blad zich groot gemaakt door via goedkope abonnementen lauwe, herkauwde dagbladkost te slijten aan onderwijzers en tandartsen, die te lui waren om zelf na te denken bij hun krantenlectuur.

'Ee-Kjoe-Es', zoals de elite het blad noemde – in tegenstelling tot de gewone man, die het over 'Aks' had – was een goudmijn geworden door bijlage na bijlage te laten vollopen met melige teksten, waarin bijbehorende advertenties bloeiden als boerendahlia's in compost met kippenstront.

Vanden Bulcke had zich intussen helemaal van Geo Joosten afgewend. Met zijn bleke, gemanicuurde bouwvakkershand tussen Estelles gebruinde schouderbladen duwde hij haar letterlijk voort over de binnenplaats. De fotograaf drentelde achter hen aan, langs lokale notabelen met dames in deftige zomerjurken en artistiekerige gasten met vrouwen die hun best hadden gedaan om te lijken op hetzelfde voorbeeld bij wie Estelle haar inspiratie had opgedaan.

Piet VDB bracht haar naar een groepje, dat samenklitte op de vlijmscherpe grens tussen zon en schaduw. Geo herkende Kurt Valcke. De kunstenaar leek op een hooligan die zich opgekleed had voor het communiefeest van zijn zoontje. Zijn dikke, ronde hoofd was kaalgeschoren. Hij droeg een nauwe, zwarte pantalon en een zwart T-shirt, dat op zijn brede borst plakte als het velletje rond een bloedworst.

Twee andere mannen deden Geo denken aan hippe lijkbidders die diep in de jaren zestig waren blijven steken. Lang haar. Lange, zwarte jassen. Ze hielden wijnglazen vast alsof het reddingsboeien waren en praatten geanimeerd met een man die even lijkbidderig gekleed was, maar zijn grijze haar tot een net borsteltje had laten knippen.

De heren schonken geen aandacht aan vier jonge vrouwen die Geo kort naar adem lieten snakken. Ze waren alle vier blond gebleekt en droegen identieke zwarte kanten jurkjes, die hun linkerborst net niet en hun rechterbil wel helemaal bloot lieten. Omdat een van hen in de zon stond, kon Geo vaststellen dat ze, op het provocerende kantje na, naakt was.

Geo veronderstelde dat het kwartet een onderdeel was van de kunsthappening. Hij vroeg zich bezorgd af hoe hij een foto van de vier kon schieten, waarop genoeg vlees te zien was om zijn opdrachtgever tevreden te stellen en toch niet te veel om lezers van de krant en adverteerders van de huis-aan-huisblaadjes niet de bomen in te jagen.

2.
Gaten in een weide

'Dames en heren!'

Frits Franken kraste met een vingernagel over de microfoon. Het geroezemoes op de binnenplaats verstomde. De vips gingen overeind zitten op hun stoeltjes, die wankelden op de bultige, want originele kinderkopjes. De witte badges achter hen rekten zich uit om te kunnen volgen wat er op het kleine podium gebeurde.

'Dames en heren,' herhaalde Franken.

Hij pauzeerde en zei toen, traag en met overdreven nadruk op de eerste lettergrepen: '*Fré-y-ja's Pé-ne-tra-tie.*'

Vijf seconden stilte. Het publiek hield de adem in. Het kende de pauzes van Franken. Zinloze stiltes, die hij in ooit in een interview voor De Standaard breedsmoelig zijn 'momenten van gewijd niet-praten' had genoemd.

Hij had de tic tot zijn handelsmerk ontwikkeld, destijds, toen de ambtenaren van de BRTN-televisie hem cultuurprogramma's lieten maken waar alleen hun vrienden naar keken, de claque van de gepresenteerde kunstenaars en een zuipschuit die de afstandsbediening uit zijn trillende DT-hand had laten glijden. In die tijd durfde Franken weleens twintig seconden woordloos in de camera staren om dan één, twee, hoogstens drie zinnen af te vuren. De ingewijden vonden het een uiting van genialiteit.

Geo Joosten schoot een foto van Franken. Routine. Geen blad zou die ooit publiceren, maar misschien kon hij privé wel een paar afdrukjes verkopen. Eentje aan Vanden Bulcke voor het album dat de makelaar ongetwijfeld bijhield. En eentje aan Franken, waarom niet, lui met een gezwollen ego kochten altijd een flatterend prentje als souvenir van hun optreden.

Freyja's Penetratie, zo las Geo in het forse kunstboek dat in de leren persmap zat, was de titel van de installatie die Kurt Valcke in de tuin van De Gielenhof gerealiseerd had. Wat hij met penetratie bedoelde, had de fotograaf nog niet kunnen achterhalen. Hij was bang dat hij daarvoor de vijf essays in het tweehonderd bladzijden dikke boek zou moeten lezen en een grondige studie maken van tientallen foto's, die voorwerpen en toestanden toonden waarvan hij het nut niet inzag.

In een aparte programmabrochure, op zich ook bijna een heus boek, las hij dat Frits Franken een van Vlaanderens belangrijkste kenners van moderne kunst was. Verschillende paragrafen handelden over het feit dat de gewaardeerde inleider nooit bang was geweest de degens te kruisen met wie zijn opinies niet deelde. Zelfs Jan Hoet was hij in heroïsche discussies te lijf gegaan, noteerde de opsteller ademloos in bewonderende verwondering. De kunstwereld kende Franken van zijn talloze publicaties – geen enkele bij hun naam genoemd – terwijl de grote massa hem ongetwijfeld apprecieerde als gedreven maker van talloze kunstprogramma's op televisie. Geo herinnerde zich niet er ooit één gezien te hebben.

'*Freyja's Penetratie*,' herhaalde Franken en het viel Geo op dat de klank van zijn stem niet éénmaal maar tweemaal weerkaatst werd. Een echo van een echo, de succesformule van oude Duitse schlagers. Hier waren klanktechnici van hoog niveau aan het werk, dacht de fotograaf.

Terwijl Franken oreerde en op zorgvuldig uitgekiende momenten dramatische stiltepauzes liet uitdeinen, dwaalden Geo's ogen over de gasten. Op twee rijen stoeltjes zat een veertigtal vips. De helft van hen had hij al meermaals gefotografeerd. De gezichten die bij elke plechtigheid in zijn regio opdoken. Andere tronies kende hij alleen van de televisie of uit de krant. Echte beroemdheden, geen regionale godheden. Hij bestudeerde hen door de zoeker en om de tijd te doden, deelde hij ze in groepjes in.

Groep 1. Macht. Beroepspolitici die zich door Piet VDB hadden laten overhalen om een paar uur van hun zaterdagmiddag op te offeren. Drie volksvertegenwoordigers, van wie één zich trots minister liet noemen omdat hij die functie ooit gedurende een paar maanden had bekleed. Een bestendig afgevaardigde van de provincie. Vier burgemeesters. Een handvol schepenen en raadsleden. Een paar mensen van het gerecht. Een politiecommissaris. Opvallend: geen vrouwen. Zelfs geen echtgenotes. Zeer vreemd, bedacht de fotograaf, want bij andere vernissages pronkten zij altijd op de eerste rij. Had hun afwezigheid te maken met de 'harde penetratie' van de uitnodiging? Wilden de hoge heren hun dames niet op foute gedachten brengen? Of hadden ze moeder de vrouw thuis gelaten om ongeremd te kunnen genieten van de besmuikt aangekondigde prikkelshow?

Groep 2. Het Geld. Een exquise selectie miljonairs. Financiën en vastgoed. De bende van VDB. Een paar was met veel poeha per helikopter gearriveerd. Het rurale cultuur- en kunstencentrum beschikte niet voor niets over een eigen helipad. Bij Geld hoorden wel pronkkutten. Wijven die te jong waren voor de rijke bokken aan wie ze vastplakten. En te mooi om echt te zijn, zoals Geo Joosten met leedvermaak vaststelde toen hij door de telelens tot in de poriën van hun kunstig gelooide vel keek.

Mee-eters, zo noemde Geo groep 3. Mannen en vrouwen die leefden van overheidssubsidies en financieringsenveloppen. Een kaste die even afhankelijk was van giften uit de staatsruif als Ethiopische hongerlijders van Amerikaanse maïspap. Op een kwart van de foto's die Geo in de loop van een jaar publiceerde, waren mee-eters van allerlei allooi afgebeeld. Intendanten. Theaterdirecteuren. Cultuurfunctionarissen. Hoofden van lokale diensten voor Toerisme. Directeuren van culturele centra. En natuurlijk ook een handvol gasten die aan zogenaamde cultuuranimatie deden, een activiteit waarvoor ze dagenlang op café en restaurant moesten. Naast de vrolijke animatoren zag hij...

Handgeklap onderbrak zijn gedachten. Franken gebaarde naar een man die bij het spreekgestoelte had plaatsgenomen. Het kon zijn tweelingbroer zijn, met hetzelfde lange, aan de slapen grijzende haar en hetzelfde zwarte pak.

'Voor we doordringen tot in de mysteries van *Freyja's Penetratie*, nodig ik mijn dierbare confrater Wies Wellens uit om diepzinnige woorden-gedachten te wijden aan Kurt Valcke, mens-kunstenaar,' verkondigde de televisie-cultuurpaus.

Geo stelde scherp en schoot een foto. Wies Wellens in profiel met op de achtergrond, wazig maar toch herkenbaar, Kurt Valcke. De spreker en zijn onderwerp. Een afdruk op papier van redelijke kwaliteit, artistiek-beenhard in zwart en wit, daar zou zo een Wellens wel twintig euro voor overhebben, schatte de fotograaf. Hij bedwong een glimlachje. Een idee. Wat als hij vanmiddag eens op een opbrengst van tweeduizend euro mikte?

Wie kon er zoal geïnteresseerd raken in zijn foto's? De krant en de huis-aan-huisbladen. Het blad van de provincie. Een drietal gemeentebladen. Een paar VVV's. Een culturele dienst hier en daar. Dat kon niet mislukken. Privéklanten? Vanden Bulcke, Valcke en Franken zouden zeker souvenirs kopen. Wellens ook. En de gelooide pronktrutten van de geldmagnaten, als hij ze straks fotografeerde terwijl ze de kunstenaar opvrijden. De mee-eters in volle actie, ook dat was een doelgroep.

Tweeduizend euro, besloot Geo, was haalbaar. Of moest hij op drieduizend mikken? Er zat zelfs meer in, droomde hij, maar dat hing wel af van hoeveel bloot de vier floezies straks vertoonden. Op de binnenplaats zat in elk geval genoeg schijnheilig volk, dat wat graag zou betalen voor een herinnering aan vlees dat het in levenden lijve had aanschouwd. Zou hij aan vierduizend euro komen? Nee, dacht hij, dat is te ambitieus. Hoewel...

Hij stelde scherp op de neus van Valcke. Vreemd, vond Joosten. Artiesten kropen traditioneel op de schoot bij Macht en Geld. Of toch bij de mee-eters. Waarom hield Valcke zich dan zo ostentatief afzijdig? Hij richtte zijn camera op het gezelschap van lijkbidders rond de kunstenaar. Het groepje stond rechts van het podium waar Wellens ronkende volzinnen afvuurde in echoënd veelvoud. Rechts en iets naar achteren, alsof een regisseur had bepaald dat ze een koor van bescheiden achtergrondfiguren moesten spelen, terwijl ze toch prominent aanwezig moesten blijven. Geo drukte een paar maal af. Routine. Professionele reflex.

Twee vrouwen slopen langs de gevel van het restaurant – ex-woonhuis of ex-stal? – naar het groepje toe.

De ene vulde met haar stevige figuur een kort, mouwloos jurkje in jeansstof. Ze had gespierde bovenarmen en dikke dijen. Op haar halfhoge, zwarte laarzen schreed ze voort als een boerin op een bietenakker.

De andere had een geel leren mantelpak aan, waarvan zelfs Geo moeiteloos kon zien dat het in een haute couture boetiek als een tweede huid op haar mannequinlijf aangepast was.

Hij haalde haar gezicht dichterbij met de telelens. Een eind in de veertig, schatte hij. Haar muiskleurige haar was even kort geschoren als Estelles kapsel. Zonnebankbruin. Getaande huid, gelooid, bijna. Lederen vel, noteerde Geo in een uithoek van zijn hersenen, maar wel gemaquilleerd door een professionele visagiste. Een duur wijf. Klik. Close-up.

Het plompe jeansmens drukte een vluchtig zoentje op de wang van de lijkbidder met het grijze borstelhaar. Geo maakte er een foto van. Reflexhandeling. En vlug nog een, terwijl ze Valckes mond even met haar lippen beroerde.

De dame in het geel begroette het gezelschap met een slap wuifhandje en fluisterde intussen iets tegen de lijkbidder die net een zoen had gekregen van de jeansboerin. De man zag er in Geo's zoeker even duur uit als Lady Lederland, zoals hij de gele intussen gedoopt had. Gebruind. Glanzend gladgeschoren. Elk stoppelhaartje op zijn kruin netjes rechtop gedwongen.

Met zijn leeftijd had Geo meer moeite. Alles tussen vijftig en vijfenzestig achtte hij mogelijk. Verder geen speciale kenmerken, behalve misschien de rode adertjes die zijn blinkende wangen kleurden. Een drankprobleem?

Drieduizend euro, schoot het door Joostens hoofd. Hij begon weer sommetjes te maken. Vanaf zijn plaats kon hij zeker vier combinaties met Valcke verzinnen. Valcke met spreker. Valcke met dure vent en gele madam. Valcke met twee lijkbidders. Valcke met spreker, drie lijkbidders en jeansdame. Vier foto's, goed voor zes of zeven klanten.

Minimum twintig euro per hoofd, dat maakte honderd twintig, honderd veertig euro. Gemakkelijk verdiend geld.

Hij had het te druk met combineren en tellen om naar Wellens te luisteren. Hij ving alleen klanken op, losse lettergrepen, de diepzinnig bedoelde uitleg van de kunstkenner ging aan hem voorbij. Het zou hem worst wezen, want hij had Wies Wellens al een ontelbaar aantal keren bezig gehoord. Bij haast elke tentoonstelling in de provincie kwam de man zijn briefje voorlezen. Hij was ook een regelmatig weerkerende gast op de cultuurzender Klara. Dat had Joosten in het programmaboekje gelezen, want zijn radio was vastgeroest op de Limburgse golflengte van Radio 2 en daar had men geen ruimte voor langdradige kunstgoeroes.

Lady Lederland fluisterde iets in Valckes oor. Geo richtte zijn lens op haar ogen. Haha, kraaienpootjes, noteerde hij terwijl hij afdrukte. Het was alsof ze voelde dat hij haar bespiedde, want ze trok zich snel terug in de schaduw van de grijze met zijn drankadertjes.

Wellens zweeg. Een beleefd applausje was zijn dank.

'Mijnheer. *Pauze.* Franken,' zei hij. 'Aan. *Pauze.* Jou. *Pauze.* De. *Pauze.* Eer.'

Gegiechel bij wie het grapje begrepen had. Frits Franken deed er nog een schepje bij en zweeg seconden lang vooraleer uit te roepen: 'Piet Vanden Bulcke, dames en heren!'

De vastgoedmakelaar kreeg een ovatie. Hij probeerde bescheiden en verrast te kijken, maar lette er wel op dat het applaus niet te vroeg wegstierf. Pas toen helemaal niemand meer in de handen klapte, sprak hij.

'Jullie weten dat ik een man ben van weinig woorden. Ik stel daarom voor dat we meteen de kunst zelf aan het woord laten. Dames en heren, laten we kennismaken met het nieuwste werk van mijn goede vriend, de geniale Kurt Valcke. Dames en heren, ik presenteer jullie *Freyja's Penetratie*!'

Een orkaan van vormloze muziek vulde de binnenplaats. Vanden Bulcke daalde als een triomferende gladiator van het podium af, greep Valcke bij de elleboog en schreed met hem naar de deur die destijds toegang had geboden tot de graanschuur. De vier floezies renden vooruit en de lijkbidders bleven achter om zich te laten opslorpen door Macht, Geld en Mee-eters.

'Wie is die vent?' vroeg Estelle.

Geo had niet gemerkt dat ze bij hem was komen staan. Tijdens de toespraken had hij haar tussen het publiek zien sluipen op jacht naar bekende namen om in haar verslag te laten vallen. Namen om vetjes af te drukken, want *name-dropping* was een specialiteit van AQS. Elke naam betekende een mogelijk commercieel contact en tevreden contacten konden kostbare abonnees of zelfs adverteerders worden.

Haar schouder streelde tegen zijn arm. Hij keek opzij en merkte dat het topje van haar jurk zo ver was opgeschoven dat de zijkant van haar borst bloot was. De goed gevulde koffiebeursborst waar hij jarenlang vol jeugdig enthousiasme mee had mogen spelen. De herinnering wond hem op. Ze herhaalde haar vraag.

'Welke vent bedoel je?' vroeg hij.

'Die met zijn grijze borstelhaar. Hij loopt vlak achter Valcke. Aan de zijde van de vrouw met het gele pak.'

'Sla me dood, ik ken hem niet,' mompelde Joosten. 'Staat hij niet in het programmaboekje?'

'Nee. Ik heb al gekeken.'

'En de lijkbidders die bij hem stonden?' vroeg Geo.

'Dat zijn Piet De Deken en Frank Scheffers,' antwoordde ze bliksemsnel. 'Galerijhouders en kunsthandelaars. De Deken heeft Valcke ontdekt. Dat beweert hij althans.'

'En de andere?'

'Scheffers. Valcke heeft zijn nieuwe werk bij hem ondergebracht. Schilderijen bij De Deken, plastieken bij Scheffers.'

'Mannen uit de streek?'

'Natuurlijk niet!' riep Estelle alsof hij haar persoonlijk beledigd had. 'Allebei uit Antwerpen. Grote jongens. Heel grote jongens!'

'Dan moet die grijze knaap met zijn bezopen smoel ook een grote zijn,' besloot Geo.

'Wie weet...'

Estelle maakte haar zin niet af, maar sprak een man aan die mee naar de schuurdeur schoof. Geo had er geen idee van wie hij was, maar zijn ex-vrouw kende hem blijkbaar goed genoeg om hem bij zijn voornaam te noemen.

'Georges, weet jij wie de grijze kerel is die de hele tijd bij Valcke heeft gestaan?'

'Verbist?' antwoordde Georges op een toon die zowel verbazing als verontwaardiging als leedvermaak uitdrukte. 'Ken je Steve Verbist dan niet? Een hoge piet bij de Vlaamse Gemeenschap. Directeur bij het ministerie van Cultuur. Twee handen op één buik met Vanden Bulcke. En De Deken. En Scheffers.'

'En de vrouw in jeans?'

'Die met de laarzen? Dat is Catherine de Boisy. De nieuwe vlam van Valcke. En de dame in het geel is Petra Van den Boom. Die moet je toch kennen?'

De gasten dromden samen voor de smalle deur. Georges verdween in het gewoel. Geo voelde met genoegen dat Estelle stevig tegen hem aan werd geduwd en hij profiteerde van de gelegenheid om met zijn blote onderarm als per toeval over haar borst te wrijven.

'Valckes lief? Veel aandacht had ze niet voor haar vriend,' mompelde Estelle.

'Nee.'

Toen porde een ongedurige gast een elleboog tussen Joostens ribben en hij botste tegen een cultuurschepen aan, die voor hem bij de deur probeerde te komen om straks toch maar op de eerste rij te kunnen staan. Ook Estelle werd meegesleept door een horde duwende en trekkende kunstminnaars, die geen moment van het beloofde spektakel wilden missen.

De tuin van De Gielenhof heette een fusie van Japans, Arabisch, Moors en klassiek Frans te zijn. In werkelijkheid was het een allegaartje van schandalig dure planten, kiezelperkjes, muurtjes, fonteintjes en vijvertjes waarin scholen obligate kapitale koi's zwommen.

De Hollandse security had de route naar Valckes installatie stevig afgebakend met paaltjes en kettingen opdat niemand per ongeluk een Japans kiezelsteentje zou verleggen of een peperduur miniatuurcactusje vermorzelen. Toen de gasten uit de tuin barstten, stuurden veiligheidsagenten hen weer de juiste richting uit. De vips naar hun gereserveerde stoeltjes, de witten naar hun staanplaatsen en de journalisten naar een plankenvloertje, waar ze een twintig centimeter boven het gewoel stonden.

Vanden Bulcke, Valcke en directeur Verbist hadden plaatsgenomen voor een doek van een paar meter hoog en een meter of tien breed, opgehangen aan een staalkabel.

'Waar zijn je collega's?' vroeg Estelle, alleen met haar ex op het persvlondertje.

Geo haalde zijn schouders op. Hij was best tevreden omdat er geen andere pers in de buurt was. De drieduizend euro winst leek steeds dichterbij te komen. Ook al liep er een fotograaf rond die door Vanden Bulcke was ingehuurd voor een privébeeldverslag. De man voelde zich zo bevoorrecht dat hij Joosten meed alsof hij een met sars besmette aidslijder was. Wat Geo's kans op lucratieve exclusiviteiten natuurlijk groter maakte.

'De concurrentie heeft alleen wat foto's gemaakt op de binnenplaats,' antwoordde Geo. 'En TV-Limburg is gisteren al geweest. Ze hebben een grasperk met gaten laten zien en Vanden Bulcke en Valcke hebben iets mogen zeggen. Ik heb er niet veel van begrepen. Ik heb er ook niet echt naar geluisterd.'

'Mm.'

Valcke verdween achter het witte doek. Geo wiste zweet van zijn voorhoofd. Hij stond in de volle zon. Brandend heet. Hij voelde zijn hemd aan zijn rug plakken.

'Pft!' deed Estelle.

Haar schouders blonken van de zonnecrème. Typisch, vond Geo. Echt iets voor haar dat ze er rekening mee had gehouden dat ze in de volle zon moest staan.

Achter het gordijn begon iemand op een stuk ijzer te beuken. Een reeks monotone slagen, zonder maat of ritme, als van een smid die doelloos op een aambeeld bonkte. Een mannetje met een vuistdik draaiboek in de hand stak zijn hoofd van achter het doek om te controleren of alle gasten waren aangekomen. Hij gebaarde naar de onzichtbare slagwerker, die een laatste dreun uitdeelde. Frits Franken nam plaats op een trapje, een draadloze microfoon voor zijn mond.

'Dames en heren!' riep hij.

In de verte loeide een koe. Een Harley Davidson tufte voorbij. Hoog in de blauwe lucht bromde een sportvliegtuig. De lawaaiige stilte van het platteland.

'Dames en heren!' herhaalde Franken. 'Mag ik thans de heer afgevaardigd bestuurder Vanden Bulcke en de heer directeur-generaal Verbist verzoeken het kunstwerk *Freyja's Penetratie* te onthullen?'

Met een weids armgebaar wees hij naar twee touwtjes.

'Heren, ga uw gang,' zei hij en de twee trokken.

Het doek schokte over de staaldraad. Twee, vier, zes meter, halfweg. En stopte. Vanden Bulcke en Verbist keken elkaar aan. Een voorzichtig rukje. Het doek gleed verder. In het publiek begon iemand alvast te applaudisseren.

Geo knipte erop los. Het duo met de touwtjes. Franken met de microfoon. Vips met gestrekte hals en open mond. Het naamloze publiek. Het doek.

En toen vergat hij af te drukken. Achter het doek zag hij niets dan een lege vlakte met ruw weidegras en hier en daar plukken netels en distels. Een verwaarloosde weide en geen spoor van iets dat op een kunstwerk kon lijken.

Het publiek had het ook gemerkt. Het applaus stokte. Vanden Bulcke en Verbist haalden snel de laatste meters doek in. Valcke kwam te voorschijn. Hij timmerde driftig met een roestig betonijzer op een stuk van een T-profiel dat hij met een touwtje omhooghield. Ding! Ding! Ding!

Toen leek midden in de weide de bodem in beweging te komen. Een camouflagenet kwam golvend uit het gras omhoog, wapperde even heen en weer en zakte toen weer ineen. Schokjes in het net. Valcke ramde met nog meer overgave de ijzers tegen elkaar en schreeuwde daarbij onverstaanbare klanken. Hij klonk als een Duitse indiaan in een oude Winnetou-film. Zijn gezicht liep rood aan en zweet gutste langs zijn wangen.

Het net vloog plots helemaal omhoog en de vier floezies kronkelden overeind. Als floorshowdanseressen uit een derderangsdiscotent draaiden ze om elkaar heen, ze wentelden zich in alle richtingen, renden op elkaar toe om net voor de botsing weg te stormen, tot ze als door onzichtbare draden gestopt werden, met een schok bleven stilstaan en weer naar het midden van de weide kronkelden.

'Woeha! Waahoooo! Weeeehieee!' brulde Valcke en bij elke kreet deed het T-ijzer 'Ding! Ding! Ding!' Geo zag in zijn zoeker dat de kunstenaar daarbij een gezicht trok als dat van een dolle derwisj in trance.

Een luide zucht van verbazing liet hem de andere kant uit kijken. De floezies hadden hun gordijnjurken laten vallen en droegen alleen nog spaarzame likjes bodypaint. Hijgend klemden ze zich aan elkaar vast. Geo rende naar de andere kant om het blote kluwen te knippen met het verraste publiek op de achtergrond. Blote wijven tegen een decor van herkenbare, prominente gezichten. Een verkoopsschlager. Vierduizend euro, geen cent minder zou het spektakel hem opbrengen. Een hoogdag.

Een veiligheidsagent probeerde hem tegen te houden.

'Als je één poot uitsteekt, ram ik de camera tegen je kop,' gromde Geo.

'Je loopt door het kunstwerk,' fluisterde de agent met een nerveuze blik in de richting van zijn opdrachtgever.

'Poten thuis. Ik doe mijn werk.'

De agent zocht hulp bij Vanden Bulcke. Die maakte een gebaar dat het goed was. Geo zag het niet meer, want hij zat al op zijn knieën met alleen nog oog voor het zoekerschermpje. Zijn hart miste een paar slagen. Het beeld was nog veel beter dan hij verwacht had. Het floeziekluwen schoof op naar het publiek toe. Minder dan tien meter scheidden de blote konten van Macht, Geld en Mee-eters. Perfect. Een bil en een bankier. Een borst en een burgemeester. Blote navels en een politiecommissaris. Een vrederechter en een beschilderde onderbuik.

De notabelen dreven voorbij zijn lens als pijpjes in een schietkraam. Verbaasde tronies, lachende gezichten, pokerfaces, hoe ze ook keken, ze hielden hun ogen steeds strak gericht op het ranzige bloot.

Geo voelde dat hij de lotto had gewonnen. Ze zouden kopen, kopen, kopen. Een zoemtoon waarschuwde hem dat het geheugenschijfje vol begon te raken. Hij propte een nieuwe diskette in de camera en knipte nog eens tien, twintig, dertig, veertig prentjes van meiden, groen gras en opgewonden smoelen. Bingo.

De floezies gaven het op. Ze lieten elkaar los en huppelden als demente Heidi's naar de rand van de weide, waar ze zwetend en hijgend op krukjes plaatsnamen. Applaus. Geo boog alsof het voor hem bestemd was. Vanden Bulcke gebaarde dat hij moest oprotten.

Met Valcke aan het hoofd mochten de gasten het nog altijd onzichtbare kunstwerk van dichtbij komen bekijken. De kunstenaar legde luidkeels uit wat *Freyja's Penetratie* betekende.

'Ze noemen haar de godin van de vruchtbaarheid,' riep hij. 'Dat is verkeerd. Freyja was de noordse godin van de seks. Ze haalde gesneuvelde krijgers naar Walhalla en liet hen daar genieten van alle heerlijkheden waar een mensenlichaam naar kan snakken! Letterlijk! Van álle heerlijkheden!'

Het publiek hing aan zijn lippen.

'Hier!' schreeuwde hij. 'Hier! In dit heerlijke Haspengouwse weideland heb ik acht bronnen van genot aangeboord. Acht lichaamsopeningen die door Freyja met genot worden gevuld! Kijk! Kijk! Dit zijn de Gewijde Openingen van *Freyja's Penetratie*! Haar twee oren. Haar neusgaten. Haar mond. Haar kut. Haar aars. En een ondiep putje voor de navel, ook al is dat geen echte opening...'

Geo kreeg de kriebels van de beate bewondering bij het publiek, dat luisterde alsof het de boodschap van een Messias te horen kreeg.

De lichaamsopeningen bleken uiteindelijk niet meer dan ondiepe gaten in de graszode. Kleine, ronde putjes voor oren en neus, een ovale holte voor de mond, een smalle, diepe kuil voor de aars en een metersbrede scheur voor de vagina. Elk gat was afgeboord met glas van vijf centimeter dik. De bodem had Valcke bedekt met zonnepanelen.

Geo Joosten luisterde verstrooid naar de uitleg. Het glas was pyrex, zei de kunstenaar, het materiaal van kookpannen. Het was speciaal voor dit werk op maat vervaardigd en doorweven met glasvezels waar laserlicht doorheen speelde. De zonnepanelen leverden de stroom.

Gasten zaten op hun knieën om met hun lichaam de gaten te verduisteren en iets van de zwakke lichtstraaltjes op te vangen.

'Bij elke opening is een batterij ingegraven,' meldde Vanden Bulcke trots. 'Vannacht zal het kunstwerk licht blijven uitstralen! Dan is het nog mooier dan overdag.'

'Het licht van onze eeuwige, nooit te verzadigen Freyja!' gilde Valcke. 'Haar eeuwige licht! Dat het ons allen mag raken en gelukkig maken!'

De troep rond hem applaudisseerde. Geo Joosten zuchtte. Hoeveel foto's had hij al geschoten? Hij was de tel kwijtgeraakt. Had hij iedereen die de moeite waard was? Genoeg om zijn bijgestelde ambitie van vierduizend euro waar te maken?

Estelle wenkte hem van bij de floezies. De meisjes zaten als zonnende naturisten op melkkrukken, hoofd achterover, kin omhoog, borst vooruit, benen gespreid, handpalmen naar boven op hun knieen, allemaal zoals de regisseur had voorgeschreven.

'Heb je hen zo al gefotografeerd?' vroeg Estelle.

'Nee. Te bloot. Daar heb ik geen klanten voor.'

'Ik misschien wel.'

'Jij?'

'Waarom niet?'

'Ik dacht dat je over kunst schreef en niet over porno.'

'Maar dit is kunst!' riep ze. 'Kijk nou toch! Na hun geboorte uit de schoot van moeder Freyja zuigen ze zich nu vol met het levenslicht uit de zon en bereiden ze zich voor om de hele wereld plezier en genot te schenken! Snap je dat niet?'

'Als jij het zegt,' zuchtte Geo, overrompeld door zoveel betonnen symboliek, en hij ging aan het werk.

Toen hij klaar was met de bijna-pornoshots, fluisterde Estelle geheimzinnig: 'Loop nog niet weg. Het hoogtepunt moet nog komen.'

'Wat?'

'Je zult het wel merken. Bijna niemand weet dat er nog iets volgt. Volgens de meisjes wordt het een verrassing. Een schok. Ook voor Vanden Bulcke. En zeker voor de anderen.'

Ze knipoogde naar Geo en naar de floezies, die blijkbaar haar medeplichtigen waren geworden. De vier grinnikten hoorbaar. Het kostte hen moeite om het niet luid uit te proesten.

'De Vlaamse kunstwereld zal nog jaren over de installatie van Valcke spreken,' beloofde Estelle.

Met verrassende efficiëntie had een traiteur een buffet geïnstalleerd op de plek waar nog maar tien minuten tevoren het publiek had gewacht tot het doek opzij werd geschoven. Tafels vol glazen, ijsemmers met champagne, koelkasten met witte wijn, bier, frisdrank. Onder een luifel waren koelbakken geplaatst voor de koude hapjes en onder een tweede luifel bain-mariepannen voor de warme versnaperingen. Er was nog een derde tent, met koffie en vlaai. Eten en drinken voor een paar honderd man.

Vanden Bulcke liet zich het eerste glas champagne aanreiken.

'Kunst vergt grote inspanningen van de geest!' riep hij. '"Een gezonde geest kan niet zonder een gezond lichaam," zou de hemelse Freyja van onze vriend Kurt Valcke zeggen. Dames en heren, vertroetel daarom je lichaam in dienst van je geest.'

Hij kreeg applaus voor zijn onzin.

'Roep me als er iets gebeurt,' beval Geo toen Estelle geen aanstalten leek te maken om de naakte vrouwen alleen te laten.

Met de ervaring van een man die om beroepsredenen elk jaar honderden recepties moet afdweilen, grabbelde hij in de vlucht een glas champagne mee, propte een hapje garnaal in zijn mond en griste een beschuitje met ansjovis mee voor daarna. Tussen het eten door kiekte hij groepjes pratende, etende, drinkende gasten. Hij beperkte zich tot mensen die hij kende en van wie hij wist dat ze voor een gunstprijs een foto zouden kopen. Vierduizend euro, daar twijfelde hij niet meer aan. Misschien moest hij wel op vijfduizend mikken als Estelle inderdaad de blootfoto's kon verpatsen.

Hij wierp snel een blik op het viertal. Ze dronken bier dat Valcke hen aanreikte. De kunstenaar grijnsde terwijl de meiden gulzig het ene glas na het andere naar binnen lieten lopen. Estelle gebaarde dat Geo zich klaar moest houden.

De meisjes legden de lege bierglazen in het gras. Valcke pakte zijn ijzers. Hij knikte. De floezies warmden zich op door weer te kronkelen als demente discodanseressen. Valcke schreeuwde iets Winnetouachtigs en mepte op het T-ijzer.

Alle hoofden draaiden zich naar hem om. Valcke stond wijdbeens in het midden van de weide, schreeuwend en rammelend met de ijzers. De floezies rekten zich uit, smeten hun armen in de lucht, wuifden met hun handen en lieten zich op de grond vallen. Het was choreografie van een schoolfeestje, vond Geo, die elk jaar duizenden, weliswaar aangeklede, scholiertjes in gelijkaardige poses fotografeerde. Valcke gaf nog één extra harde dreun op het T-ijzer en wachtte terwijl de slag nazinderde.

Voor de meisjes was dat blijkbaar het teken om naast elkaar te hurken. En toen pisten ze, met hun benen wijd open naar het publiek.

Geo Joosten had geen tijd om verbaasd of geschokt te zijn. Hij klikte de ene foto na de andere.

Vanden Bulcke zwaaide driftig met zijn armen en riep naar de veiligheidsagenten dat ze moesten ingrijpen. Klik!

De lokale vrederechter kokhalsde als een gourmet die een portie maden in zijn biefstuk ontdekt heeft. Klik!

Twee bankiers balden hun vuisten naar de fotograaf die hen in zulke compromitterende omstandigheden durfde te kieken. Klik!

Mannen en vrouwen wisten van verbazing niet waar of hoe te kijken, klik, riepen 'Schande!', klik, of barstten in een schaterlach uit. Klik!

De ontzetting werd zo mogelijk nog groter toen Valcke het ijzerwerk weggooide, zijn broek liet zakken en over de hoofden van de meisjes heen begon te plassen. Hij produceerde een straal als een caféloper die een paar uur te lang gewacht heeft. Als een bezetene brulde hij intussen: 'Freyja! Freyja! Freyja!'

Een Surinaamse veiligheidsagent tackelde de kunstenaar met de verve van een professionele rugbyspeler en smakte met hem tegen de bezeikte grond.

Molukkers in camouflagepakken stortten zich op de floezies en sleepten hen weg. Ze klemden de meiden onder de arm als boeren met biggetjes op weg naar de markt. De vrouwen keelden alsof hun laatste uur had geslagen. Een Molukker plofte met zijn prooi in de aars van Freyja. Zijn combatboots verpulverden het zonnepaneel.

Joosten fotografeerde als gek. Hij merkte niet dat een bleke security-bodybuilder naar zijn camera schopte. Hij merkte evenmin dat Estelle hem redde door als een tijgerin bovenop de man te springen en zijn gezicht open te halen met haar nagels.

Bingo! Lotto! De foto's van zijn leven!

3.
Een gele DeWalt

Telefoon. Hoe laat?

Halfacht.

Welke dag?

Zondag.

'Hallo?'

Geo's stem klonk alsof ze uit de mond van iemand anders kwam. Verstikt. Vermoeid. Onverstaanbaar.

Hij had de hele nacht doorgewerkt, pas een uur geleden had hij zijn ogen dichtgedaan. Terwijl Estelle bloedige krassen trok in de wangen van een gespierde Hollander, was hij op de vlucht geslagen. Als een haas over het kunstwerk heen, onder prikkeldraad door, hij had gerend als gek, jaren geleden dat hij nog zo had gespurt. Ook al zat niemand hem nog op de hielen, want de bewakers hadden het te druk met de plassende Valcke, de hysterisch krijsende floezies en een razende redactrice Kunst en Lifestyle van AQS.

Trillend van opwinding was hij weggereden. Om eventuele achtervolgers, ook al waren die er niet, van zich af te schudden, was hij zomaar in volle vaart een holle weg ingedoken, een door tractoren en trucks omgeploegd pad met karrensporen waarin zelfs zijn Landrover Defender dreigde te stranden.

Om er helemaal zeker van te zijn dat niemand hem zijn kostbare foto's kon afpakken, besloot hij niet meteen naar huis te gaan, waar bodybuilders en Molukkers hem hadden kunnen vinden dankzij de gegevens die hij bij de inschrijving had achtergelaten. Hij verstopte zich op een afgelegen plek tussen laagstamboomgaarden en begon driftig foto's in zijn laptop te laden en cd-kopieën te maken en dan nog eens kopieën van die kopieën.

Daarna was hij beginnen te bellen. Eerst naar Geert Brouns, de chefnieuws van zijn krant, en op diens aanraden naar persagentschappen. Toen die belangstelling toonden voor een paar foto's van het schandaalspektakel, testte hij de interesse van een collega, die wel eens voor Paris-Match had gewerkt en omdat die toehapte, nam hij contact op met een rare Brit uit Brussel, die altijd kandidaat heette te zijn voor smeuïg spul om aan de Londense tabloids te slijten, en ten slotte belde hij nog een collega die weleens voor Bildzeitung werkte en wist waar hij straffe foto's tegen de beste prijs kon slijten.

Hij had afspraken gemaakt. Beloften gedaan. Deals afgesloten. Pas daarna was hij naar huis gereden, waar hem tot zijn grote opluchting geen Molukkers in combatboots opwachtten. Tot een gat in de nacht had hij zijn fotoschat geordend en geselecteerd zodat hij elke klant iets kon aanbieden dat het waard was 'exclusief' te heten.

Op een reepje papier had hij bijgehouden wat de foto's voorlopig hadden opgebracht. Hij kwam uit op bijna twintigduizend euro. 'Lotto!' had hij geroepen en een uurtje later had hij nog luider gejuicht toen kort na elkaar mailtjes binnenliepen van de Brit en van de kerel die wel eens voor Bild werkte.

Twee Londense tabloids hadden zijn foto's afgedrukt. De Sunday People was voluit gegaan met een paginagroot beeld van een Molukse veiligheidsagent met een blote floeziebips onder zijn rechterarm (een zwart balkje voor het spleetje hield verborgen wat alle lezers hadden willen zien), terwijl op de achtergrond Vanden Bulcke hevig gesticuleerde.

De titel schreeuwde in afficheletters: THE NEW FLEMISH PRIMITIVES.

Bild am Sonntag had gekozen voor een foto van de over de naakte meiden heen plassende Valcke. De schaamstreek van de floezies was zeer suggestief weggeretoucheerd en Valckes onderlijf ging decent schuil achter de kreet *'Manneken Pis lebt!'*

'Hallo?'

'Joosten?'

'Ach, ben jij het?'

Geert Brouns.

'Joosten! Lig je nog in je nest?'

'Godverdomme, Geert, ik heb nog geen oog dichtgedaan. Valcke. Mijn foto's staan al in de Engelse en Duitse kranten.'

'Mooi. Dan zul je het wel niet erg vinden nog een prentje van hem te maken.'

'Wat? Waarom? Heb je dan niet gezien wat ik je heb opgestuurd?'

'Heb ik,' antwoordde de chef-nieuws. 'Maar ik heb er nog een extra nodig om het verhaal rond te maken. Valcke is dood.'

'Dood?' herhaalde Joosten.

'Vermoord.'

'Vermoord?'

'Het schijnt dat hij dood ligt in zijn atelier. Als je even gas geeft met die rammelkar van je, ben je er nog voor het parket. Die gasten moeten van Tongeren komen en op zondag doen ze het daar altijd heel kalmpjes aan. Met jouw contacten vind je wel iemand bij de lokale politie die je binnenlaat voor het gerecht de boel naar de kloten helpt. O.k.?'

'Godverdomme.'

'Dat dacht ik ook. Tot straks.'

Valcke woonde en werkte in een slordig opgelapte armemensenhoeve net buiten het centrum van een troosteloos Haspengouws dorp. Het was een gebouw in L-vorm, de helft van een traditionele vierkanthoeve. De woonvertrekken bevonden zich in het korte beentje en lagen zo dicht bij de straat dat buitenspiegels van bussen en vrachtwagens diepe groeven in de gevel hadden geschuurd. In het lange been, de vroegere stallen en schuren, had Valcke zijn atelier ondergebracht.

In de buitengevels waren slechts een paar kleine vensters uitgespaard. Haspengouwers hielden niet van pottenkijkers. Een metershoge muur, een omgekeerde L, hield de binnenplaats vrij van nieuwsgierige blikken. De wal was zo overwoekerd door klimop en ander gewas dat er buiten een grote, groene poort nauwelijks nog iets van te zien was.

In het grote dak van de schuur had Valcke een tiental vierkante meter dakpannen laten vervangen door glas. Joosten herinnerde zich dat hij de kunstenaar op een winterse middag in het atelier zonder flits had kunnen fotograferen. Het interieur was toen een even grote puinhoop als de buitenkant, dat herinnerde hij zich ook.

Twee politiebusjes stonden dwars over de smalle straat. Lokale politie. Een paar buren wachtten op wat zou komen. Ze waren nieuwsgierig als de pest, maar als de dood voor vreemdelingen. Zodra Joosten naderde met een camera op zijn buik, trokken ze zich terug in hun voortuintjes, achter hun haagjes, op hun eigen grond, waar geen mens zonder hun toestemming een voet mocht zetten.

'Wat is er gebeurd?' vroeg Geo aan een echtpaar dat hem wantrouwig monsterde, terwijl man en vrouw toch hun best deden om te veinzen dat ze hem niet zagen.

'Hier? Niks,' antwoordde de vrouw en haar man wees naar het politiebusje. 'Daar is het te doen.'

'Wat dan?'

'Het schijnt dat hij vermoord is.'

De man sprak 'hij' uit alsof hij met zijn zondagse schoenen in een hondendrol getrapt had.

'Wie? De artiest?' vroeg Geo met een onnozel gezicht, maar hij deed wel zijn best om het laatste woord de smaak van bodemloos misprijzen mee te geven. Alsof kunstenaars in het algemeen en zeker artiesten van Valckes slag het licht van de zon niet waard waren, ongetwijfeld ook de mening van het tweetal. De man en de vrouw knikten bevestigend, maar ze hielden wel hun lippen stijf op elkaar.

Joosten deed nog een poging.

'Wanneer is het gebeurd?'

'Ik ben wakker geworden toen de politie aankwam,' deed de man ontwijkend.

'Rond een uur of zes,' wilde de vrouw wel kwijt.

'Wie heeft hem gevonden?' vroeg de fotograaf.

'Is het voor TV-Limburg of voor VTM?' informeerde de man met een gebaar naar het fototoestel.

'Nee. Voor de krant.'

'Ah.'

Stilte. En toen zuchtte de man: 'Het is ook altijd iets, vind je niet, mijnheer?'

'Ja, ja.'

Joosten gaf het op. Hij wandelde naar de groene poort in de hoek waar het woonhuis en de overwoekerde muur op elkaar aansloten. Een jonge agent hield er de wacht.

'Is Miel Grauls hier?' vroeg Geo.

Blufpoker. Grauls was een adjunct-commissaris. Een van de weinige politiemannen in de zone van wie Joosten naam en voornaam kende.

'Nee.'

'Komt hij nog?'

'Niet dat ik weet?'

'Wie leidt dan het onderzoek?'

'Ik zou het niet weten?'

Geo lachte sarcastisch om de antwoorden die als vragen werden uitgesproken. De agent gaf geen krimp. De fotograaf probeerde het opnieuw.

'Wie heeft de leiding?'

'Ik mag niemand binnenlaten,' antwoordde de flik. 'We wachten op het parket.'

'Ja, maar ik ben een vriend van mijnheer Valcke,' gokte Joosten. 'Ik heb gisteren nog foto's gemaakt bij de voorstelling van zijn nieuwste werk.'

De agent zei niets, maar Joosten kon zo van zijn gezicht aflezen dat hij al had gehoord van het spektakel op De Gielenhof. En dat hij daar zeker geen reden in zag om de fotograaf binnen te laten in wijlen Valckes woonst.

'Ik zou graag binnen een foto maken. Voor de krant,' drong Geo aan, tegen beter weten in.

'Daarvoor moet je bij mijnheer de procureur zijn. Hij beslist daarover.'

'Zeg, het is toch Frenske niet die met de zaak bezig is?'

Frenske was de bijnaam van zonechef Frenssen. Hij was een van de vips geweest op De Gielenhof en volgens Geo prijkte zijn gezicht op de achtergrond van een paar artistieke plasfoto's. Op het ene beeld schreeuwde hij met wijd open mond en had hij ogen als schoteltjes. Op het volgende balde hij woedend een vuist naar Geo omdat die de eerste foto had durven te maken.

'De hoofdcommissaris heeft gezegd dat ik niemand mag binnenlaten,' zei de agent. 'En vooral geen pers.'

Geo zuchtte en besloot zijn geluk te proberen bij een drietal dat al de hele tijd geprobeerd had zijn gesprek met de flik af te luisteren. Een oudere man met duivenmelkerspet, een jongere kerel die zijn zoon had kunnen zijn en een vrouw in een hevig glimmend trainingspak.

'Wel, wel,' begroette de duivenmelker hem. 'Kom je ook nog eens voorbij?'

Joosten grinnikte.

'Zoals je ziet...'

Hij vond het niet vreemd dat de man hem bleek te kennen. Hij kwam voortdurend lui tegen die hij ooit gekiekt had en die zijn gezicht niet vergeten waren. Vervelend dat hun tronies hem meestal niets meer zeiden.

'Twee jaar geleden,' hielp de oude. 'Bij onze gouden bruiloft.'

'Ja, maar!' blufte Joosten. 'Dat was hier niet!'

Het bleek een goede gok te zijn, want de man reageerde verheugd.

'Je weet het dus nog! Het was inderdaad niet hier, maar in de zaal!'

'We hebben toen tien portretten gekocht,' voegde hij er meteen aan toe.

'Ja, ja,' veinsde Joosten, die zich vaag 'de zaal' herinnerde, een parochiezaal in een naar pis stinkend steegje achter de kerk, met een boertig, luidruchtig gezelschap en twee oude mensen die als versteend poseerden om op hun best in de krant te komen. De man met de pet was blijkbaar een van de jubilarissen geweest.

'Mijn vrouw is verleden jaar gestorven,' zei de man. 'Ze hebben haar nog bestraald, maar er was niets meer aan te doen.'

'Dat is spijtig,' antwoordde Joosten.

'We hebben jouw foto gebruikt op het bidprentje,' kwam de jonge vrouw tussen. 'Omdat ze er zo goed op stond. Echt zoals ze was, is het niet, pa?'

'Ja, ja,' zuchtte de oude. 'Het kan snel gedaan zijn met een mens, zeg ik altijd.'

'Gelijk heb je,' trad Joosten hem enthousiast bij, alsof hij instemde met een portie nooit eerder verwoorde levenswijsheid. 'Zoals met hem daar. Gisteren heb ik hem nog gefotografeerd toen hij zijn kunstwerk onthulde. En nu...'

'Eigenlijk was het toch maar een viezerik,' onderbrak de oude hem. 'Ik weet niet wat jij ervan vindt, van die moderne kunst, maar voor mij is het vetzakkerij en hoerengedoe. En iedereen mag weten wat ik ervan denk.'

'Ik spreek je niet tegen,' trad Joosten hem nogmaals bij en het leverde hem meteen een lik sympathie op.

'Met jouw beroep kom je natuurlijk overal en maak je waarschijnlijk van alles en nog wat mee,' meende de oude. 'Jij zult wel meer zien dan wij. Niet dat ik meer wil zien, want ik heb er mijn buik van vol. Wat we hier hebben moeten meemaken met die vuilak!'

'Was het dan zo erg?' deed Joosten alsof hij overliep van sympathie voor de knorrepot.

'Mamenneman!' riep de oude.

Er viel een lange stilte, waarin Joosten zich probeerde te verbeelden wat pettenman zoal gezien had. 'Mamenneman!' kon immers alles betekenen, behalve de letterlijke vertaling in het Nederlands: 'Maar mijn man'.

'Op elk uur van de dag en de nacht,' zei de oude, alsof hij in stilte een verhaal aan het vertellen was geweest en die ene zin plots hardop naar buiten was geschoten.

'Vreemd volk,' vulde de jongere man aan.

'Wat bedoel je? Buitenlanders?' vroeg Joosten.

'Die ook,' zei pettenman. 'Van alles, eigenlijk. Een komen en een gaan, dat hield niet op. Op klaarlichte dag, maar soms ook in het holst van de nacht. De ene keer was het chique volk in dikke bakken en de andere keer van die types waarvan je zo kon zien dat ze drugs pakten. Alles door elkaar. En je kon nooit uitmaken wat ze eigenlijk kwamen zoeken. Want ze brachten niets naar binnen en ze namen niets mee naar buiten. Dat is toch niet normaal?'

'Ik weet het niet...' antwoordde Joosten, maar zijn mening deed niet meer ter zake, want de oude ging meteen verder.

'En wat er allemaal achter die muur gebeurde! Mamenneman! Zuipen dat het geen naam meer had. Tot in de kleinste uren. En altijd met ketelmuziek waar een normaal mens dol van wordt. Soms lagen ze daar dan, mannen en vrouwen op een hoop, ik hoef er geen tekening bij te maken. Of de keren dat er blote wijven op de binnenplaats met venten speelden. Mamenneman! In de zomer bleven ze niet eens achter de muur, dan liepen ze zomaar in de boomgaard rond. Met niets aan hun lijf. Mamenneman!'

'Dat wist ik niet,' bekende Geo, niet dat het hem verbaasde, want zoals Valcke op De Gielenhof met zijn plasser had gespeeld...

'De laatste tijd was het wel iets minder,' milderde de zoon de uitbarsting van de oude.

'Dat is juist,' gaf die toe. 'Buiten zijn lief en die zwarte is er de laatste dagen bijna geen bezoek meer geweest.'

'Zwarte?'

'Geen neger, maar zo een donker type...'

Zijn zoon schoot hem te hulp.

'Pa bedoelt een man met zwart haar en een bruin vel. Ik denk dat het een Rus is, tenzij het een Albanees zou zijn, ik zou het verschil niet kennen.'

'Een zwartwerker,' ging de duivenmelker verder. 'Valcke wilde waarschijnlijk beginnen te werken in het huis. Hoog tijd, als je het mij vraagt. Die zwarte heeft een muur uitgebroken om van twee slaapkamers één grote kamer te maken.'

'De Rus was gisteravond nog bezig,' legde de zoon uit. 'Ik denk dat hij nog aan het werk was toen Valcke thuiskwam.'

Hij had zijn ogen tot spleetjes geknepen en staarde Geo doordringend aan.

'Ja, ja... Mamenneman! Ja, ja...' mompelde de oude.

'Bedoel je...' vroeg de fotograaf zonder zijn zin af te maken.

'Ja, ja', zei de zoon. 'Ik heb het niet zelf gezien, maar hij kan het gedaan hebben. Ik weet het natuurlijk niet zeker, ik was er niet bij en ik zal de laatste zijn om iemand zomaar van moord te beschuldigen. De politie moet haar werk doen, maar als ze het mij vroegen, zou ik die Rus toch eens aan de tand voelen.'

'Pa heeft hem zien liggen,' zei de vrouw ineens. 'Nog voor de politie kwam.'

'Jij hebt Valckes lijk gevonden?' vroeg Geo.

'Nee, nee!' protesteerde pettenman. 'Zijn bijzit heeft hem gevonden toen ze vannacht binnenkwam. Ze heeft de halve straat wakker geschreeuwd, schijnt het, maar ik heb het niet gehoord. Wij slapen aan de andere kant. Voor de rust, begrijp je?'

'Die van die kant hebben alles gehoord,' zei de jongere man met een kinbeweging naar het huis aan de overkant van de straat.

Joosten monsterde de gesloten rolluiken, de deur, die ongetwijfeld vergrendeld was, de slaapkamervensters met stijf dichtgetrokken gordijnen. 'Die van die kant' hadden blijkbaar genoeg gezien en hadden zich gebarricadeerd om de boze buitenwereld op een afstand te houden.

'Ze was juist wakker geworden om te gaan plassen,' legde de jongere man uit zonder duidelijk te maken wie hij met 'ze' bedoelde. 'Toen hoorde ze ineens die van Valcke brullen als een gekeeld varken.'

'Hoe heb je hem dan gezien?' vroeg Joosten.

'Door het venstertje,' zei de oude.

'Welk venstertje?'

'Dat daar.'

Hij wees naar een luikje in het dak en grijnsde veelbetekenend.

Joosten bedankte hem met een vettig hikje, een lachje voor voyeurs onder elkaar. Er kwam geen respons. Hij begreep dat de oude alleen maar grijnsde omdat hij zichzelf buitengewoon slim vond.

'Wil je ook eens kijken?' stelde de oude voor. 'Misschien kun je daarboven wel een foto van hem maken.'

'Als het niet stoort?' vroeg Geo voorzichtig, maar zijn hart begon wel sneller te slaan. Hij rook een primeur. Een die een bom geld zou kunnen opbrengen. Jackpot, twee dagen na elkaar. Zijn geluk raakte blijkbaar niet op.

'Natuurlijk stoort het ons niet!' riep het trio.

Zonder verder gedoe troonden ze de fotograaf mee over het grindpad langs de ligusterhaag, naar de achterdeur, door een veranda, waar een gaskomfoor en een aanrecht dienst deden als keuken, en verder door de bijkeuken, die als eetkamer fungeerde en waar overschotjes van het ontbijt op tafel waren blijven staan. Door de eetkamer met vier fluwelen fauteuils en een enorm televisietoestel, naar boven via een glanzend geverniste houten trap, met op de overloop deuren die potdicht waren en toch een weeë slaapgeur uitademden en tot slot nog een trap op, naar een zolder die schoner was dan Joostens woonkamer.

De duivenmelker klapte het dakraampje open. De scharnieren waren gesmeerd. De klink bewoog als vanzelf. De oude man nam plaats op een stevig houten kistje en stak zijn hoofd naar buiten. Het was niet zomaar een luikje, besefte Geo, het was een uitkijkpost, vanwaar de duivenmelker Valckes doen en laten naar hartenlust had kunnen bespieden. Mamenneman! dacht Geo.

'Daar ligt hij,' zei de oude en hij maakte plaats voor de fotograaf.

Joosten kon door het enorme glazen dak ongehinderd in het atelier kijken. Op de vroegere dorsvloer zag hij een paar ezels met half afgewerkte schilderijen staan, dezelfde die hij een jaar geleden op dezelfde plaats al gezien had. Op een reusachtige tafel in het midden van de kamer lagen bergen schijnbaar niet bij elkaar horende voorwerpen, waarschijnlijk materiaal voor toekomstige installaties. Een lange werkbank tegen de verste muur kreunde onder een last van bankschroeven, hamers, beitels, schroefsleutels, boren, schaven, lasposten, slijpschijven. Het gereedschap waarmee Valcke zijn zogenaamde kunstwerken in elkaar knutselde.

De fotograaf zag het allemaal in een flits, want zijn blik werd meteen naar een lichtvlek op het balkon getrokken. De smalle galerij was een overblijfsel van de hooiopper en liep als een mezzanine rond het atelier. Valcke zat in het licht van een schijnwerper die nauwelijks twintig centimeter boven zijn hoofd hing.

Hij zat kaarsrecht met zijn rug tegen een eiken balk, zijn benen gespreid tot een perfecte V. Zijn armen hingen naast zijn lichaam. Zijn handen lagen op de vloer met de handpalmen naar boven. Zijn hoofd was lichtjes opgetild, de kin naar boven gericht.

De reden voor die houding was meteen duidelijk. Uit Valckes linkeroog stak een gele, snoerloze boormachine van het merk DeWalt. De moordenaar had dwars door de hersens en de schedel van de kunstenaar geboord en zijn slachtoffer als een vlinder vastgepind tegen de balk.

'Een houtboor van ten minste twintig centimeter lang,' mompelde Joosten instinctief.

Instinctief, want in zijn eigen gereedschapskist had hij zowel een gelijkaardige DeWalt als net dezelfde superlange houtboor.

Hij kon nauwelijks iets van Valckes gezicht onderscheiden. De linkerkant ging schuil achter de boormachine. De rest was een bloederige massa, maar Geo kon niet uitmaken of dat kwam door het bloed uit het boorgat of door andere verwondingen.

Valcke droeg een geruit hemd. Verschoten spijkerbroek. Zware werkschoenen. Niet het zwarte pak dat hij bij Vanden Bulcke had gedragen.

Joosten schoot een eerste foto en controleerde het resultaat op het schermpje van de camera. Hij kon zijn ogen niet geloven. De opname was even scherp en duidelijk als een studiofoto. In snel tempo maakte hij nog een twintigtal beelden. Close-ups. Totaalbeelden. Tot zijn grote vreugde boog een agent zich over het lijk. Een schimmige rug, een hoofd met pet en daarachter een bloedrode tronie, waaruit een gele moordmachine stak. Het perfecte sfeerbeeld. Definitief een foto voor de frontpagina.

Hij wurmde zich uit het dakvenster en liet zijn gastheren een paar voorbeelden zien van wat hij gefotografeerd had. Ze mompelden goedkeurend.

'Zou ik een paar van die foto's kunnen krijgen? Voor bewezen diensten?' vroeg de oude.

'Natuurlijk! Zeg maar wat je wilt. Ik bezorg je er een afdruk van. Gratis.'

‘Je kent mijn adres,’ zei de oude. ‘Hetzelfde als de vorige keer. Petrus Wuyts. Steenweg nummer dertig...’

Joosten hoorde auto’s stoppen. Portieren klapten dicht. Het parket was aangekomen. En in het kielzog van de speurders, ongetwijfeld ook de concurrentie.

‘Ik geef je een afdruk van elke foto die ik gemaakt heb,’ beloofde hij. ‘Als jij niemand anders op je zolder toelaat.’

‘Waarom?’ vroeg de duivenmelker.

‘Omdat die gasten van het parket zouden kunnen denken dat je een gluurder bent,’ dreigde Joosten. ‘Als je niet oppast, vlieg je in de cel wegens voyeurisme. Zomaar bij andere mensen binnenkijken...’

‘We hebben niemand kwaad gedaan,’ protesteerde de jongere man.

‘Dat weet ik!’ riep Joosten. ‘Alleen, met die gasten van het gerecht moet je oppassen. Normale mensen zoals jij en ik zouden verwachten dat ze uitsluitend met de moord bezig zijn, maar intussen pakken ze je wel op voor een bagatel. Meer wil ik daarover niet zeggen. Wat mij betreft, mag je gerust zijn. Ik zal geen kik geven. De anderen... Snap je?’

‘Mm,’ deed de duivenmelker.

Het was niet veel, maar Geo Joosten wist wat het betekende. De zolder ging op slot en hij had zijn exclusieve foto’s. Het enige wat het hem zou kosten, waren enkele afdrukken op goedkoop papier. En een postzegel.

Onderzoeksrechter Nadine Liesens zag eruit alsof ze haar eigen rol vertolkte in een Vlaamse flikkenserie. Een sportief en stijlvol kapsel, net genoeg make-up om haar bleke gezicht fris, jong en toch streng te laten uitkomen onder haar zwarte haar. Haar kleren had ze zorgvuldig uitgekozen voor deze speciale opdracht. Een mix van cultuur en platteland. Leren laarsjes, beige jeans en een strakke witte trui onder een bestudeerd nonchalant openhangende Burberry.

‘Geen pers,’ waren haar eerste woorden toen Geo Joosten op haar toestapte.

‘Zij dan ook niet?’ vroeg hij met een gebaar naar het duo van de regionale krant. Man en vrouw, een echtpaar. Hij had zich in misdaadverslaggeving gespecialiseerd en zij liep mee om de bijbehorende foto's te maken.

'Niemand,' beval Liesens. 'Je kunt op straat fotograferen wat je wilt, maar binnen niet. O.k.?'

De regionalen knikten onderdanig.

'Het is dus goed als ik hier een mooie foto van jou maak?' vroeg Geo.

'Waarom zou je?'

'Omdat je zo knap bent, mevrouw de rechter. Dat zien mijn lezers graag.'

Andere magistraten zouden gesteigerd hebben bij die overdosis brutaliteit, maar Liesens hield zich in. Een goede foto van Joosten, wist ze, kon haar een plaatsje op de frontpagina van 's lands meest gelezen krant opleveren. Een zeldzame eer voor een simpele rechter uit een vergeten gat zoals Tongeren.

'Doe wat je niet laten kunt,' bromde ze terwijl ze met haar hand door haar kapsel ging.

'Zonder de regenjas,' pestte Joosten haar. 'Daarmee zie je eruit als een oude boerin.'

Hij had er meteen spijt van dat hij zo brutaal was geweest. Te brutaal? Tot zijn grote verbazing gehoorzaamde de rechter. Ze gaf de Burberry aan een agent en poseerde met haar schouders lichtjes naar achteren en haar borsten uitdagend vooruit.

'Prachtig, geweldig, dat wordt de foto van de dag,' mompelde Joosten.

'Overdrijf niet,' waarschuwde Liesens terwijl ze haar jas aantrok. 'En waag het vooral niet naar binnen te sluipen.'

'Is het dan zo erg daarbinnen?' vroeg de regionale reporter.

'Mijnheer Valcke is vermoord met een boor,' zei de onderzoeksrechter. 'De doder heeft dwars door zijn oog geboord. Door zijn hersenen en door zijn schedel. De eerste keer dat we zoiets meemaken. Gruwelijk.'

'Heb je al een verdachte?' vroeg Geo Joosten.

'Kom nou,' lachte Liesens. 'Het onderzoek moet nog beginnen! Veel te vroeg om al over verdachten te spreken. Neem daarover vanavond maar contact op met de woordvoerder.'

'Wanneer brengen ze het lijk naar buiten?' wilde de regionale fotografe weten.

'Geen idee.'

Geo Joosten zuchtte diep, alsof hij het vreselijk vond uren te moeten rondlummelen om een lijkkist te fotograferen. De onderzoeksrechter liep naar binnen, tevreden dat ze haar macht had kunnen laten voelen.

'Jij was hier snel,' zei de misdaadverslaggever.

'Eén goede tip gehad.'

'Al iets kunnen doen?'

'Pft... Niet veel zaaks. De enigen die vannacht wat gehoord of gezien hebben, zijn de mensen van hier tegenover.'

Hij wees naar het huis met de nog altijd even potdicht gesloten vensters en deuren.

'En?' vroeg de verslaggever.

'Laten we even aanbellen,' stelde Geo voor, er heel zeker van dat de getuigen toch niet zouden opendoen. Zolang Valckes lijk in het atelier lag, moest hij zijn concurrenten bezighouden. Hen geen seconde uit het oog verliezen. Hij zou hen helpen en bijstaan alsof hij de meest collegiale vent op aarde was. Zolang ze maar wegbleven van zijn duivenmelker en zijn zolderraampje.

Het middagnieuws haspelde de moord af in vier zinnen, zowel de VRT als VTM. 'Vannacht is de kunstenaar Kurt Valcke in zijn woning vermoord. Zijn lichaam is vroeg in de ochtend gevonden door een huisgenote. Valcke was 39 jaar en verwierf vooral bekendheid door schilderijen en diverse installaties. Het parket van Tongeren heeft een onderzoek geopend.' Einde.

Dat had je als je op zondag vermoord werd in Haspengouw.

Tien seconden later belde Estelle.

'Heb je gehoord dat Valcke dood is?'

'Ik zit in mijn auto voor zijn deur.'

'Wie heeft het gedaan?'

'Liesens lost niets. Waarschijnlijk omdat ze niets weet.'

'Wie is Liesens?'

'Onderzoeksrechter. Je hebt haar nog gekend toen ze een beginnend advocaatje was. Poppentype. Zwart haar. Lekker kontje.'

'O! Die!'

Geo grinnikte luid. Estelle reageerde nog steeds even bits en korzelig wanneer hij iets te enthousiast een andere vrouw beschreef.

'Je lacht me uit,' zei ze.

'Je weet waarom.'

'Als je niet zo een rotzak was,' begon ze, maar hij onderbrak haar.

'Wil je dan niet weten hoe Valcke aan zijn einde is gekomen?'

'Daar hebben ze op de VRT niets over gezegd.'

'Natuurlijk niet. De lekkerste details vertellen ze daar nooit.'

'Begin niet te zeuren.'

'De moordenaar heeft een houtboor van vijfentwintig centimeter door zijn kop gedraaid. Dwars door zijn oog, door zijn hersenen en door zijn schedel, tot in een houten balk. Hij heeft hem opgeprikt als een vlinder.'

Het bleef stil aan de andere kant.

'Geloof je me niet?' vroeg Geo.

'Heb je het met je eigen ogen gezien? Of ben je weer aan het fantaseren?'

'Liesens heeft het in geuren en kleuren beschreven,' antwoordde hij, want ze mocht niet alles weten, niet zolang er een kans was dat iemand hem in extremis toch nog zijn exclusieve foto's afsnoepte.

'Hoe kun je iemand vermoorden met een boor in zijn oog?' vroeg Estelle zich af. 'Dat kan gewoon niet, zeker niet als het slachtoffer zich verweert!'

'Misschien heeft hij geen weerstand geboden. Misschien was hij zat of stoned en besefte hij niet waarom de moordenaar een gele DeWalt op hem richtte.'

'Wat is een gele DeWalt?'

'Een boormachine.'

'Heeft hij die gebruikt?'

Geo besefte dat hij al te veel verteld had. De kans dat Estelle een concurrent zou tippen was verwaarloosbaar klein, maar hij wilde geen risico nemen.

'Ik weet het niet,' zei hij snel. 'Toen Liesens over die boormachine begon, dacht ik spontaan aan een gele DeWalt omdat ik er zelf ook een heb.'

'O.'

Een korte 'o'. Ze was tevreden met zijn uitleg. Hij haastte zich om een ander onderwerp aan te snijden.

'De foto's van gisteren...' begon hij.

'Die zijn nu zeker veel geld waard,' meende Estelle.

'Reken maar. Er zijn er al een paar van gepubliceerd. In de News of the World en in Sunday People. En ook in de Bild am Sonntag.'

'Je houdt me voor de gek.'

'Eerlijk.'

'Wauw.'

Haar verbazing deed hem plezier. Je zult nooit iets anders zijn dan een editiefotograafje, had ze hem verweten als andere verwijten geen indruk meer op hem maakten. Een platte portrettentrekker van gouden bruiloften en het jubileum van mijnheer pastoor, had ze er graag aan toegevoegd. En nu gingen zijn foto's de wereld rond. Voor veel geld, dat hoefde hij haar niet uit te leggen, dat wist ze wel.

'De foto's die jij besteld hebt,' begon hij. 'De pornografie...'

Nu was het Estelle die hem niet liet uitspreken.

'Nee, Geo. Geen pornografie! Ik heb je gevraagd foto's te maken van een levend kunstwerk. Heb je dat gedaan?'

'Ja,' antwoordde hij, al zag hij niet in hoe blote floezies kunst konden zijn en geen pornografie.

'Nou, als je je woord hebt gehouden en er geen potje van hebt gemaakt, dan blijft onze afspraak bestaan.'

'O.k. Maar met de vraag die er is, zullen die foto's niet echt goedkoop zijn. Dat besef je toch? Dat de prijs intussen gestegen is?'

Ze ging niet in op zijn hint.

'Bel je me als je nog iets hoort over de moord?' vroeg ze.

'Ja. Ben je thuis?'

'Mm.'

'Ik bel je. Afgesproken. En wanneer ik thuis ben, mail ik de bestelde porno.'

Hij schaterde terwijl hij op het uit-knopje duwde.

Het was iets na drieën toen twee ziekendragers het lichaam van Kurt Valcke in een zinken doodskist naar buiten rolden. Geo Joosten knipte een paar routineplaatjes. En dan nog één fotootje van de cameraploeg van de regionale televisie die de zegels op de groene poort filmde, alsof hij wanhopig op zoek was naar een origineel beeld. De concurrenten schudden het hoofd en zuchtten diep bij zoveel uitsloverij.

Straks zou een woordvoerder een persconferentie geven in het justitiegebouw in Tongeren. Onderwerp: de stand van het onderzoek. Geo keek op zijn horloge. Tijd zat om een paar exclusieve foto's naar Brussel te sturen en de andere aan te bieden aan de klanten die de vorige serie hadden gekocht. Ongetwijfeld waren ze ook geïnteresseerd in het spectaculaire, bloederige einde van de plassende Vlaamse primitief. Seks en bloederige smurrie, het bleven de bouwstenen van internationale persimperiums.

Zodra dat achter de rug was, zou hij gaan luisteren naar de persconferentie. Wie weet kwamen er een paar dingen aan het licht die de goudmijn Valcke nog kostbaarder konden maken.

Een lawine van oproepen, vragen en bestellingen overrompelde Joosten toen hij thuiskwam. De plaskunstfoto's waren de wereld rondgegaan en hadden de moord op Kurt Valcke tot globale gebeurtenis opgepept. In een paar uur verkocht Geo Joosten meer foto's voor meer geld dan hem ooit in zijn leven gelukt was. Grommend van genoegen zag hij bij elke gemailde kopie de getallen op het papiertje aanzwellen, tot het totaal de veertigduizend euro overschreed. Daar moest hij de afrekeningen van de verkoop door agentschappen nog bijtellen. Hoeveel zou dat zijn? Zeker tienduizend euro, mogelijk zelfs het dubbele. Hij had goed geboerd, feliciteerde zichzelf en trok een fles Santa Rita Merlot open. Verdiende beloning.

Hij laadde de foto's van Valckes lijk in zijn grote Mac. Haarscherp beeld, perfect uitgelicht, een studiofotograaf had het niet beter gekund.

In de gore bloedpap die het gezicht van de kunstenaar bedekte, blonk een fijne lichtvlek. Het rechteroog. Open. Valcke was bij bewustzijn geweest toen hij vermoord werd. Had hij de draaiende boor zien naderen? Of had hij zijn ogen pas opengesperd op het ogenblik dat het ijzer in zijn hoofd drong, een laatste reflex voor hij de geest gaf?

Geroepen had hij blijkbaar niet, zijn mond was gesloten, de lippen niet meer dan vage oneffenheden in het gestolde bloed.

Ongelooflijk, dat iemand zo kon bloeden uit een hoofdwond, bedacht Joosten terwijl hij van de wijn nipte.

Het bloed was over Valckes kin gestroomd en had een grote vlek gemaakt op het ruitjeshemd. Een slabbetje van bloed en hersenvocht.

Geo leunde achterover en bestudeerde de rest van de foto. Die toonde Valcke van zijn kruin tot zijn middel, plus een stuk van de omgeving. Rechts van het lijk zag Geo een wand van gipsplaat, ongeveer anderhalve meter hoog tussen dak en vloer. Een verbouwing die nooit afgewerkt was. Links stond een lage ladekast waarop de kunstenaar blijkbaar de rommel uit de zakken van zijn nette pak had gelegd. Papieren, een sigarendoosje, een mobiel telefoontje, een portefeuille, een sleutelbos, een aansteker, een handvol centen en wat bankbiljetten. Gele, noteerde Geo, briefjes van tweehonderd euro. Hoeveel? Drie stuks? Vijf? Zoiets.

Met een schok besefte hij dat het al zes uur was. De persconferentie. Glad vergeten. Hij dronk zijn glas leeg, haast was nog geen reden om goede wijn te laten vergaan, en repte zich naar Tongeren.

Hij kwam natuurlijk te laat. Terwijl hij de Landrover parkeerde, zag hij in de verte zijn collega's uit het justitiegebouw komen. Een van hen was Piet Schraepen, de verslaggever die voor Geo's krant de moorden en branden in de provincie coverde. Hij was in gesprek met een onbekend jongmens. Geo begreep dat de lokale man assistentie had gekregen van een reporter uit Brussel. Een snaak die nergens van wist, maar min of meer zonder fouten kon schrijven, wat je van de lokale reporter niet kon verwachten.

'Zo! Jij bent dus Joosten!' riep de snaak op een joviale toon. Geo interpreteerde die als neerbuigend en kleinerend.

'En wie ben jij?'

'Wim Dirix. Reporter van de centrale redactie,' antwoordde de lokale man, omdat hij voelde dat Joosten geen hoge pet op had van de jongeman.

'Jij hebt dus foto's van het lijk gemaakt?' vroeg Dirix.

'Ja. Ze liggen al op de redactie.'

'Hoe zag hij eruit?'

'Kijk zelf maar,' stelde Joosten voor en hij klikte het half-totaalbeeld op het schermpje van zijn camera.

De jongeman floot bewonderend tussen zijn tanden.

'Verdomme, Geo, hoe heb je dat klaargespeeld?' vroeg Schraepen. 'Godverdomme, zeg. Het kon een stuk uit een film zijn!'

'Ik ben vroeg opgestaan,' gromde Joosten. 'En ondertussen heb ik die foto al aan een paar honderd kranten verkocht. Tot in Amerika toe!'

'Wablief!' riepen de twee verslaggevers.

'Ik zal het je bij gelegenheid weleens vertellen. Wat wist mijn vriendin Nadine nog over de zaak?'

'Ze heeft de dader al te pakken,' zei Schraepen.

'Kom, je houdt me voor de gek. Die trut van een Liesens? Heeft ze de moordenaar? Nu al? Dat moet een record zijn. Voor haar toch.'

'Het was de klusjesman,' vertelde Dirix. 'Een Rus. Dostojevski.'

'Kostjoenov,' verbeterde Schraepen hem. 'Oleg Kostjoenov. Ze hebben hem ingerekend in een pension in Riemst.'

'Hoe is ze hem op het spoor gekomen?'

'Dat heeft ze niet willen zeggen. Het onderzoek heeft het uitgewezen, je kent dat gebabbel wel.'

'Onderzoek, mijn voeten!' riep Geo. 'Die Kostjoenov is gewoon de vent die illegaal klusjes opknapte voor Valcke. Hij heeft gisteravond nog zitten timmeren in die ouwe barak, waarschijnlijk tot Valcke thuiskwam.'

'Hoe weet jij dat?' vroeg Dirix.

'Onderzoek heeft het uitgewezen,' spotte Geo.

'Ja maar, is het echt waar wat je daar beweert?' drong Dirix aan. 'Of ben je me voor het lapje aan het houden?'

'Schrijf het maar gerust op,' zei Geo en hij ging op treiterige dicteersnelheid verder. 'De heer Kostjoenov voerde sinds een dag of tien verbouwingen uit in de hoeve van de heer Valcke. Hij heeft een wand tussen twee slaapkamers uitgebroken. Om één grote kamer te maken. Hij is vermoedelijk vertrokken rond het tijdstip dat de genaamde heer Valcke thuiskwam, hoewel niemand hem heeft zien weggaan.'

Dirix noteerde ijverig. Exclusieve informatie. Geert Brouns zou tevreden zijn over het werk van zijn jonge verslaggever en hem ongetwijfeld een pluim geven. Dat de informatie van die lullige fotograaf kwam, wie zou het aan Brouns vertellen? Niemand toch?

Joosten hield de snotneus meewarig in de gaten. Hij kon zich niet bedwingen.

'Je kunt nog meer details over de moord krijgen,' treiterde hij. 'Als je zelf met de getuigen gaat praten.'

De jongeman keek instinctief op zijn horloge.

'Daar heb ik nu echt geen tijd meer voor,' mompelde hij. 'Ik moet dringend mijn stuk schrijven. Tenzij jij nog iets weet dat ik absoluut moet vermelden?'

'Ja. Dat Kostjoenov het niet gedaan heeft.'

Schraepen en Dirix staarden hem met open mond aan.

'Wat? Waarom niet?' stamelde de snaak. 'De onderzoeksrechter leek heel zeker van haar stuk.'

'De onderzoeksrechter is een kip zonder kop.'

'En moet ik daarom schrijven dat die Rus onschuldig is?' foeterde Dirix.

'Ken je een betere reden?'

Geo was boos omdat hij zijn mond voorbijgepraat had, maar nog meer omdat hij niet eerder had ingezien dat de Russische zwartwerker niet de moordenaar kon zijn.

4.
Frieten met stoofvlees

Toen ze eindelijk het verlossende 'Este D.' onder haar artikel kon tikken, had Estelle Draps barstende hoofdpijn.

De Valcke-story was van een leuke babbel over kunst en lifestyle tussen Haspengouwse boomgaarden uitgegroeid tot het grote omslagverhaal van de week.

In de woorden van haar hoofdredacteur, die zijn wekelijkse commentaar aan het item ophing, had Estelle een diepgravende analyse gewrocht – AQS hield van woorden die naar Streuvels en kluiten klei roken – waarin ze de rol van de kunstenaar in de postmoderne samenleving onder het vergrootglas hield.

Nog steeds volgens het commentaarstuk vergastte Este D. de AQS-lezers op beklijvende beschouwingen over de plicht van de artiest om de goegemeente te schokken, zonder uit het oog te verliezen dat die gemeenschap de plicht had zich te beschermen tegen excessen en het recht bezat dat wat zondigde tegen hun opvattingen van goede smaak af te blokken.

De commentaren van AQS waren populair omdat ze uit het niets kwamen en er na een honderdtal regels naar terugkeerden, zodat niemand zich geschokt kon voelen.

Estelle had haar simili-intellectueel getater geïllustreerd met uitspraken van Valcke die ze uit oude interviews had gepikt, wat haar chef schaamteloos opklopte tot 'het testament van een bezeten kunstenaar'.

Het enige nieuwe in de oeverloze pap waren tien quotes uit een telefoongesprek met Piet Vanden Bulcke. Met haar aanval op zijn veiligheidsagent in het achterhoofd had ze al haar moed bijeengeschraapt en hem gebeld. De magnaat had zich echter uitgebreid bij haar verontschuldigd voor wat hij het wangedrag van de security noemde. Het scheelde niet veel of hij had haar zelfs gefeliciteerd omdat ze de agent zo wreed had toegetakeld.

Het verhaal van de moord had Estelle op bevel van haar chef herleid tot een gepasteuriseerd kaderstuk, een samenraapsel van wat ze in de maandagkranten had gelezen, ontdaan van alle min of meer sappige details.

Het Valcke-dossier vulde voorlopig twintig pagina's. Tenzij de hoofdredacteur besloot er alsnog de fotospread aan toe te voegen. En dat, besefte Estelle, zou avondwerk worden, met of zonder hoofdpijn.

Ze strooide de inhoud van haar tas uit op tafel. Geen pijnstiller. Wanhopig speurde ze naar een sint-bernardshond op de intussen zo goed als lege redactie. Het kantoorlandschap was vijf jaar geleden gecreëerd door een gereputeerde designfirma, maar intussen al vergaan tot het niveau van een douanekantoor in het niemandsland tussen Iran en Irak.

Voor ze een collega kon vragen of die geen aspirientje op zak had, knipperde op haar scherm het icoontje dat ze een intern bericht had ontvangen.

'Je coverstory ziet er picobello uit,' schreef de hoofdredacteur vanuit zijn glazen hok twintig meter verder. 'Er moet echter nog iets bij om het af te laten smaken. Ik heb vier bladzijden vrijgemaakt voor een foto-essay. Concept: maximum vijf foto's per pagina met korte, verstandige commentaar. Neem asap contact met de pix ed. Hij is al op zoek naar goede archiefstuff.'

'Godverdomme,' zuchtte Estelle.

Ze had een hekel aan de fotoredacteur. De man was een verwaande eikel die zich aan een kutschool beginselen van de fotografie had laten aanpraten en in zijn vrije tijd een paar boeken had bekeken. Dat volstond om als beeldpaus de plak te zwaaien bij AQS, ook al snapte hij het verschil niet tussen een pakkende nieuwsfoto en een plat amateurkiekje.

Om vlug van de last verlost te zijn stuurde Estelle hem meteen een bericht.

'Heb je al een selectie voor Valcke?'

Gelukkig wel, ook al had hij er diep voor in de prullenmand moeten graaien. Actuele foto's vinden en selecteren had hem geen moeite gekost. Alles kwam van Joosten, de enige die iets geschoten had dat de moeite van het publiceren loonde.

Voor het foto-essay bleven daarom alleen nog saaie prentjes van Valcke op vernissages met een glas in de hand. Nog saaiere foto's toonden enkele oudere werken, meestal zo flets en ongeïnspireerd in beeld gebracht dat het evengoed afbeeldingen van grijs brood konden zijn. Estelle tikte met haar pen tegen het scherm van de fotoredacteur.

'Die, die, die, die,' besliste ze in een mitrailleurtempo dat verrassend heilzaam bleek te zijn voor haar hoofdpijn.

'Ik zou die ook nemen,' meende de fotoredacteur en hij wees naar een zwart-witfoto van Valcke bij een bijna vergeten, Vlaamse minister-president.

Estelle haalde haar schouders op. Ze had geen energie om te discussiëren.

'Je doet maar,' knorde ze. 'Ik schrijf er wel iets bij.'

Een uur later liet ze de hoofdredacteur weten dat de fotopagina's af waren. Hij was niet tevreden.

'Niet indringend genoeg,' meende hij. 'De lezer van AQS wil meer. Hij wil voelen dat zijn blad hem diep laat binnendringen in de psyche van een in zijn ogen ophefmakende kunstenaar. Snap je?'

'Ja,' zei Estelle.

Ze vroeg de opmaakredacteur ruimte voor een paar regels onder de kop, die de hoofdredacteur hoogstpersoonlijk verzonnen had. 'De ziel van Kurt Valcke – Werk in opspraak', had hij ervan gemaakt. Zij schreef er vier brokkelige zinnetjes onder. 'AQS leidt je binnen in de geest van Kurt Valcke. Vier bladzijden met beelden van het werk van de vermoorde kunstenaar. De wereld waarin hij leefde. De mensen met wie hij omging.'

'Is het dat wat je bedoelt?' vroeg ze aan de baas.

'Bingo.'

'Heb je een aspirine op zak?'

'Hier. En als je er een straffe slok bij wilt, kan ik daar ook voor zorgen.'

'Bedankt. Liever niet.'

Haar mobieltje piepte. Met een schok herkende ze het nummer. Geo Joosten. De eerste keer dat hij haar op de redactie belde.

'Maak het kort,' beet ze hem toe terwijl ze terug naar haar bureau liep. 'Ik sterf zowat van de hoofdpijn.'

'Ik moet je dringend zien,' antwoordde hij. 'Ga je binnenkort naar huis?'

'Ja.'

'Ik kom naar je toe.'

'Liever niet.'

'Ik breng iets mee van een frietkraam. Je moet toch eten. Stoofvlees met friet? Van de frietkraam langs de Leuvensesteenweg? Die blijft open tot na middernacht. Als die nog bestaat, want het is eeuwen geleden dat ik daar nog voorbij ben gereden.'

'Liever niet.'

'Dat is dan afgesproken. Ik kom.'

'Godverdomme, Geo, nee. Ik ben op. Ik kan niet meer.'

'Ik kom toch. Ik moet je iets vertellen. Iets belangrijks. Over Valcke.'

Na haar breuk met Joosten was Estelle uit Geo's oude geboortehuis in Borgloon gevlucht naar een studio in Evere.

De miniflat was niet meer dan een benepen doos in een enorm kippenhok, maar op dat ogenblik zag ze het als een eerste opstapje naar een totaal nieuw leven. Geen piepklein studiootje waarvoor ze veel te veel huur betaalde, maar een tussenstop op de weg naar een ruime loft of een zonovergoten dakflat.

Daarboven aangekomen zou ze als een gesofistikeerde intellectuele genieten van de bruisende stad aan haar voeten, elegant uitgestrekt op een fluwelen sofa, omringd met smaakvolle meubeltjes van de beste ontwerpers en kunst van grote namen. Haar avonduren zou ze vullen met intense belevingen van schoonheid en diepe rust, al dan niet in gezelschap van elegante minnaars, mooie jongemannen, die urenlang met haar konden filosoferen over de essentie van het leven, voorspel tot stomende seks, die soms de hele nacht zou duren.

Het was echter bij de studio gebleven en wanneer ze aan het eind van de maand haar bankrekening bekeek, besefte ze dat daar niet vlug verandering in zou komen. Haar meubeltjes stamden niet uit exquise designzaken, maar uit de Ikea en de kringloopwinkel. En voor kunst had ze ook nog geen tijd en zeker geen geld gehad.

De minnaars beperkten zich tot een VRT-figuur die haar probeerde wijs te maken dat ze heel binnenkort in zijn roem zou delen – zodra hij, onvermijdelijk, een ster was geworden. En tot een gitaarspeler die erop rekende onmisbaar te worden bij de Kreuners, wanneer die hem eenmaal ontdekt hadden.

De tv-jockey had ze gedumpt omdat hij een verwaande zeurpiet was. De muzikant gaf zich zelf de bons door haar tijdens het voortijdig ejaculeren vol te kotsen met onverteerde spaghetti. Iets dat zelfs Geo Joosten nooit gedaan had en hij was het soort minnaar dat bij wijze van voorspel zure scheten liet.

Een echtpaar stapte met Estelle in de lift. Ze wist vaag dat het Denen waren die voor de Navo werkten. Ze sjouwden een stapel dossiers met zich mee in een boodschappentrolley. Estelle knikte maar het duo negeerde haar. Hun rooddooraderde ogen stonden glazig. Stoned. Junks uit de machtscentrale van het Noord-Atlantische Bondgenootschap. De vuilspuiters van Geo's krant zouden er een paginagrote lap over kunnen brouwen. AQS hield zich in principe niet met zulke dingen bezig. En zelfs als ze er iets over zou mogen schrijven, zou Estelle niet weten hoe ze aan zo een verhaal moest beginnen.

Ze knipte meteen de televisie aan toen ze binnenkwam. Een reflex om het doodse hok te vullen met stemmen. Beweging. Geluiden en kleuren om de stilte en de kille eenzaamheid te breken. Aan de diepe rust, de buitenaardse zenmomenten waar ze destijds van gedroomd had, had ze intussen zo een hekel dat ze nog liever in een troosteloze kroeg of snackbar bleef hangen dan als een kluizenaar in haar studio te vegeteren.

In de tram had de aspirine haar werk gedaan. Toen ze uitstapte, was de druk op haar slapen zo goed als verdwenen en tijdens de korte wandeling over de lege Leopold III-laan had de zuurstof de laatste restjes hoofdpijn weggeblazen. Ze had honger. En trek. Ze hoopte dat Joosten zoals beloofd friet en stoofvlees zou meebrengen.

Joosten? Met zijn rammelkar had hij wel anderhalf uur nodig om naar Brussel te rijden. Ze telde er een halfuur bij, voor de bestelling. Nog genoeg tijd dus om onder de douche de spanning weg te spoelen, zodat ze met een fris hoofd kon luisteren naar wat hij te vertellen had.

Terwijl ze zich voor de spiegel afdroogde, vroeg ze zich af wat voor belangrijks haar ex-man haar te vertellen had.

Iets over Valcke? Ze lachte bitter. Joosten die met haar over kunst en kunstenaars wilde praten? Het kon niet anders dan een smoes zijn. Een slap excuus om zich bij haar op te dringen. Het weerzien op De Gielenhof had hem vermoedelijk op dwaze ideeën gebracht. Verdomd. Was dit een achterbakse poging om weer bij haar in de gunst te komen?

'No way, sir,' zei ze hardop tegen haar spiegelbeeld en ze dacht er in stilte bij: Als dat je plannetje is, vriend, zal ik je een lesje geven dat je niet snel zult vergeten.

Met nu en dan een grijns van leedvermaak toverde ze het vermoeide gezicht van Estelle Draps om in een stralend Este D.-gelaat. Bij zoveel glamour paste maar één jurkje. Een exclusieve creatie, overgehouden aan een chique zomerfeest voor rijke zakenlui, modieuze artiesten en uitgezochte Bekende Vlamingen.

De gastheer, een van de talrijke Visionaire Ontwikkelaars uit AQS, had Este D. geëngageerd om een wierookverslag te schrijven voor zijn bedrijfsblad. Opdat ze niet uit de toon zou vallen bij zijn gemanicuurde park met zwembad, solarium en naar exhibitionisme neigende gasten, had hij haar getrakteerd op een creatie uit de collectie van een beroemde Vlaamse modeontwerpster. Estelle beschouwde het als een vorstelijk honorarium.

'Daar zul je niet van terughebben, Joosten,' mompelde ze terwijl ze het kapitale vodje uit de kast haalde.

In de jurk zaten zoveel designgaten dat ze telkens weer moeite had om de juiste openingen voor hoofd en armen te vinden. Hij was ook zo dun en zo kort dat ze hem niet in het openbaar durfde te dragen met het tangaslipje dat de ontwerpster er als ultiem accessoire bij had geleverd.

'Vanavond doe ik het wél, Joosten,' gromde ze uitdagend tegen haar spiegelbeeld. 'Puur om je te pesten.'

Om niet bang te worden van haar eigen overmoed voegde ze er tandenknarsend aan toe: 'En wanneer ik je genoeg geprovoceerd heb, zet ik je als een straathond aan de deur.'

Joosten zag er afgepeigerd uit. De wallen onder zijn ogen boden genoeg plaats voor een ruime collectie antieke Dinky Toys. Hij had een stoppelbaard van dagen. Zijn kleren waren nog erger verfomfaaid dan Estelle van hem gewend was. Ze vermoedde dat hij stonk als een ranzige bok, maar zijn lijfgeur werd heel effectief onderdrukt door de walm van friet en saus die opsteeg uit een gigantisch pak dat hij met beide handen vastklemde.

'Hoi,' zei hij en hij liep meteen door, zonder haar wulpse modeplaatje een blik te gunnen. Geen reactie. Niets. Gewoon 'hoi' en verder niks.

Estelle zuchtte. Haar provocatie leek al van het eerste ogenblik af gedoemd te mislukken. Alle moeite voor niets?

Geo dumpte zijn vracht zonder veel ceremonie op het salontafeltje tussen de glanzende tijdschriften en breekbare prulletjes, die volgens AQS-bijlagen zouden bewijzen dat goede smaak niet duur hoefde te zijn.

'Borden en vorken?' vroeg hij, alsof hij nog altijd niet doorhad dat Estelle stijlvol halfnaakt stond te pronken.

'Wat jij het liefste hebt,' gromde ze teleurgesteld.

'Frituurkost smaakt het beste uit het pak.'

Terwijl hij de buitenste lagen inpakpapier op het salontafeltje uitspreidde en zakjes en prakjes uitstalde, schonk Estelle wijn in. Donkere, harde, brutale, eerlijke tinto uit Navarra, een smaak die ze bij hem had leren appreciëren.

'Je ziet eruit alsof je sinds zaterdag niet meer in bed geweest bent,' merkte ze op.

'Niet in bed en niet in bad,' bekende hij. 'Geen tijd gehad. Maar ik klaag niet. Valckes stunt heeft me intussen al een miljoen of drie opgebracht. Daar laat ik graag wat slaap voor.'

Drie miljoen in oude frank? Estelle moest de som even laten bezinken. Drie miljoen? Een fortuin! Joosten was altijd een schraper geweest, maar drie miljoen voor één reportage...

'In het buitenland?' vroeg ze.

'Natuurlijk. Vandaag zijn er nog een paar dikke slagen afgegaan. Stern heeft vijftien foto's gekocht en een of ander Italiaans blad nam er evenveel. Die mannen betalen vorstelijk voor exclusiviteit.'

'Had je dan nog iets exclusiefs over? Na alles wat al gepubliceerd is?'

Hij grinnikte, terwijl hij een lange, dikke friet in pickles wentelde.

'Ik had nog de porno die jij me hebt laten schieten,' zei hij met een brede grijns. 'Ik heb een aantal van die prentjes met een kleine ingreep toonbaar gemaakt. De Duitsers waren er gek op. En de Italianen! Die hebben een heel pakket gekocht! Ik zie niet hoe ze het allemaal gepubliceerd krijgen!'

'Goed voor jou.'

'Ja.'

'Nu kun je misschien een betere auto kopen. Een Range Rover of zo.'

'Ben je gek? Net nu mijn Defender verlost is van zijn kinderziektes?'

'Die rammelkar is tien jaar oud!'

'En wat dan nog? Het is nu eenmaal een Engelse auto. Iedereen weet dat de Engelsen wrakken bouwen die daarna door garagisten moeten worden opgeknapt. Na tien jaar en honderd reparaties zijn die bakken op hun best.'

'Vrek.'

'Lach maar, ik weet wat ik doe.'

Als een hongerige wolf graaide Joosten in de frieten, viste met zijn vingers vette vleesbrokjes uit de bakjes en slurpte ongegeneerd aan de wijn. Hij liet een boer en verontschuldigde zich uitvoerig, niet uit beleefdheid, maar om extra aandacht te vestigen op zijn slechte manieren. Een boertige en onbeholpen provocatie, omdat hij graag de Haspengouwse lummel speelde en zich blijkbaar nog altijd moest afzetten tegen de vrouw die hij ooit een stadskakmadam had genoemd.

Estelle waagde het in de stoel tegenover hem te gaan zitten. Joosten leek alleen oog te hebben voor het eten. Omzichtig kruiste ze haar benen. Hij lette er niet op. Ze boog zich voorover om een frietje te nemen, een gebaar waardoor de subtiel ontworpen spleten en gaten in de jurk allesbehalve subtiel inkijk verschaften. Joosten gaf geen kik.

Estelle legde er zich bij neer dat haar prikkelplan finaal de geest had gegeven. Ze kruiste zedig haar armen over haar borst om de meest opvallende openingen te sluiten.

'Valcke?' vroeg ze. 'Wat wil je over hem weten?'

'Juist. Valcke. Wat weet je over de moord?' reageerde Geo, nog altijd zonder haar aan te kijken.

'Alleen wat in de kranten heeft gestaan. En dat wat er vandaag nog op Belga is geweest.'

'Dat Valcke vermoord is door een Russische klusjesman, die het op het geld van zijn werkgever had gemunt?'

'Dat, ja.'

'Wel, dat is bullshit. En dat is de reden waarom ik je dringend wilde zien. Die Rus is namelijk niet de moordenaar.'

'Het stond toch ook in jouw krant dat hij het gedaan heeft?'

'Dat weet ik,' gromde Geo. 'Ik heb die idiote reporter nog zo op het hart gedrukt dat hij niet alles moest geloven wat die kip van een Liesens vertelde, maar hij heeft niet naar me geluisterd. En hij speelt nog altijd met haar mee, want morgen gaat hij door over die Rus. Ik heb trouwens foto's van die sukkel moeten maken tijdens de reconstructie.'

'Is er dan al een reconstructie geweest?'

'Ja. Liesens paradeerde als een pauw. De moord van het jaar, toch wat Tongeren betreft, en zij die de zaak in een handomdraai oplost!'

'En jij beweert dat die Rus het niet gedaan heeft? Wie dan wel?'

'Dat weet ik niet.'

'Hoe kun je er zo zeker van zijn dat de Rus onschuldig is? Hij had de gelegenheid, hij had het motief, hij had het wapen.'

Die zin had ze onthouden uit een politieserie. Joosten schudde meewarig zijn hoofd en veegde de resten van de frituurmaaltijd opzij om plaats te maken voor zijn laptop. Hij tokkelde wat op toetsen en op het scherm verscheen een half-totaalbeeld van Valcke met de gele boor door zijn kop, links van hem de kale wand, rechts het tafeltje vol rommel.

'Bekijk die foto eens,' stelde hij voor. 'Wat zie je?'

'Wat moet ik zien? Ik heb die foto vandaag wel tien keer moeten bekijken. Morgen staat hij in de AQS.'

'En is je niets opgevallen?'

'Nee.'

'Op de tafel. Zie je de gele briefjes? Van tweehonderd euro?'

Zijn vingers gleden over het touchpad om het detail uit te vergroten. Valcke verdween en de rommeltafel vulde het scherm.

'Verdorie,' zuchtte Estelle.

'Volgens Liesens prikte de Rus zijn werkgever tegen een paal om hem te beroven. Waarom liet hij al dat geld dan liggen? En waarom nam hij de portefeuille niet mee? Kijk goed. Zie je de witte streepjes die eruit komen piepen? Dat zijn bankkaarten.'

'Wauw.'

'Een andere vraag. Waarom bleef de Rus in de buurt rondhangen? Als hij de moordenaar was, had hij zich uit de voeten gemaakt. Bij het minste gevaar verdwijnen zwartwerkers in het decor. Langs vluchtwegen die ze mooi vooraf hebben uitgekiend. En deze zou dat niet gedaan hebben na een spectaculaire moord? Geloof je dat?'

'Geo...'

Hij grinnikte en genoot van Estelles verbazing.

'Geo! Dat moet toch in de krant!' riep ze. 'Dat is toch helemaal iets voor jouw krant! Waarom...?'

'Waarom willen ze er niets over schrijven? Ik heb vanmorgen met handen en voeten aan Schraepen uitgelegd dat de Rus niet de moordenaar kon zijn, maar die suflul durft alleen te pennen wat mevrouw de onderzoeksrechter hem officieel heeft meegedeeld. En het ventje uit Brussel dat ook op de zaak zit, is te dom om te begrijpen wat ik hem verteld heb.'

'Dan moet je er zelf mee naar Liesens,' stelde Estelle voor.

'Misschien.'

'Waarom misschien? Je kunt toch een afspraak maken dat ze je de primeur laat behouden? In ruil voor je getuigenis.'

'Misschien.'

Ze keek hem strak aan en zag zijn ogen blinken. Ondanks zijn vermoeidheid blaakte hij weer van de energie. Een angstige gedachte bekroop haar.

'Wacht even! Je bent toch niet van plan...?' begon ze, zonder haar zin af te maken.

Hij knikte en liet zijn bovenlip krullen. Estelle wist maar al te goed wat dat betekende. Ze wuifde afwerend met haar handen.

'De zaak zelf oplossen, wilde je dat vragen?' vroeg hij. 'Geen sprake van. Dat kan ik niet. Zeker niet alleen. Wij samen. Jij en ik. Wij zouden samen veel raadsels kunnen oplossen. Daar ben ik zeker van.'

Estelle staarde hem ontzet aan. Ze was zo in de war dat ze ging verzitten zonder aan de gevolgen te denken. Ze merkte niet eens dat er spotlichtjes in Geo's ogen flonkerden.

'Ik? Jij vraagt mijn hulp om een moord op te lossen?' riep ze.

'Inderdaad. De eerste stap heb ik al gezet. Ik weet wie de moord niét gepleegd heeft. Waarom zouden we niet samen de volgende stap wagen? Met wat geluk vissen we uit wie de moordenaar is. Jij schrijft het verslag en we publiceren tegelijk het resultaat, ik onder mijn naam in de krant en jij in AQS. En Liesens kan de pot op. Geniaal.'

'Geen haar op mijn hoofd.'

'O.k.,' antwoordde hij bliksemsnel, wat voor Estelle bewees dat hij altijd al rekening had gehouden met haar weigering. 'Ander voorstel. Je hoeft je nek niet uit te steken. Je hoeft geen letter op papier te zetten. Ik vraag alleen dat je me een handje helpt om een paar zaken uit te klaren. Expertise. Omdat ik niet thuis ben in de kringen van Valcke en jij wel. Ja?'

Estelle dronk haar glas in één teug leeg. De koppige Navarra steeg haar naar het hoofd.

'Waarom zou ik?' vroeg ze.

‘Omdat het spannend is,’ lachte Joosten, lichtjes beschonken. ‘En omdat je nog steeds van me houdt.’

‘Geloof dat maar niet.’

‘Nee? Waarom werk je dan zo hard om me te verleiden? Of is het tegenwoordig in om je ex-man in je blootje te ontvangen?’

‘Smeerlap,’ begon ze, maar hij wiste haar boosheid met een kordaat handgebaar weg.

Ze bloosde. Ineens snapte ze dat hij haar prikkelspelletje al van het eerste ogenblik af had doorgehad. En terzelfder tijd begreep ze dat hij haar alleen maar zo hard had genegeerd om te voorkomen dat ze zich finaal belachelijk maakte.

Hij had haar een vernedering willen besparen.

En dat deed hij nu nog, want koel, alsof hij haar spel al vergeten was, vroeg hij: ‘Vind je het niet spannend om eens voor detective te spelen?’

‘Ik vind het griezelig. Kinderachtig en griezelig.’

‘O.k.,’ zuchtte hij. ‘Dan zal ik de zaak op mijn eentje moeten uitspitten. Jammer.’

Hij haalde de bloederige foto van het scherm, maar viste meteen het beeld op van de lijkbidders naast het spreekgestoelte op De Gielenhof.

‘Wat weet je nog meer over die figuren?’ vroeg hij.

‘Waarom vraag je dat?’ beet ze hem toe.

Korzelig, want ze vond het ongehoord dat hij zomaar durfde te impliceren dat het kruim van de Vlaamse kunstwereld bij de beestachtige moord kon betrokken zijn.

‘Rustig, rustig,’ suste hij haar. ‘Ik vraag toch alleen maar wat informatie?’

‘Dacht je zo de moordenaar op te kunnen sporen? Door iedereen verdacht te maken die Valcke ooit gekend heeft?’

‘Estelle! Niet zo snel!’

Hij stak zijn lege glas uit. Het hoeveelste was het? Vijfde? Achtste? Ze aarzelde of ze het nog zou vullen. Straks was hij zo zat dat hij onmogelijk nog met de auto naar huis kon. En dan? Ach. Ze goot het wijnglas vol.

'Beloof je me dat je geen domme streken uithaalt?' vroeg ze. 'Misschien wil ik je dan wel helpen.'

'Ach, meisje... Nee... Kijk... Ik wil alles te weten komen over de types die rond Valcke hingen. En ja, ik beken dat ik in een bepaalde richting aan het denken ben.'

'Met een zatte kop?'

'Ha! Zat? Dat ben ik nu inderdaad, maar ik heb vroeger op de dag wel met een nuchter hoofd nagedacht.'

'Om welke waanzin te verzinnen?'

'Valcke is met een stuk in zijn kraag naar huis gegaan. Laat. Zo laat dat de buren hem niet eens hebben horen thuiskomen. Hij was waarschijnlijk in De Gielenhof blijven hangen. Ik vermoed dat hij zich daar bezopen heeft op kosten van het centrum. Nadat Vanden Bulcke hem een schrobbering had gegeven voor zijn plasshow.'

'En toen?'

'En toen heeft hij zijn zwarte pak uitgetrokken en is hij in zijn werkkleding gestapt. En dat vind ik verdacht.'

'Waarom? Er zijn wel meer mensen die zich verkleden als ze thuiskomen.'

Hij keek haar spottend aan. Ze verwenste zichzelf nog maar eens omdat ze aan het wulpse gedoe met de exclusieve gaatjesjurk was begonnen.

'Niemand trekt een werkplunje aan als hij een stuk in zijn kraag heeft en het eigenlijk tijd is om te gaan slapen,' zei Joosten.

'Verdorie.'

'Je snapt het. Valcke verwachtte bezoek. Van iemand die hij goed kende. Een persoon voor wie hij geen mooi pak hoefde te dragen, maar die wel belangrijk genoeg was om er nog een uur of zo voor wakker te blijven.'

'Zijn lief. Die Catherine en nog iets.'

'Nee. Die kwam pas later op de proppen. Na de moord. Dat heb ik van de buren. Het moet iemand anders geweest zijn. Iemand die Valcke zo graag wilde vermoorden, dat hij zelfs niet de moeite nam de moord op een roofoverval te laten lijken.'

'Je bent minder zat dan ik dacht.'

'Vergis je niet, meisje. Ik ben zat. Erg zat. Nog één glas en dan val ik om.'

'Als je eerst een bad neemt, mag je op de sofa slapen.'

Ze was blij dat ze het voorgesteld had. Het was toch onvermijdelijk. Zelfs een straathond van Joostens kaliber zette je niet aan de deur als hij zo dronken was.

'Betekent dat ook dat je me morgenvroeg wilt helpen de moordenaar te zoeken?' vroeg hij, alsof haar voorstel de normaalste zaak van de wereld was en geen bedankje verdiende.

'Geen sprake van. Hier. Nog één glas, dan is de fles leeg. En daarna ga je in bad.'

'Help je me zoeken?'

'Morgen. Als ik een helder hoofd heb. Vraag het dan nog eens.'

Ver voorover geleund, ellebogen op zijn knieën, staarde Piet Vanden Bulcke in een glas Paddy Old Irish Whisky en luisterde intussen naar Frits Franken. Hij had op het punt gestaan zijn bed op te zoeken, toen de tv-kunstgoeroe hem gebeld had met het dringende verzoek over de zaak-Valcke te praten.

Toen Franken klaar was met zijn uiteenzetting, vatte de makelaar het lange verhaal in één vraag samen.

'Je bedoelt dat het werk van die vetzak ineens zakken geld waard is omdat een Russische klusjesman een boor door zijn hersens heeft gedraaid?'

'Onderschat nooit de invloed die spektakel heeft op de marktwaarde van kunstwerken,' beleerde Franken, de vastgoedmagnaat. 'De happening wás een onnozele miskleun, maar dankzij de moord is het schandaal deel gaan uitmaken van een sterk verhaal. Een artiest die eerst op een weinig zachtzinnige wijze tegen heilige huisjes plast en onmiddellijk daarna als door Gods hand wordt gestraft. Schuld en boete. Kunst en dood. Schoonheid en lelijkheid. Sterk, hoor.'

'Heel sterk,' gaf Vanden Bulcke toe. 'Toch voor een keukenmeidenroman.'

Hij liet de gouden drank wervelen in de enorme cognacbel waaruit hij traditioneel zijn lievelingswhisky dronk. Hij ademde de geuren diep in. Het spul was nog lekkerder om te ruiken dan om te drinken, vond hij.

'Valcke is in één klap wereldwijd beroemd geworden,' ging Franken onverstoorbaar verder. 'Beroemd, bekend, berucht. Omschrijf het zoals je wilt, maar Kurt Valcke is in één klap een naam geworden. Dankzij wat geplas in het ijle, de moord en de foto's van dat lamentabele portrettentrekkertje.'

'Mm. Ter zake. Wat stel je concreet voor?'

'Klopt het dat de contracten met Valcke zo geformuleerd zijn dat jij de exclusieve eigenaar van zijn werk wordt bij zijn dood?'

'Hoe ken jij de inhoud van mijn contracten?'

'Een publiek geheim. Een klein wereldje.'

'Wie heeft geklikt? De Deken? Scheffers?'

'Doet niet ter zake. Ik heb zo mijn bronnen. Dat is mijn vak.'

'Kunsthandelaars,' snoof Vanden Bulcke. 'Allemaal dezelfde sjoemelaars en kletswijven.'

'Dus het klopt. Valcke is van jou.'

'Ja.'

'Dan stel ik voor dat je een boodschap stuurt naar Scheffers en De Deken. Dat ze hun handen van Valcke moeten afhouden. Dat ze niet mogen vergeten dat jij officieel eigenaar bent van alles wat zij eventueel nog van hem in bewaring hebben. En natuurlijk van het oeuvre dat bij de vzw is ondergebracht.'

'Dat de meeste werken van Valcke bij de vzw zitten, weet je dus ook.'

'Kom nou, Piet, weten is mijn vak, hoe vaak moet ik het herhalen?'

'Mm. Weet je ook iets over erfgenamen?'

'Die spelen niet mee. Twee redenen. Ten eerste zijn er de contracten waarmee Valcke zijn spullen aan jou heeft afgestaan.'

'Moment. Hoe waterdicht zijn die? In erfeniszaken vindt zelfs een dorpsadvocaat nog wel iets waarmee hij de zaak jarenlang kan blokkeren.'

'Welke advocaat zou dat dan wel zijn? De tweede reden waarom je niet bang hoeft te zijn, is immers dat Valcke voor zover ik weet geen erfgenamen heeft. Dus...'

'Mm. En welke rol heb jij jezelf toebedeeld?'

'Als je mij een volmacht geeft. Of een opdracht. Om het even. Als je me groen licht geeft, sta ik morgenvroeg in Londen en ben ik tegen de avond in Parijs om het pad te effenen voor de verkoop van jouw Valckes.'

'Mm.'

'Een prima whisky overigens.'

'Vind je? Belachelijk goedkoop eigenlijk. Er zijn weinig mensen in Vlaanderen die de goede ouwe Paddy naar waarde weten te schatten. Zonde.'

'Wat doe je met mijn voorstel?'

Vanden Bulcke haalde zijn schouders op.

'Ik heb jou niet nodig om Valcke zijn rommel te verkopen.'

'Dat klopt,' antwoordde Franken met een valse glimlach. 'Daar heb je me niet voor nodig. Toch niet zolang je er niet om geeft dat je reputatie een deuk van formaat oploopt. Voor je er erg in hebt, beschuldigen ze je van lijkenpikkerij. Ja? Ik, daarentegen, hoef me daar niets van aan te trekken. Ik kan de zaken zo regelen dat niemand er ook maar aan denkt dat jij bewust van de moord profiteert. Niemand zal je een Oost-Vlaamse geldwolf noemen, die desnoods over lijken gaat. Je snapt wel wat ik bedoel. Perceptie. Imago.'

'Chantage?'

Franken haalde zijn schouders op. Chantage? Natuurlijk was hij Vanden Bulcke aan het afpersen. Wat was daar fout aan? De makelaar kende ook geen scrupules als het om geld ging. Waarom zou VDB niet van hetzelfde laken een pak mogen krijgen?

'Veel zal het je niet kosten,' zei hij onverstoorbaar. 'Een paar percentjes. Plus reis- en verblijfkosten. Peanuts als je bedenkt wat ik te bieden heb. Een concept dat er niet alleen voor zorgt dat jij helemaal buiten schot blijft, maar dat je naam zelfs nieuwe glans zal geven. Plus contacten op topniveau met mensen die op ultrakorte termijn een paar ophefmakende veilingen kunnen en willen organiseren. Ik bezorg je van alles het beste. Zowel voor je reputatie als voor je portefeuille.'

'Mm.'

Geo Joosten werd wakker omdat de zon in zijn ogen scheen. Hij voelde zich merkwaardig schoon en fit. Gewassen. Geschoren. Uitgeslapen. Geen spoor van een kater na de drie of vier flessen Navarra van de vorige avond.

Hij schrok toen hij op zijn horloge keek. Halftien. Verdomme. Binnen een halfuur had hij een afspraak in een lagere school in... In... Ach, het deed niet ter zake. Zelfs als hij meteen vertrok, haalde hij het nooit.

Het bed van Estelle, aan de andere kant van de kleine flat, was leeg op een slordige hoop lakens en dekens na. De tafel was netjes gedekt. Thermos met koffie, kopje, bord, brood, boter, een pot jam, kaasjes. En een briefje. 'Ik ben naar de redactie. Hou je e-mails in de gaten. Tot later. Este D.'

'Pff', deed hij. 'Este D.'

Terwijl hij met één hand een boterham smeerde, toetste hij een sms'je in voor de correspondent die hem naar de school had moeten vergezellen.

'Kom een uurtje later. Sorry.'

Verdomme, dacht hij, zie me bezig. Gisteren verkocht ik foto's aan de grootste bladen en vandaag pieker ik over een dorpsschool die haar 150ste verjaardag viert. Hoeveel klasjes? Zes? Eén groepsfoto voor de krant, zes of zeven foto's als geschenk aan de leerkrachten, zodat ze niet protesteerden als hij fotootjes verkocht aan de kinderen. Hoeveel stuks? Een twintigtal? Vijfhonderd euro? Moest kunnen. Een kleine zelfstandige moest op de kleintjes letten. Ook als hij een wereldhit had gescoord.

Hij fotografeerde de kinderen tijdens hun middagpauze, allemaal op één hoop, met vooraan het schoolhoofd en de schepen van onderwijs en achteraan, staande op stoeltjes, de leerkrachten. Een lekker ouderwets groepsbeeld. Als de eindredacteur het verstand had de foto een halve pagina groot af te drukken, zou het een lokaal succesnummer worden, hoopte Geo terwijl hij naar zijn volgende afspraak reed. Een groene pipo die beweerde dat hij zijn dorpsbeek zo schoon had gekregen dat er binnenkort forellen in zouden zwemmen.

'Trek je lieslaarzen aan en ga in het midden van de beek staan,' beval de fotograaf en de man gehoorzaamde zonder tegen te sputteren.

De volgende foto-opdracht ging over een vrouw die zes katten had verloren door een gifmenger. En daarna was er nog iets te doen met een pas gerestaureerde kapel, gevolgd door twee mannen die naar Athene wilden fietsen voor de Olympische Spelen, maar die foto had de redactie pas de volgende dag nodig.

Lang voor de deadline verstuurde Geo zijn productie naar de redactie in Brussel. In zijn postbus vond hij een e-mail van Estelle.

'Je sliep als een os. Ik heb je maar laten liggen. Een paar telefoons gedaan. Het meeste werk van Valcke bevindt zich op drie adressen. In de kunsthandels van De Deken (bijna uitsluitend schilderijen) en in die van Scheffers (sculpturen, plastiek, video-installaties, zijn meest recente werk). Veel werk is ondergebracht bij een vzw die kunst uitleent. De Glorie van Vlaanderen. Zou iets van de Vlaamse Gemeenschap zijn, maar vreemd genoeg heb ik er me nog nooit van nabij mee beziggehouden. Buiten Vanden Bulcke hebben weinig privéverzamelaars iets van Valcke in huis. Voor zover ik heb kunnen achterhalen. De Deken is de man links op de foto, het dichtst bij het podium. Naast hem staat Steve Verbist van de Vlaamse Gemeenschap. En de man daarnaast is Frank Scheffers. Weet je genoeg? Groetjes. Este D.'

'De Glorie van Vlaanderen,' zuchtte Geo. 'Waar halen ze het vandaan?'

Op goed geluk tikte hij deglorievanvlaanderen en .be en tot zijn grote verbazing kreeg hij respons. Een homepage in geel en zwart, met een klauwende leeuw in grijs en wit op de achtergrond. Onderaan op het scherm nodigde een hokje uit door te klikken naar meer informatie.

Geo liet snel een aantal bladzijden afrollen. De Glorie van Vlaanderen vzw verhuurde werk van hedendaagse kunstenaars aan bedrijven en instellingen. Fabrieken, kantoren, winkels, vrije beroepen, scholen, ziekenhuizen, allemaal konden ze bij DGVV iets vinden dat bij hun persoonlijkheid paste. Schilderijen voor aan de muur, mobielen om in een trappenhal te hangen, diverse sculpturen voor binnen en buiten, zelfs een fontein was in het assortiment opgenomen.

Uit het aanbod onder Valckes naam selecteerde hij enkele schilderijen. Schabouwelijke kliedervodden, vond Geo, ook al beweerde de anonieme commentaarschrijver dat het harde, doorwrochte, pakkende meesterwerken waren. Eén groot doek – zes meter breed, twee meter hoog – dat niet veel meer voorstelde dan een okergele bol op een beige achtergrond, bleek te huur voor slechts 500 euro per jaar. Ideaal voor de wand achter een receptiebalie, meende De Glorie van Vlaanderen.

Een adres van de vzw kon Geo niet vinden. Wel een postbus en telefoonnummers in Mechelen. Op het ene kreeg je volgens de website de uitleenverantwoordelijke aan de lijn. Op het andere directeur Petra Van den Boom.

Geo schreef de nummers in zijn agenda, maar besloot voorlopig niet te bellen. De kans dat er iemand zou opnemen, achtte hij onbestaande. Geen vzw werkte nog na zes uur. En zijn maag knorde opstandig. Sinds het ontbijt in Estelles flat had hij niets meer gegeten. Hij besloot zichzelf op een uitgebreid diner te trakteren in Taverne De Vierweg; met uitzicht op De Gielenhof.

5.
Kameren op De Gielenhof

Voor Armand Vanspauwen was Vanden Bulckes landing op De Gielenhof een lottotreffer geweest. Omdat het restaurant van het rurale cultuur- en kunstcentrum te duur en te chique was voor de gemiddelde bezoeker, liep taverne De Vierweg bij elk evenement vol met lieden die na een portie volksverheffing trek hadden in een betaalbaar rantsoen biefstuk met pepersaus, varkenskotelet met appelmoes of croque-hawaï. Zwierig geserveerd door Armand, een achterkleinzoon van de legendarische Hector Vanspauwen, die tussen de wereldoorlogen baas was geweest van de trekpaardenstal van wat intussen De Gielenhof heette. Dat bleek althans uit de foto's die in de eetzaal hingen, een sluwe verwijzing naar mogelijke oude banden tussen het restaurant en het centrum.

Terwijl Geo genoot van bonensoep in afwachting van biefstuk met béarnaise en kroketten, waarschijnlijk gevolgd door kaastaart en koffie, liet Armand hem uitgebreid delen in zijn visie op de catastrofes van het vorige weekend.

'Als ik een streek uithaalde zoals die stunt met blote vrouwen, dan sloten ze mijn zaak op staande voet,' zuchtte hij.

'Ja, maar jij hebt dan ook een taverne en geen cultuurcentrum,' lachte Geo mild.

'Cultuur? Klote.'

'Tja.'

'Wat? Denk jij er anders over? Nadat ze jou als een hond weggejaagd hebben, die Hollanders met hun zwarte bodybuilders?'

'Dat weet je dus ook al.'

Vanspauwen keek verontwaardigd. Had die fotograaf dan niet door dat hij alles wist van wat er op De Gielenhof gebeurde?

'Je zou opkijken van wat ik allemaal weet!' riep hij.

'Wel, laat me dan eens opkijken,' daagde Joosten hem uit. 'Tap jezelf een pint en kom erbij zitten, want ik wil heel graag weten wat je buren zoal uitvreten.'

Vanspauwen nam de uitnodiging onmiddellijk aan. Hij maakte zich breed met zijn ellebogen op tafel en leunde voorover, zodat de weinige andere klanten niet konden horen wat hij de fotograaf vertelde.

'Gerda, dat is mijn nicht, ze komt uit Mopertingen, werkt in het gastenverblijf, het hotel dus,' begon hij. 'Ze heeft een hele tijd in de cafetaria van Alden Biezen gestaan, maar Vanden Bulcke betaalt beter. De moeite om te verkassen. En dat het een paar minuten verder van huis is, vindt ze niet erg, want ze werkt toch alleen maar overdag. Kamers schoonmaken en zo. Proper werk.'

Geo probeerde van de hete soep te drinken zonder te slurpen of over zijn kin te morsen en intussen toch geïnteresseerd te kijken.

'Denk niet dat ze gewoon kamermeid is of zoiets,' ging Vanspauwen verder en hij schakelde meteen in een andere versnelling. 'De luxe die je daar hebt, vind je niet in de chicste hotels. Gerda dacht dat ze alles al had gezien en dat ze alles kon, maar sinds ze op De Gielenhof werkt, heeft ze al twee keer een bijscholing moeten volgen. Ze is in Antwerpen gaan leren zilver en goud oppoetsen. En er is speciaal een antiquair gekomen om haar te laten zien hoe ze de antieke meubels moet onderhouden! Ik zeg maar...'

'Wat kost een nacht in zo een kamer dan wel?' vroeg Geo, terwijl hij zweetdruppels van zijn voorhoofd wiste met een servetje, dat onmiddellijk oploste tot papierbrij.

'Dat hangt ervan af. Er is geen echt tarief. Meestal zit de prijs in de som die de gasten betalen voor een conferentie of een colloquium of hoe dat allemaal heet. En het hangt ook een beetje af van wie je bent. Goede vrienden van Vanden Bulcke logeren gratis, beweert Gerda. En anderen, wel, ze denkt dat die tot duizend euro betalen. Voor één nacht.'

'Wauw.'

'Zeg dat wel. Nu, dat is niet het belangrijkste. Het belangrijkste is wie er in die kamers zit. Dat zijn geen simpele mensen. Ja?'

'Nee. Dat snap ik. Duizend euro voor één nacht...'

'Mamenneman!'

'Wat?'

'Ik heb het niet alleen over wie daar 's nachts verblijft. Ik heb het vooral over het volk dat er overdag komt.'

'Overdag?'

Vanspauwen kneep zijn ogen dicht alsof hij vreesde met blindheid geslagen te worden door de gedachten aan wat er zich overdag afspeelde in het gastenverblijf van het rurale cultuur- en kunstencentrum.

'Overdag komen de dikke koppen,' fluisterde hij. 'En je zou nogal opkijken als ik je vertelde wie dat allemaal is.'

Geo zuchtte. Hij kon voorspellen wat nu ging volgen. Om de haverklap moest hij luisteren naar mensen die beweerden overtuigende bewijzen te hebben van de dolste uitspattingen van de meest prominente politici.

Waanzinnige verhalen over Dewael met zes naakte negerinnen in een bubbelbad, of over Stevaert die zich liet pijpen door blonde Natasja's, die met een vliegtuig van de luchtmacht uit Rusland naar Brustem werden overgevlogen.

De fluisterverhalen eindigden steevast met de opmerking dat hij daar maar eens foto's van moest maken, want dan zou zijn broodje gebakken zijn. Hoe of waar hij die foto's kon knippen, konden de opgehitste tipgevers hem natuurlijk nooit zeggen.

'Dat moeten we vragen aan de man die het ons verteld heeft,' was het meest gebruikte excuus. 'En of die het ons mag verklappen, in zijn positie, tja...' was de vaakst gehoorde slotzin.

Voor Joosten iets van zijn wantrouwen kon uiten, repte Vanspauwen zich met de lege soepkom naar de keuken. Hij keerde terug met een reuzenschotel waarop een biefstuk van een klein pond, een paar plukjes groen en een stukje tomaat dreven in een halve liter béarnaise. Op een tweede schotel lagen genoeg kroketten om alle vermeend overspelige politici van het koninkrijk vet te mesten.

'Smakelijk,' zei Vanspauwen en hij liet zich weer op de bank tegenover Geo zakken.

'Wie komt er dan zoal kameren op De Gielenhof?' vroeg de fotograaf. 'Dewael? Stevaert? Verhofstadt zelf?'

'Nee, nee, nee!' riep Vanspauwen. 'Dat zou de max zijn!'

Geo spitste zijn oren terwijl hij een van saus druipend stuk vlees naar zijn mond bracht. Misschien kwam er toch nog iets dat de moeite loonde.

'Nee, nee,' herhaalde Vanspauwen en hij liet zijn stem tot fluistertoon zakken. 'Ik heb het over mensen van de televisie. Zangers en zangeressen. BV's. Snap je? Allerlei artiesten. En regelmatig ook hoge pieten van het ministerie.'

Hij lachte dubbelzinnig. Geo had het te druk met zijn eten om te snappen waarom.

'Hoge pieten,' gniffelde Vanspauwen. 'Pieten. Letterlijk en figuurlijk. Heb je hem?'

'Ha!'

Het lachje werd hem in dank afgenomen, want Vanspauwen ratelde in één adem een rij namen af. Geo kende sommige uit de roddelblaadjes, bij enkele kon hij zich een gezicht voorstellen, bij een paar zelfs een brokje biografie. Het waren de kermisgasten die de uren vulden op alle Vlaamse tv-zenders. Volk waarvan hij zonder meer aannam dat ze in alle hoeken en kanten met elkaar neukten, omdat dat nu eenmaal bij hun zelfbeeld hoorde. Hij deed desondanks zijn best om toch nog wat interesse uit te stralen, want hij voelde dat er nog meer op komst was.

'Mamenneman!' besloot Vanspauwen.

'Ja, ja...'

Het bleef even stil. Geo sneed een kroket doormidden. Topkwaliteit. In eigen huis gemaakt, geen flets voorgebakken en liefdeloos opgewarmd fabrieksspul.

'De grootste smeerlap schijnt wel die Valcke te zijn,' zei Vanspauwen. 'Die en een vent van het ministerie. Ik weet niet hoe hij heet, maar ik heb hem maandag op de foto zien staan.'

'Wie dan? Heb je de foto nog?'

Vanspauwen nam een krant van achter de toog. Hij bladerde meteen door naar de streekbladzijden, waarop een paar neutrale kiekjes van de spektakeldag op De Gielenhof waren afgedrukt. Geo's betere werk vulde twee nationale pagina's. De lokale sectie had zich moeten behelpen met afdankertjes.

'Deze hier. Directeur Steve Verbist van de Vlaamse Gemeenschap.'

'Hij?'

'Mamenneman! Als je hem op de foto ziet met zijn donkere pak en zijn deftige gezicht, zou je het niet vermoeden, maar...'

Stilte. Geo smeerde een klonter opstijvende béarnaise op een reepje vlees. Het leek op de kots van een kat met maagkanker, maar als je daar niet aan dacht, was de smaak goddelijk.

'Gerda heeft hem ooit per toeval betrapt met drie wijven tegelijk in bed,' fluisterde Vanspauwen. 'Ze bewerkten hem vanboven, van onderen en van achteren. En ze hielden niet eens op toen ze de kamer binnenkwam. Dat heeft ze me verteld.'

'Verbist?'

'Gerda heeft hem aangewezen in de krant. Ze wist eerst niet hoe belangrijk hij was, tot ze zijn foto zag. Deftige meneer, wat?'

'Het is niet omdat hij een mooi pak draagt en directeur is dat hij geen vreemde lusten kan hebben.'

'Mamenneman!'

'En Vanden Bulcke is daarvan op de hoogte?'

'Natuurlijk weet die dat! Verbist mag gratis komen spelen. Daarover beslist de zaakvoerder niet. Dat kan alleen met toestemming van Vanden Bulcke!'

'Hoe weet je dat? Die zaakvoerder kan toch achter de rug...'

'Nee, nee! Gerda weet pertinent dat sommige kamers speciaal gereserveerd worden op vraag van de grote baas. Daar heeft ze bewijzen van. Soms komt er een fax of een e-mail en dan moet zij ervoor zorgen dat de bestelde kamer tegen de middag klaar is. Met drank en hapjes, alles wat die speciale gasten graag hebben. Zonder dat hun naam ergens vernoemd wordt.'

'Dan zal het wel waar zijn, zeker.'

'Zeker.'

Geo monsterde wat er nog op zijn bord lag. Nog één kroket. Twee happen vlees. Twee likjes béarnaise. Perfect.

'En die vrouwen?' vroeg hij. 'Waar haalt Verbist die? Brengt hij ze mee of krijgt hij ze van Vanden Bulcke?'

'Ik zou het niet weten. Dat moet ik eens aan Gerda vragen. Nu zie je dat ik geen journalist ben! Ik heb daar nog niet aan gedacht!'

'Beroepsmisvorming.'

'Ik weet wel dat Valcke altijd met zijn eigen lief kwam.'

'Zo.'

'Die twee, dat moeten ongelooflijke smeerpijpen geweest zijn. Gerda zegt dat het bed altijd vol jam en choco hing. Of spaghetti. Ze smeerden elkaar daarmee in voor ze begonnen te bonken, zeker?'

'Smakelijk.'

'Pff! Dat is nog het minste. Voor ze weggingen, scheten ze het bad vol en smeerden ze hun uitwerpselen tot tegen het plafond.'

Geo kauwde traag op het laatste stukje vlees en genoot ten volle van de smaak van de béarnaise.

Vanspauwen schrok.

'O! Pardon!'

'Geeft niet. Ik heb een sterke maag.'

Hij spoelde het eten door met een royale slok wijn. Iets Frans. Niet zijn smaak, maar de wijn liet zich nog net drinken.

'Zou ik bij gelegenheid met Gerda kunnen praten?' vroeg hij.

Vanspauwen maakte een afwerend gebaar.

'Maandagmorgen is het personeel bij de zaakvoerder geroepen. Bevel van de grote baas. Niemand van de staf mag met de pers spreken. Na het schandaal van zaterdag...'

Geo knikte alsof hij het perfect begreep en zich bij het onvermijdelijke neerlegde.

'Zouden je bazen in de krant durven te zetten wie daar allemaal tussen de lakens kruipt?' vroeg Vanspauwen.

'Zolang mensen uit eigen vrije wil met elkaar stoeien, heeft de krant daar geen zaken mee. Zoiets publiceren wij niet.'

'Te veel sensatie is ook niet goed.'

'Ik wilde je nicht alleen een paar namen opsommen. Om te horen of die ook op bezoek zijn geweest. Maar als het niet kan...'

Vanspauwen dacht diep na. Joosten wist precies wat in hem omging. De man worstelde met de vraag of nicht Gerda wel mocht zwijgen, nu ze voor die ene keer iets echt belangrijks te vertellen had, nu, op een *moment de gloire*, een glorie waarin Armand volop zou delen.

'Moment,' zei hij.

Hij graaide de schotels bij elkaar en liep ermee naar de keuken.

'Breng je koffie?' riep de fotograaf hem na. 'En een groot stuk kaastaart?'

'Ja. Moment.'

Vanspauwen kwam terug met een jonge vrouw die hij voorstelde als Gerda. Ze keek Joosten wantrouwend aan. Hij vroeg haar te gaan zitten, maar dat weigerde ze. Ze bleef liever staan.

'Je oom heeft me verteld dat er straffe dingen gebeuren in het gastenverblijf,' zei Joosten.

Ze kneep haar lippen nog wat dichter op elkaar.

'Ik spreek daar liever niet over,' siste ze. 'En hij had beter ook zijn mond gehouden.'

'Ach, het kan geen kwaad. Ik heb hem uitgelegd dat we over zulke dingen toch niet schrijven in onze krant.'

'Mm. Ik hoop het, want als ze op De Gielenhof ontdekken dat ik met een journalist heb gesproken...'

'Niemand hoeft dat te weten. Ik kan mijn mond houden. Vraag het maar aan Armand. Hij kent me.'

'Ja.'

'Ik wilde alleen maar iets vragen. Persoonlijke interesse. Privé, als je wilt. Je hoeft niet te antwoorden. Maar ik vraag me af of er ooit kamers worden cadeau gedaan aan een man die De Deken heet.'

Geen antwoord. Gerda staarde hem roerloos aan, ze bewoog zelfs geen ooglid.

'Scheffers?'

Geen reactie. De vrouw leek een bevroren standbeeld.

'Franken?'

Niets.

'Wellens?'

Niets.

Geo woelde in zijn geheugen. Welke namen had hij recent nog gehoord in verband met Valcke? Dat mens van die vzw. Hij trok zijn agenda uit zijn binnenzak en vond haar naam.

'Petra Van den Boom?'

Gerda haalde haar schouders op.

'Waarom wil je dat weten?'

'Het zijn allemaal vrienden van mij,' loog Geo. 'Ik vroeg me af of zij op "betere" voet staan bij mijnheer Vanden Bulcke dan ik.'

'Waarom?'

'Zomaar. Je weet wel, zoals dat gaat bij vrienden...'

Gerda wierp schichtig een blik om zich heen. De gelagkamer was nog altijd even leeg. Het parkeerterrein nog even desolaat. Het landschap even verlaten.

'Een paar van die namen ken ik,' zei ze.

'Welke?'

Ze antwoordde niet.

'Petra Van den Boom?'

Geen reactie.

'Met wie komt ze?' drong Geo aan.

'Dat kan ik niet zeggen.'

Wat bedoelde ze? Niet kunnen? Niet willen? Geo besloot de vraag te laten rusten en liep het rijtje nog eens af om haar een tweede kans te geven. Het leek te lukken.

'Wellens?' vroeg hij.

'Nee. Die komt niet logeren.'

'Franken.'

'Dat is die van de televisie.'

'Ja, maar mag hij ook op De Gielenhof komen stoeien?'

'Ja.'

'En Scheffers?'

'Wie is hij?'

Geo tikte op de krantenfoto. Gerda knikte dat ze hem kende.

'Brengen Verbist en Franken hun eigen *playmates* mee?' vroeg Joosten. 'Of zorgt iemand van de Gielenhof voor meisjes?'

'Dat kan ik niet zeggen.'

'Kun je het niet? Of mag je niet? Of wil je niet?'

'Ik wil het niet.'

'Beroepseer? Nooit klikken over je gasten?'

'Zo is het.'

'Dat respecteer ik.'

'Dag.'

Ze draaide zich met een ruk om en haastte zich terug naar de keuken. Onderweg kruiste ze Armand Vanspauwen met de koffie en de taart. Geo zag haar gezicht niet, maar aan Vanspauwens uitdrukking kon hij merken dat ze hem in één oogopslag had laten verstaan dat ze nog een eitje met hem te pellen had.

'Zeg haar dat ik niet zal klikken. Tegen niemand,' stelde Geo de man gerust.

'Ik reken erop. Anders komt er ruzie in de familie.'

'Je mag op beide oren slapen.'

Een paar meter papier uit de fax. Een lawine van boodschappen op de telefoon. Een eindeloze rij e-mails. Geo Joosten kreunde. Niet omwille van het werk, maar van plezier. Nog meer tijdschriften die foto's vroegen. Meer en betere foto's dan wat ze bij de agentschappen konden krijgen. Andere foto's dan wat in Paris Match, Stern of de andere grote bladen zou worden gepubliceerd. Hij bediende hen allemaal op hun wenken. Het was altijd goed een beetje materiaal achter de hand te houden voor late beslissers. Zelfs een simpele editiefotograaf wist dat.

De meeste aanvragen kwamen echter van gasten die aanwezig waren geweest bij *Freyja's Penetratie*. Geo antwoordde hen in een sneltreinvaart. Formaat. Prijs. Betaalformulier. Tegen middernacht was hij er klaar mee. Hij wierp tevreden een blik op het strookje papier waarop hij de geschatte opbrengsten had genoteerd. Het totaal zwol nog eens aan met vijftienduizend euro.

Hij trok een fles Marqués de Cáceres Reserva 92 open. Had hij verdiend. Twee glazen zelfs. Voor het slapengaan. Twee glazen om bij na te denken.

Zijn vaste telefoon rinkelde. Hij had er meteen spijt van dat hij het antwoordapparaat nog niet had aangezet.

'Joosten.'

'Dag mijnheer Joosten. Piet Vanden Bulcke. Ik stoor toch niet zo laat op de avond?'

'Nee, mijnheer Vanden Bulcke. Net niet. Ik stond wel op het punt onder de lakens te kruipen.'

'Je hebt zaterdag knappe foto's gemaakt. Het schijnt dat ze de wereld zijn rondgegaan.'

'Dat klopt. Ik ben best tevreden.'

'Ik moet je mijn excuses aanbieden. De mannen van de security zijn wat te driest opgetreden. In de opwinding van dat moment, vermoed ik. Je zult wel begrijpen dat ik geen opdracht heb gegeven...'

'Geen erg, mijnheer Vanden Bulcke, we spreken er niet meer over.'

'Goed. Dat is een pak van mijn hart. Waarom ik bel... Ik zou je twee dingen willen vragen. Ten eerste of we elkaar morgen of zo kunnen ontmoeten. En ten tweede of ik degelijke afdrukken van al je foto's zou kunnen krijgen. Kopen. Dat spreekt vanzelf. Maak maar een prijs. Dan kunnen we dat morgen even bekijken. Ja?'

'Morgen?'

'Kan dat?'

'Ik moet er even mijn agenda bijhalen. Heb je een minuutje?''

Halfnegen, interview met een fruitkweker voor een speciale zaterdagfeature over problemen in de kersenteelt. Rond elf uur foto van een gouden bruiloft. Een half uur later nog een gouden jubileum. Om drie uur een Limburgse piloot die voor DHL op Bagdad had gevlogen. 'Tussen de middag kan ik. Niet lang. Een uurtje, maximum.'

'Goed. Dan eten we samen een hapje in De Gielenhof. Een mens moet toch eten. Misschien geeft dat je een halfuurtje meer tijd.'

'Afgesproken. Ik ben er om iets over twaalf.'

Geo liet de wijn in zijn mond ronddraaien. Hard. Eik. Even op de tanden bijten en dan beloond worden met de volle, rijke, rijpe smaak van de twaalf jaar oude wijn. Net wat hij nodig had om rustig na te denken.

Gedachten op een rij.

De Rus was niet de moordenaar.

Valcke was doorboord door iemand die hij kende. Voor wie hij geen net pak hoefde aan te trekken en die hij zonder argwaan had toegelaten op het balkon boven zijn atelier.

Wie?

En waarom?

Het denken viel niet mee. Storende vragen. Wat had Vanden Bulcke met hem te bespreken? En waarom wilde hij een afdruk van alle foto's? Zo dringend dat hij niet de minste rem op de prijs had gezet?

Geo dacht aan het geld. Hoeveel zou hij vragen? Tienduizend euro? Twintigduizend? Neen, niet overdrijven. Hoewel. Tien. Vierhonderdduizend oude frank. Mooi bedrag. Voor een patser als Vanden Bulcke waarschijnlijk niet meer dan een peulenschil. Tien of vijftien?

Hij besloot de fles maar leeg te drinken. Het zou zonde zijn de lekkere wijn een dag lang bloot te stellen aan zuurstof. In de koelkast vond hij een pakje oude Hollandse kaas, in sneetjes van een halve centimeter dik. Wijn en kaas. Prima om de avond af te sluiten.

Om zes uur 's ochtends belde Piet Schraepen. Zoals het paste bij een gebroken-armen-en-benen-man, besefte de maniak niet dat andere mensen op dat uur nog sliepen. Hij riep vrolijk dat hij op de snelweg stond, waar een bouwvakkersbusje over de kop was gegaan met één dode en drie zwaargewonden als gevolg.

'Godverdomme!' gromde Geo. 'Weet je wel hoe laat het is?'

'Om negen uur is er weer een reconstructie bij Valcke thuis!' riep Schraepen, die het gewend was voor dag en dauw begroet te worden met een vloek.

'Nog eens? Waarom nu weer?'

'Omdat de Rus blijft volhouden dat hij het niet gedaan heeft.'

'Ik heb je toch uitgelegd dat hij onschuldig is.'

'Ja, ja.'

'Ik moet om halfnegen iemand van de Veiling fotograferen,' probeerde Geo. 'Ik weet niet of ik daarna nog op tijd bij Valcke kan zijn.'

'Zoals je wilt, ik dacht dat het je interesseerde.'

Geo gaf zijn verzet op.

'O.k. Ik kom,' kreunde hij. 'Die van de Veiling moet dan maar wachten.'

'Prima. Tot straks.'

'Wacht! Wacht! Heeft Liesens nog iets gelost?'

'Nee, maar ik heb het van Grauls. Die heb ik hier net gezien.'

'De adjunct-zonechef? In het holst van de nacht? Voor een verkeersongeval?'

'In het begin was er sprake van vier doden. De brandweer stond op het punt het provinciale rampenplan te activeren.'

'Mm.'

'Grauls heeft verklapt dat de Rus iets verteld heeft over de boor. Dat ze niet van hem kon zijn. En ook niet van Valcke.'

'Zo, zo.'

'Dus je komt?'

'Ja.'

Joosten was klaarwakker. Bingo. Hij kreeg gelijk. Alleen... Hoe kon de Rus ooit bewijzen dat de gele DeWalt niet van hem was? En niet van Valcke? En wat zei dat over de echte moordenaar? Veel, vermoedde hij, maar hij kon zich niet inbeelden wát.

Estelle belde hem toen hij in de Defender zat. De terreinwagen met zijn rauwe dieselmotor maakte zoveel herrie dat Geo haar nauwelijks kon horen.

Ze had pas een telefoontje gekregen van Vanden Bulcke in hoogsteigen persoon. Hij had haar gefeliciteerd met het omslagverhaal in AQS.

'En daarom belde hij je op?'

'Merkwaardig, vind je niet?'

'Och... Het is in elk geval leuker dan uit je nest gehaald te worden door Schraepen!'

'Vanden Bulcke zei ook dat ik de kunstmarkt in de gaten moet houden. Het schijnt dat de waarde van Valcke met sprongen omhooggaat.'

'Omdat hij dood is?'

Het antwoord ging verloren in het gerammel van de Defender.
'Waarom is Valcke ineens meer waard?' riep Geo.
'Door jou!'
'Wat?'
'Door jou! Je foto's hebben hem wereldberoemd gemaakt!'
'Je bent gek.'
'Wat zeg je?'
'Laat maar. Ik bel je later terug.'
'Koop een nieuwe auto.'
'Ik zal erover denken.'

Het traditionele gilde van persfotografen trok de wacht op voor de groene poort bij Valckes huis. Geo Joosten kreeg knikjes, schouderklopjes en felicitaties. Schijnheilige felicitaties, want zijn collega's zagen groen van nijd omdat een lullige schnabbelaar uit de provincie internationaal succes had, meer dan zij ooit in hun leven zouden kennen. En hopen geld verdiende, want ook daarover was in het wereldje al uitgebreid geroddeld.

Geo deed alsof de opwinding zijn koude kleren niet raakte. Alsof hij het gewend was te publiceren in zowel de Times van Londen als in die van New York of Los Angeles. Alsof zijn foto's elke week bladzijden vulden in de grootste magazines en hij elke maand tienduizenden euro op zijn bankrekening zag verschijnen.

'Wat geluk gehad,' veinsde hij bescheiden. 'Toevallig op de juiste plaats gestaan.'

Gelukkig hoefde hij niet meer uitleg te geven, want op dat ogenblik stopten een politiebusje en twee personenwagens. Liesens stapte als eerste uit, gevolgd door personeel van het parket en van de gerechtelijke dienst. Twee agenten in uniform klemden de geboeide Rus tussen zich in.

De onderzoeksrechter bleef bij de poort wachten, zodat iedereen een goede foto van haar kon nemen. Ze droeg voor de gelegenheid een mantelpakje met een heel klassieke, zij het wat korte rok. De zoom reikte tot niet eens een hand boven haar knieën. In de diepe halsuitsnijding van haar jasje bengelde een opvallende hanger met een steen die, als hij echt was, een fortuin moest hebben gekost. Ze poseerde schaamteloos, eerst met een Vuitton-aktetas losjes aan de hand, daarna met dezelfde tas voor haar buik, een pose die Geo aan historische beelden van Margaret Thatcher deed denken.

'Geen commentaar!' riep ze toen een verslaggever het waagde een vraag te stellen. 'Straks op de persbriefing. Nu niet!'

De verdachte liet zich gedwee naar binnen leiden. Hij deed geen poging om zijn gezicht te verbergen. Geo slaagde erin een perfecte close-up te maken. Het bolle hoofd van de Rus vulde helemaal het beeld in zijn zoeker.

Het duurde amper een fractie van een seconde, maar Geo schrok van wat hij zag. Boze ogen. Een wrede mond. Harde lijnen langs de neus. Als hij niet beter wist, zou hij er niet aan twijfelen dat de kerel wel degelijk een moordenaar was.

De poort viel met een harde klap dicht. Geo ontdekte dat hij ineens achteraan in het kluwen persmensen was beland. Hij keek om en zag de buurman-gluurder naar hem wuiven.

'Ben je mijn foto's niet vergeten?' vroeg de oude.

'Ze liggen in de auto. Ik haal ze meteen.'

Een enveloppe met een tiental foto's, afgedrukt op stevig papier met de beste beeldkwaliteit die hij uit zijn printer kon persen. De oude wilde ze meteen bekijken, maar Geo stelde hem voor naar binnen te gaan. Zijn collega's hoefden niets te weten van hun samenwerking, suggereerde hij, want anders zouden de tongen loskomen en dan...

De duivenmelker was zo tevreden over de afdrukken dat hij Geo dolgraag nog eens naar de zolder vergezelde voor een ongestoorde blik op het atelier.

Liesens en haar experts stonden met de Rus bij de werkbank. De verdachte legde iets uit met brede gebaren. Hij wees naar een paar boormachines. De koffertjes waarin de machines verpakt waren geweest. Een batterijlader. En nog een lader. En nog een.

Een expert nam de aangewezen spullen op, bekeek en besnuffelde ze aan alle kanten. Liesens noteerde iets in een boekje, een elegant prul met een duur kaft en velletjes waarop je nauwelijks meer dan een paar woorden kwijtraakte. Meisjesspeelgoed, dacht Geo, echt iets voor die trut.

Een expert haalde een gele DeWalt uit zijn boekentas. De machine was verpakt in een plastic zak. Het wapen van de moord. De Rus wees naar de batterij. De man van het parket trok chirurgenhandschoenen aan, haalde de machine uit het zakje en maakte voorzichtig de batterij los. Hij probeerde ze in een lader te steken. Tevergeefs. Hij probeerde een andere lader uit. Idem.

'Verdomme!' zuchtte Geo, die ineens doorhad hoe de Rus zijn onschuld wou bewijzen.

Elke beweging, elke handeling kon hij moeiteloos fotograferen. Valcke had inderdaad voor een perfecte lichtinval in zijn atelier gezorgd. Niet alleen voor zijn eigen werk, maar zonder het te willen ook voor een fotograaf die in het geniep kiekjes wilde schieten van zijn lijk en van de mensen die probeerden te achterhalen wie hem had vermoord.

'Wat doen ze?' vroeg de duivenmelker.

'Ze proberen boormachines uit.'

'Waarom?'

'Valcke is vermoord met een boormachine.'

'Die hebben ze toch. Ze stak in zijn kop, verdomme!'

'Ja, maar wie heeft het tuig in zijn oog geramd?'

'De Rus! Dat heeft toch in de krant gestaan.'

'Juist,' antwoordde Geo, omdat hij liever had dat de oude niet te veel wist.

Liesens liet de Rus wegvoeren. Ze bleef nog even napraten met de experts, toen verdween ze uit beeld. Geo liet zich uit het dakluik zakken.

'Heb je iets kunnen fotograferen?' vroeg de duivenmelker.

'Kijk maar,' stelde Geo voor.

Hij liet de man op het schermpje naar de opnamen kijken. De oude kneep zijn ogen tot spleetjes en mompelde onverstaanbare commentaar.

'Waren dat batterijladers die ze uitprobeerden?' vroeg hij bij het laatste beeld.

'Je hebt goede ogen. Ja.'

'Waarom deden ze dat?'

'Om te zien of ze pasten bij de batterij van de boor waarmee Valcke vermoord is, vermoed ik.'

'En ze pasten niet.'

'Nee.'

'Dat is heel raar,' vond de oude. 'Wie heeft nu een snoerloze boor en geen batterijlader?'

'Ik zou het niet weten,' zuchtte Joosten.

'Misschien is een medeplichtige van de Rus ermee vandoor gegaan,' opperde de oude.

'Wie weet...' mompelde Geo, in de hoop dat de man niet zou blijven doorvragen.

Ze liepen de trap af. In de bijkeuken, waar de afdrukken nog op tafel lagen, vroeg Geo: 'Heb jij die nacht dan echt niets gehoord? Toen de Rus wegging. Of toen het lief van Valcke aankwam. Of tussen die twee momenten?'

'Ach, ik heb dat allemaal al verteld aan de mannen van de recherche. Niets, jongen, niets. We slapen met zijn allen aan de andere kant van het huis, dat heb ik je toch al uitgelegd!'

'En de hond?' vroeg Joosten omdat hij het beest in de kennel zag liggen. 'Heeft die dan niets gehoord?'

'Ik zal het hem eens vragen,' lachte de oude. 'Het zal hem plezier doen dat hij nog eens aanspraak heeft.'

Hij grinnikte met een geluid alsof hij vette snot tot in zijn voorhoofdsholte zoog.

'Ik bezorg je afdrukken van deze foto's,' beloofde Geo. 'Je hebt me flink geholpen. Bedankt.'

'Graag gedaan.'

De fotograaf loerde voorzichtig naar het groepje collega's op straat. Hij had liever niet dat ze hem bij de oude naar buiten zagen komen. De volgende dag zouden ze zijn exclusieve foto's in de krant ontdekken en helemaal ontploffen van afgunst. Beter dat ze niet wisten vanwaar hij ze had genomen.

'Zeg,' zei de oude ineens. 'Toch iets dat me te binnen schiet. Over de hond.'

'Ja?'

'Wel. Zaterdagnacht. Van zaterdag op zondag dus. Ik ben gaan plassen. Zo rond drie uur, denk ik. Toen heeft de hond geblaft.'

'Omdat hij je hoorde?'

'Nee, op mij reageert hij niet. Hij blaft nooit naar iemand die hij kent. Ook Valcke, of die Rus, of dat lief, iedereen die regelmatig door de groene poort liep, die lieten hem koud. Ik denk dat het beest een beetje lui is en daarom zo weinig blaft.'

'Maar om drie uur blafte hij wel? Omdat er vreemd volk bij Valcke was?'

'Of omdat er een kat voorbijliep, want dan blaft hij ook. Het duurt nooit lang. Een luie hond, ik zei het toch!'

'En zondagnacht? Was het toen lang of kort?'

'Ik weet niet of hij toen kort of lang geblaft heeft. Moet ik dat nu ook aan de politie gaan vertellen?'

'Mamenneman!' riep Geo Joosten, helemaal in stijl. 'Doe geen moeite. Ik zorg er wel voor dat de flikken te weten komen wat ze moeten weten. O.k.?'

6.
Een commentaar op leven en dood

Vroeger zou Geo Joosten diep onder de indruk zijn geweest van de luxe en de haast gewijde atmosfeer in het restaurant van De Gielenhof. Met schroom zou hij zijn zware, nog nooit gepoetste werkschoenen op het dikke, zwarte en donkerrode tapijt hebben neergezet. Nerveus zou hij zijn ruitjeshemd hebben dichtgeknoopt. Hij zou zelfs zijn leren jack hebben dichtgeritst en met een snelle blik gecontroleerd hebben of er geen te opzichtige vlekken op zijn beige spijkerbroek zaten.

Dat was toen, nu kon het hem niet meer schelen. Hij was geen chique gast die zich opdirkte omdat hij bang was te vloeken met de stijl van een omhooggevallen snobtent. Nee, hij was aan het werk en hij droeg zijn werkkleding en wie daar problemen mee had, kon de pot op. Dus behandelde hij de zaalchef in zijn smetteloze zwarte pak en nog smettelozer witte hemd als wat hij was. Een lakei, die om den brode een rolletje vertolkte.

'Mijnheer Vanden Bulcke verwacht me,' zei hij en de hautaine houding van de lakei veranderde op slag.

'Mijnheer Joosten? Welkom. Mijnheer wacht op u in de wintertuin.'

Dat bleek een hoek te zijn die van het restaurant gescheiden werd door een wand van exotische slingerplanten. Nog meer enorme kamerplanten vulden zowat de helft van de ruimte, destijds waarschijnlijk onderdeel van een hooiopper.

De buitenmuren en het dak waren helemaal van glas. Speciaal glas, want zowel monumentenlikkers als groenneukers hadden geëist dat de buitenkant van De Gielenhof onaangetast bleef. Vanden Bulckes architect bracht hun protest tot bedaren door glas uit te vinden in verweerde baksteenkleur (voor de muren) en bruin-groen-goor (zoals de dakpannen die hij liet verwijderen).

Omdat het nieuwe materiaal zo onmenselijk duur – en onpraktisch – was, besteedden de glimmende bladen er veel bladzijden aan met massa's glansfoto's, rijkelijk verpakt in reclame voor het bedrijf dat het glas fabriceerde, de firma die dak en wanden installeerde, leveranciers van meubels en planten en dergelijke. Geen snob in Vlaanderen die ernaast kon kijken. In een paar dagen was de wintertuin van De Gielenhof voor meer dan een jaar volgeboekt voor avondjes op kosten van de zaak.

Vanden Bulcke stond te wachten bij de glazen wand, in gezelschap van Frits Franken en de vrouw die Geo Lady Lederland had gedoopt.

Ze droeg een mantelpak van lichtbruin leer. Een taaie kenau van het zuiverste water. De makelaar stelde haar voor als zijn medewerkster.

'Petra Van den Boom. Ze helpt me om Vlaanderen te leren wat kunst en schoonheid kunnen betekenen in een moderne samenleving,' zei hij en het klonk alsof hij een tekst uit een van zijn persmappen voordroeg.

'De Glorie van Vlaanderen,' flapte Geo er spontaan uit.

'O, je kent ons bedrijfje?' vroeg Vanden Bulcke.

Geo noteerde tevreden de verbazing in zijn stem. Types zoals Vanden Bulcke onderschatten hem altijd. Ze zagen hem als een portrettentrekkertje zonder niveau, een pummel vergeleken met de grote namen die serieuze onderwerpen vastlegden, zoals politieke crisissen, ontplofte gastankers, supervoetballers of bewierookte kunstenaars.

Vroeger had hun misprijzen hem pijn gedaan, maar nu besefte hij dat die neerbuigende houding in zijn voordeel speelde. Zoals de soldaat Schwejk had Geo Joosten ontdekt dat het veilig en comfortabel was door het leven te gaan als waardeloze puzzel, die niemand het ontraadselen waard vond. Het bood hem mijlen voorsprong op journalisten zoals Estelle Draps, die zich bij elk contact een intellectueel air moesten aanmeten om te kunnen overleven.

IJdelheid kon dodelijke wonden veroorzaken.

'Ik ben nog geen klant bij De Glorie van Vlaanderen,' lachte Geo. 'Daarvoor moet mijn bedrijfje nog wat groeien.'

'Wat niet is, kan komen,' antwoordde Petra Van den Boom minzaam neerbuigend. 'Nooit wanhopen.'

'Mijnheer Franken ken je intussen ook,' zei Vanden Bulcke. 'Hij is hier aanwezig als raadgever. Ik zal er geen doekjes om winden. Frits zorgt ervoor dat boertje Vanden Bulcke geen blunders maakt als het om kunst gaat.'

'Ik heb zaterdag een paar prachtige foto's van je gemaakt,' blufte Joosten tegen de kunstgoeroe. 'Op het spreekgestoelte, met Kurt Valcke en mijnheer Vanden Bulcke op de achtergrond. Een samenvatting van je hele optreden.'

'Ik kijk ernaar uit,' antwoordde Franken. 'Als je een kopie overhebt...'

'Daarover heb ik je gisteravond een briefje gestuurd.'

'Dat is hoogst charmant van je.'

Ze gingen aan tafel. Vanden Bulcke en Joosten tegenover elkaar, Van den Boom naast de fotograaf, Franken tegenover haar. Geo merkte dat hij van op zijn plaats neerkeek op *Freyja's Penetratie*.

Van boven gezien gaven de gaten in het gras een matte glans af. De schade van zaterdag bleek hersteld. Alles zag er weer sprankelend en nieuw uit. Alleen de tuinbank waarop de naakte floezies zich vol hadden laten lopen om te zeiken als watervallen van Coo, was weggehaald. Misschien was het maar een decorstuk geweest.

De wijnkelner serveerde champagne in de fijnste fluitjes die Geo ooit had aangeraakt. Ze voelden zo flinterdun en kwetsbaar aan dat hij bang was dat ze bij de minste ruwe aanraking zouden versplinteren. Vanden Bulcke toastte kort en nietszeggend, ze nipten allen tegelijk van de bubbels en kletsten daarna zoals het hoort over niets.

Na de mousse van wilde zalm – met een behoorlijke riesling – en voor de medaillons van ever kwam Vanden Bulcke ter zake.

'De vreselijke dood van onze vriend Valcke heeft onverwachte gevolgen voor zijn oeuvre. En eigenlijk voor ons allemaal. Niet in het minst voor jou, mijn beste Joosten. Ik hoop dat die uitspraak je niet verbaast of schokt?'

'Ik begrijp eerlijk gezegd niet welke gevolgen de moord op Valcke voor mij zou kunnen hebben,' antwoordde Geo schijnheilig. 'Een moord is nieuws en ik heb gewoon gefotografeerd wat ik moest fotograferen.'

'Pardon, mijnheer Vanden Bulcke, maar mag ik onze gast even iets duidelijk maken?' kwam Franken ongeduldig tussenbeide en zonder op toestemming te wachten, ging hij verder. 'Ik hoop dat je niet de indruk krijgt dat iemand van ons je een verwijt maakt. Integendeel. We twijfelen op geen enkele manier aan je vakmanschap of aan je journalistieke integriteit of aan je deontologisch correcte houding. Wat mijnheer Vanden Bulcke bedoelt, is dat de omstandigheden ertoe geleid hebben dat jouw werk, ongewild en onbedoeld, een deel is geworden van Kurt Valckes oeuvre.'

Geo Joosten trok één wenkbrauw op. Hij had Jack Lemmon dat ooit zien doen, in welke film herinnerde hij zich niet, maar hij had het hoogst expressief en effectief gevonden, een goede reden om het na te doen.

'De gebeurtenissen van vorige zaterdag,' bromde Vanden Bulcke. 'Op het moment zelf was het een spijtig incident. Pijnlijk. Scabreus.'

'Onwelvoeglijk,' fluisterde Van den Boom en zelfs gedempt klonk haar stem alsof ze dwars door staalplaten heen kon snijden.

'Maar nu zijn we door de omstandigheden verplicht het evenement in een ander licht te bekijken,' oreerde Franken. 'Door de moord die er enkele uren later op volgde, is de performance van Valcke buiten zijn en onze wil verheven tot een statement, een kreet, een commentaar op leven en dood.'

'Een levend kunstwerk,' sprak Van den Boom.

'Van een dode,' grijnsde Joosten sarcastisch.

'Nee, nee,' protesteerde Franken. 'De artiest mag dood zijn, zijn kunst leeft voort. Dankzij jouw foto's. Begrijp je?'

'Video zou misschien nog beter geweest zijn,' plaagde Joosten hem. 'Bewegende beelden lijken altijd levendiger.'

'Daar ben ik het dus niet mee eens,' zei Van den Boom. 'Video zou vulgair zijn. Ik aarzel om het woord te gebruiken, maar ik doe het toch omdat ik er mijn diepste innerlijke overtuiging mee weergeef. Video zou porno geweest zijn.'

'Terwijl je foto's een vorm van kunst zijn,' meende Franken.

'Ze maken deel uit van het kunstwerk,' nam Vanden Bulcke over.

'Wat een eer,' spotte Joosten.

'Ik begrijp je sarcasme,' zalfde Franken. 'Een persfotograaf leeft tenslotte bij de gratie van de momentopname. Alledaagse inhoud is in jouw beroep en voor jouw medium belangrijker dan vorm. Daardoor heb je waarschijnlijk de indruk dat wat je creëert mijlenver van kunst verwijderd blijft. En meestal is dat ook zo, laten we je daarover geen complexen aanpraten...'

'Complexen? Wat zijn dat?' onderbrak Joosten hem en zijn disgenoten lachten beleefd.

'De omstandigheden hebben je foto's tot kunst gemaakt,' doceerde Franken.

Het viel Geo op dat de man nog geen enkele keer gebruik had gemaakt van zijn irriterende pauzes. De kunstgoeroe speelde nu een andere rol. Een kameleon die zich aanpaste aan zijn omgeving. Een professionele zeiker.

'We kijken naar één episch geheel,' hervatte Franken zijn betoog. 'Het vroege werk van Valcke, schilderijen in hoofdzaak. De kleinere sculpturen. Een paar conceptuele installaties, die leidden tot het monument dat we beneden in de tuin zien. Vormen, structuren, concepten, de ongelooflijke ideeënrijkdom van de man, culminerend in de ziedende, schokkende performance die zo gedetailleerd op jouw foto's is vastgelegd. Eén groots, episch verhaal, onstuitbaar aanzwellend tot een tragische finale, bijna een *Götterdämmerung* als ik even een overdreven vergelijking mag maken, een slotscène tot in de kleinste details gedocumenteerd met behulp van jouw camera. Zie je de eenheid? Zie je de monumentale eenheid?'

'Je kunt er een boek over schrijven,' grinnikte Joosten, helemaal niet onder de indruk van de woordenstroom.

'Juist!' riep Van den Boom, veel te luid voor de deftig gedempte omgeving. 'Je slaat de spijker op de kop. Een boek! Inderdaad! Alleen zal het niet bestaan uit letters of uit beelden op papier, maar uit een digitale collage van kunstwerken, momentopnamen, eventueel aan te vullen, waarom niet, met woorden. Zoals het essay dat deze week in de AQS staat, maar rijker, dieper, uitgebreider.'

Joosten wilde iets pinnigs zeggen over het gebrabbel van zijn ex, maar de wijnkelner bracht een fles die hij eerst discreet aan Vanden Bulcke en daarna aan de rest van het gezelschap presenteerde. Geo kon in de vlucht nog net het jaartal 1988 lezen. Te oordelen naar de vorm, was het een bourgogne. Vanden Bulcke spaarde kosten noch moeite.

'Concreet?' vroeg hij. 'Wat willen jullie van me?'

'Ik ben bereid een bod te doen op je foto's,' zei Vanden Bulcke, terwijl de kelner de glazen vulde. 'De afdrukken. De negatieven.'

'Er zijn geen negatieven. Ik werk digitaal.'

'Probleem?' vroeg de makelaar aan Franken en Van den Boom.

'In principe niet,' antwoordde de lederen lady terwijl de goeroe knikte. 'Als we de moederdiskette krijgen...'

'Elke digitale kopie heeft dezelfde kwaliteiten als het origineel,' legde Geo uit op de toon van een schoolmeester in het avondonderwijs. 'Wat jij met moederdiskette bedoelt, is het schijfje dat in de camera zat op het ogenblik dat ik de beelden schoot. Wel, dat schijfje is allang gewist.'

'Waar zijn de foto's dan?' vroeg Vanden Bulcke.

'O, hier en daar. Op mijn laptop, op de harde schijf van mijn pc, op diskettes en cd's in mijn archief.'

'We hoeven ons niet toe te spitsen op de vraag of mijnheer Joosten ons een origineel of een kopie zal leveren,' meende Van den Boom. 'Belangrijk is de vraag of hij ons de rechten op al zijn Valcke-foto's wil afstaan. Toch?'

'Correct,' zei Franken. 'Het digitale tijdperk heeft helaas een einde gemaakt aan de originele negatieven. Althans, in de persfotografie.'

Zijn grapje ging de mist in, want Vanden Bulcke hief zijn wijnglas.

'Dat is dan uitgeklaard. Gezondheid!'

Het was inderdaad bourgogne, proefde Geo. Vettige, door legers van snobs over het paard getilde, Franse schijtwijn. Gelukkig geurde hij overheerlijk.

'Wat bedoel je met "rechten afstaan"?' vroeg hij. 'Publicatierechten voor een boek of voor een tentoonstelling?'

'Nee, nee,' zei Vanden Bulcke. 'Ik koop de volledige rechten. Voor alle gebruik. Voor altijd. Niet voor mezelf, maar voor de vzw van mevrouw Van den Boom. De foto's moeten het eigendom worden van

De Glorie van Vlaanderen. Op termijn zal mevrouw Van den Boom ze dan incorporeren in het geheel van Valckes oeuvre. De eenheid waarover mijnheer Franken zo overtuigend heeft gesproken.'

'Ik weet niet of...'

Franken liet hem niet uitspreken.

'Ik denk dat we je een lucratief voorstel kunnen doen,' zei hij op wat hij voor de toon van een groot zakenman hield. 'Ik heb begrepen dat je tot nu toe eenmalige publicatierechten verkocht hebt aan persorganen. Over een paar weken heeft iedereen zijn stukje Valcke gepubliceerd en volgens de experts die ik heb geraadpleegd, is daarmee het commerciële leven van je foto's zo goed als afgelopen. Rond nieuwjaar zul je nog iets verkopen voor de jaaroverzichten, maar daarna zal hoogstens nog één keer per jaar een klant komen opdagen. Zo is het toch?'

'Ja. Althans, dat vermoed ik.'

'Wat mijnheer Vanden Bulcke voorstelt is het volgende: de vzw koopt de volledige rechten op afbeeldingen die commercieel snel in waarde zullen verminderen. Met het doel er een kunstwerk van te maken. We stellen je geld én prestige voor.'

'Zo,' zei Geo en hij bracht zijn vork naar zijn mond.

De medaillons waren zo mals dat ze alleen konden komen van everzwijnen die een luxebestaan hadden geleid. Evers die nooit een eikel hadden moeten vreten of een wilde wortel uit de bodem wroeten, want het vlees smaakte perfect naar niets. Een bruine versie van kippenvlees. Geo plakte er een stevige dosis veenbes tegen om toch iets te proeven.

'Heb je een prijs in je hoofd?' vroeg Vanden Bulcke.

Geo kauwde en deed alsof hij nadacht. Zijn hoofd was merkwaardig leeg. Hoe kon hij een prijs plakken op foto's die hij voor eeuwig en altijd afstond? Hoe kon hij schatten hoe vaak hij de beelden van de plassende Valcke en zijn koor van zeiksters nog zou kunnen verpatsen? Hoe kon hij uitrekenen hoeveel poen Vanden Bulcke en zijn handlangers zouden scheppen door zijn snapshots tot kunst uit te roepen?

'Een prijs? Eigenlijk niet,' bekende hij. 'Over welke foto's hebben we het eigenlijk? Die van het openingsfeest? Of ook die van...'

'Alles,' schoot Vanden Bulcke terug. 'Van de presentatie. Van de moord. Alles.'

'Ja, maar, het is nog niet gedaan,' zei Joosten. 'Het verhaal over Valcke is nog volop bezig. Vanmorgen was er weer een reconstructie en binnen een paar weken zal er wel een begrafenis of een crematie zijn en dan komt het proces en dan...'

'Welke reconstructie?' vroeg Van den Boom geprikkeld. 'Volgens de kranten is die toch een paar dagen geleden gehouden?'

'Klopt, maar vanmorgen is het parket de zaak voor een tweede keer komen bekijken. Die Rus schijnt sterke argumenten te hebben om zijn onschuld te bewijzen.'

'Zo?'

Geo prikte een stukje tot everzwijn gereconstrueerd, mechanisch gerecupereerd slachtafval op zijn vork en genoot ervan dat zijn drie gesprekspartners elkaar aanstaarden met gezichten waarop de verbazing als een dikke verfklodder was uitgesmeerd. Hij slikte het imitatievlees door en besloot zich voor een extra theatraal effect iets verder te wagen dan normaal verstandig zou zijn geweest.

'De man heeft een alibi,' zei hij. 'Valcke is vermoord met een boor, die niet uit zijn atelier afkomstig is. En ook niet uit de gereedschapskoffer van de Rus. Als die al een koffer had.'

'Als de Rus het niet gedaan heeft, wie dan?' vroeg Vanden Bulcke, niet aan Joosten, maar vreemd genoeg aan Petra Van den Boom.

'Mijn bronnen bij het gerecht weten blijkbaar minder dan mijnheer Joosten,' antwoordde ze.

'Van wie weet jij dat allemaal?' vroeg ze aan de fotograaf. 'Van de onderzoeksrechter? Of van de politie?'

'Een mens heeft zo zijn bronnen.'

'Wel, wel... Nou. Gelukkig verandert dat niets aan onze plannen. Toch niets fundamenteels,' meende Franken.

'Nee,' gaf Vanden Bulcke hem gelijk. 'Het wordt alleen maar raadselachtiger... Wel. Terug naar de transactie. Wat stel je voor, Joosten?'

'Ik moet er even over nadenken,' zei Geo. 'Je overvalt me. Aan de telefoon had ik de indruk dat je alleen souvenirfoto's wilde...'

‘Over de prijs,’ begon Vanden Bulcke alsof Geo niets gezegd had. ‘We hadden iets in ons hoofd van rond de vijftig euro per foto. Orde van grootte.’

‘Ik heb honderden opnamen gemaakt.’

Het getal maakte indruk. Petra Van den Boom staarde zwijgend in haar bord. Franken wierp haar veelzeggende blikken toe, die ze echter niet begreep. Alleen Vanden Bulcke leek onaangedaan te blijven.

‘Honderden?’ vroeg hij. ‘Wat bedoel je daarmee? Tweehonderd? Driehonderd?’

‘Meer dan dat, schat ik.’

‘Meer? Dan moet je geklikt hebben als gek!’ riep Franken.

‘Daar lijkt het inderdaad op,’ gaf Geo Joosten tevreden toe.

‘Vierhonderd? Mogen we daarvan uitgaan?’ vroeg Vanden Bulcke.

‘Orde van grootte. Niet meer dan vijfhonderd, daar ben ik zeker van,’ schatte Geo.

‘Er zitten natuurlijk veel dubbels tussen,’ probeerde Franken.

‘Wat je dubbels wilt noemen...’

‘Ja. Met die digitale dingen...’

‘Zo is het.’

‘O.k.,’ maakte Vanden Bulcke een einde aan het getater. ‘Laten we uitgaan van vijfhonderd opnamen. Voorlopig. Tegen vijftig euro per stuk...’

‘... praten we niet verder,’ zette Joosten zijn voet dwars. ‘Vijftig euro is nauwelijks meer dan de prijs van een souvenirfoto! Jullie willen mijn eigendom voor eeuwig en altijd verwerven! Daar moet een ander bedrag tegenover staan.’

‘Je hebt een punt,’ gaf Vanden Bulcke toe en alsof hij een paar schoolkinderen vermaande, wendde hij zich tot Franken en Van den Boom. ‘Laten we eerlijk blijven en ons baseren op het gemiddelde honorarium voor een publicatie. Ja?’

‘Niet alle foto’s kunnen worden gepubliceerd. Er zal zeker afval tussen zitten...’ protesteerde Van den Boom.

‘Mislukte beelden tellen niet mee,’ reageerde Joosten. ‘Die heb ik overigens al gewist.’

‘En de dubbels? Foto’s die op elkaar lijken, die alleen maar in pietluttige details van elkaar verschillen?' drong ze aan.

'Daar begin ik niet aan. Dat wordt een discussie zonder einde,' antwoordde hij kordaat.

Vanden Bulcke wuifde dat ze moesten zwijgen.

'Ik betaal je honderd euro per foto. Ik ga uit van vijfhonderd opnamen. Vijftigduizend euro voor het hele pakket. Zijn er minder dan vijfhonderd beelden, dan zeur ik niet. Zijn het er meer, dan zeur jij niet. Kunnen we ons daarin vinden?'

Joosten overliep in zijn hoofd over hoeveel echt waardevolle foto's hij beschikte. Beelden waarvan hij overtuigd was dat ze nog jarenlang geld zouden opbrengen.

'Ik behoud de rechten op tien foto's,' eiste hij ten slotte. 'Tien opnamen die ik vrij mag verkopen aan klanten in de pers. Dat ben ik mijn vaste afnemers verschuldigd.'

Het trio wisselde weer blikken uit. Van den Boom probeerde haar baas ongemerkt een teken te geven met haar magere handen. Joosten interpreteerde het als een afwijzing, maar zag dat Franken discreet een duim opstak als teken dat hij het voorstel wel accepteerde.

'O.k.,' hakte Vanden Bulcke de knoop door. 'Tien opnamen mag je houden. Ik wil wel inspraak bij de keuze.'

'We kunnen erover praten. Tot op zekere hoogte.'

'Goed. Nog iets?'

'De foto's van de reconstructie van vanmorgen zijn niet inbegrepen. Alleen de opnamen van zaterdag, zondag en maandag.'

'Staat Kurt Valcke op de foto's van vandaag?'

'Nee.'

'Dan tellen ze niet mee.'

'En ik mag alle lopende bestellingen afwerken,' eiste Joosten.

'Geen probleem.'

'Wel, zet je voorstel dan maar op papier,' stelde Geo voor.

'Dat zal mevrouw Van den Boom doen,' besliste Vanden Bulcke.

Hij knipte met zijn vingers naar de ober.

'Vraag aan Marcel dat hij langskomt met de Paddy,' beval hij. 'We hebben iets te vieren.'

'Ik moet wel dringend aan het werk,' mopperde Geo.

'Man! Je hebt net de lotto gewonnen en je gunt ons geen glaasje?' protesteerde Vanden Bulcke op joviale marktkramerstoon.

Geo keek op zijn horloge. Hij had nog een kwartier. Hij besloot te wachten om te weten wat 'de Paddy' was.

Een sms van Schraepen:

'liesens niet zeker rus doder pc 18 h.'

De onderzoeksrechter was er niet langer zeker van dat de Rus de moordenaar was. Daarover gaf ze om zes uur een persconferentie.

Een sms van Estelle:

'Nieuws. Kun je vanavond? Bel gsm. Zeker niet AQS.'

Dat was duidelijk.

'Draps Estelle kan uw oproep niet ontvangen. Spreek een bericht in na de toon.'

'Estelle? Ik bel wanneer ik precies kom. Het zal laat worden, maar dat geeft niet.'

Het leven zelf had op Lommes lijf geschreven wie hij was. Een gendarme die er niet om gevraagd had inspecteur te worden bij de lokale politie, maar dat ook geen groot probleem vond zolang zijn werk maar hetzelfde bleef. Wat verkeer regelen, kuieren met de combi, een roodrijder bekeuren, een jongetje met een fiets zonder licht de stuipen op het lijf jagen, een proces-verbaal afleveren, een poort bewaken waarachter de hoge pieten van het parket een sensationele moord hoopten op te lossen.

Het lijf van inspecteur Lomme leek sprekend op dat van Piet Schraepen, die eigenlijk hetzelfde werk deed, maar zonder uniform. Als freelance verslaggever hotste hij door de regio om toe te kijken bij het opruimen van lichaamsdelen na een spectaculaire botsing of het recupereren van verkoolde overschotten na een uitslaande brand. En als speurders een bloedstollende moord probeerden op te lossen, liet hij zich zonder tegen te pruttelen op een afstand houden door inspecteur Lomme. Ieder zijn vak.

Beide mannen leefden van vet eten en suikerrijke drank, genuttigd op de meest onprettige uren van de dag en de nacht. Beweging namen ze niet, behalve om in of uit een auto te stappen. Daarom hadden ze allebei een te dikke nek, te slappe armen, een te enorme pens, een te grove kop en een te rauw gezicht, dat in de zomer rood en bezweet en in de winter blauw en bezweet was.

'Jullie lijken wel tweelingbroers,' zei met vervelende regelmaat de waard van hun stamkroeg, Café De Welkom, als het duo solidair pintjes zat te hijsen aan de bar. Schraepen debiteerde daarop steevast zijn standaardrepliek: 'Ja, maar hij heeft wel een kleiner pietje.'

Lomme en Schraepen zaten weer in De Welkom met een Palm en een croque. Lommes dienst zat erop, Schraepens dag leek nog maar pas begonnen. Omdat hij dag en nacht werkte, had hij altijd de indruk dat zijn werkdag pas bij het volgende telefoontje zou beginnen.

'Ze zal die Rus moeten loslaten,' zuchtte de agent. 'Geen bewijzen.'

'Is het dat wat ze straks op de persconferentie zal vertellen?'

'Ja.'

'Dan krijgt Joosten dus gelijk.'

'De fotograaf?'

'Hij zei zondag al dat de Rus het niet gedaan heeft.'

'Hoe wist hij dat?'

'Dat heeft hij niet aan mijn neus gehangen, maar ik vermoed dat hij iets gehoord heeft van de buren. Iets wat Liesens toen nog niet wist.'

'Dat is niet moeilijk,' gromde Lomme met kaasslierten op zijn kin. 'Liesens weet gewoon nooit iets.'

'Ze is toch niet zo dom dat ze niet ontdekt heeft dat de Rus onschuldig is?'

'Wat zou het! Dat heeft ze niet zelf uitgevonden. Dat komt van die vent van de technische dienst. De kerel die ze uit West-Vlaanderen hebben overgeplaatst. Die vond het vreemd dat Valcke vermoord was met een spiksplinternieuwe DeWalt. Terwijl al het gereedschap van Valcke van Black en Decker was. En dat van de Rus was van Bosch. Toen hij in het atelier geen lader voor de DeWalt kon vinden, rook hij onraad. Ik vermoed wel dat hij een tekening heeft moeten maken om Liesens uit te leggen waarom een boor zonder lader geen zin heeft!'

'Misschien heeft die Rus de lader weggegooid?'

'Schraepen! Ben je dement aan het worden? Een Rimski-Korssakov die iets weggooit? Dat is nog nooit gebeurd!'

De verslaggever wenkte voor nog een paar Palmpjes.

'Welke kant gaat het onderzoek nu uit?' vroeg hij.

De politieman antwoordde met een handgebaar. Duim naar beneden.

'Naar de kloten,' zei hij. 'Ze zullen de moordenaar nooit vinden. Ik voel het aan mijn water. Die Valcke heeft zoveel wijven geneukt dat er een miljoen kandidates zijn om hem om zeep te helpen. En naar het schijnt heeft hij zoveel vrouwvolk cadeau gedaan aan venten met naam en faam dat hij half België kon chanteren met bedgeschiedenissen. Ga dan maar eens naar een verdachte zoeken zonder direct de ene of de andere dikke nek op zijn tenen te trappen.'

'Kunst, Lomme, kunst.'

'Kunst? De enige kwast die Valcke goed kon vasthouden, hing tussen zijn benen,' gromde de inspecteur.

'Zo staat het niet in de boekjes. Ik heb vandaag een stuk over hem gelezen in AQS. Je zou haast geloven dat het Rubens was die vermoord werd.'

'AQS?' spuwde Lomme uit. 'Dat is dat boekje waar dat wicht van Draps voor werkt. Die ken ik van toen ze nog getrouwd was met die kameraad van je. Joosten.'

'Estelle Draps.'

'Die, ja. Ik heb ze zaterdag bij De Gielenhof uit haar auto zien stappen. Rokje van een pink lang, string waar een peuter zijn neus niet in zou kunnen snuiten, een halve servet voor haar tieten en hup! Op weg naar de kunst!'

'Een geluk dat Geo je niet bezig hoort.'

'Wat kan het hem schelen? Ze zijn toch gescheiden?'

'Ach, Lomme, gescheiden zijn, dat is vandaag iets zoals getrouwd zijn. Tijdelijk. Hij heeft het nog altijd voor haar. En ik ben er zeker van, absoluut zeker, dat hij haar weer zou treden als hij een kans kreeg,' fantaseerde Schraepen.

'Bah... Ik geef hem geen ongelijk. Het is wel een mooi wijf. Poten en oren in orde. Toen ik tussen haar benen keek...'

'Zwart broekje?'

'Nee, jong, geen broekje. Een string. Kant. Wittte kant. Ik kon er zo doorheen kijken. Alsof ze helemaal niets aanhad.'

'Ouwe vetzak. Je verzint maar wat. Of heb je nu ook al overdag natte dromen?'

'Kan ik eraan doen dat de klep van mijn kepie niet over mijn ogen valt?'

'Joosten heeft in elk geval nooit een nieuw lief gezocht. En zij... Ik weet het niet. Sinds ze in Brussel woont... '

'Waarom heeft Joosten geen lief gezocht?'

'Geen tijd,' meende Schraepen. 'Geen tijd om aan een andere te denken. Misschien ook geen zin. Je hebt van die mannen. Altijd bezig met hun werk. Misschien is het wel een geluk voor hem en voor de vrouwen dat hij alleen blijft. Je zult wel snappen wat ik bedoel.'

'Nee. Wat?'

Ze schoten allebei in de lach en Schraepen serveerde nog een van zijn standaardreplieken.

'Mannen weten waarom!'

'Ik vind het wel vreemd dat Joosten die Rus al meteen voor onschuldig hield,' meende de agent. 'Verdomme, de man is toch fotograaf en geen reporter?'

'Als je meer uitleg wilt, moet je het hem zelf vragen, maar onderschat hem niet.'

'Misschien moet ik hem inderdaad een paar vragen stellen.'

'Godverdomme, Lomme, klik niet dat je het van mij weet! Ik moet nog met Joosten werken. Liever met hem dan met een ander. Het is per slot van rekening een prima kerel. Hou daar rekening mee, wil je?'

'Geo.'

'Brouns. Godverdomme, Joosten, jij bent de beste fotograaf van het land geworden!'

'Vind je ze goed?'

'Steengoed! Hoe heb je het klaargespeeld? Elk detail van de reconstructie. Als je de hoffotograaf van madame Liesens was, had je geen betere foto's kunnen maken!'

'Misschien ben ik gewoon super en ben jij wat traag van begrip.'

Brouns lachte.

'De hoofdredactie gaat je een premie betalen!' riep hij enthousiast. 'Tweeduizend knotsen. Kun je gebruiken om een proper pak aan te schaffen en eens naar de kapper te gaan, zodat je er weer een beetje menselijk uitziet.'

'Bedankt. Mooi compliment.'

'Daar dienen chefs voor, Joosten. Om complimenten uit te delen.'

'Heb je een nieuwe jobbeschrijving gekregen?'

'Salut.'

'Este.'

'Ik.'

'Sorry. Ik heb je bericht gehoord, maar ik kon niet meteen terugbellen. Kom je vanavond?'

'Waarover gaat het?'

'Dat is te ingewikkeld om door de telefoon uit te leggen. Over de kunsthandel. Je zult je oren niet geloven!'

'Dan kom ik zeker. Als het niet te laat is, stop ik bij de Chinees, anders wordt het weer de frietkraam.'

'Asjeblieft! Doe geen moeite. Ik pik wel wat op uit de groene Delhaize.'

'Kant-en-klaar vreten van zogenaamde sterrenkoks? Geen sprake van.'

'Zoals je wilt. Chinees dan maar. Wanneer denk je er te zijn?'

'In elk geval niet voor tien uur. Ik moet eerst nog langs bij De Glorie van Vlaanderen.'

'Ga je iets lenen voor aan je muur?'

'Nee. Ik ga kunst verkopen.'

'Wat?'

'Te ingewikkeld om door de telefoon uit te leggen. Kunsthandel. Salut.'

Een partijtje squash had Nadine Liesens een zee van goed gedaan. Ze had als een bezetene de spanning uit haar lijf gemept. Daarna had ze een douche genomen met kokendheet water tot ze gilde van de pijn en de mengkraan in één ruk op koud draaide. Alleen het genot van een potje vrijen had eraan ontbroken, maar daar had haar partner geen tijd voor gehad. Ze had een dringende afspraak in Luik en wilde absoluut niet te laat komen. Uitstel, had ze Liesens beloofd, geen afstel. Wacht maar tot vanavond!

Terug op haar kantoor verspreidde ze zoals steeds de indruk dat ze perfect ontspannen was en toch helemaal onder controle. Een moderne manager bij justitie. Correctie. Een moderne vrouwelijke manager bij justitie. De drie woorden waar haar baas dol op was. Modern. Vrouwelijk. Manager.

Hoofdcommissaris Louis Van de Besien van de Gerechtelijke Dienst zag eruit zoals hij was. Een dienstklopper die op zijn achttiende bij de rijkswacht was gegaan omdat hij van uniformen hield en van mannen die blindelings gehoorzaamden als een overste hen een bevel toebeet. Ook in burgerkleren kon je hem er zelfs tussen honderdduizend man als flik uitpikken. Het begon met het militaire borsteltje op zijn hoofd, een tapijtje waarin geen grijs spiertje te bespeuren viel. Nadine Liesens vermoedde dat hij zijn haar kleurde. Zijn wangen waren gladgeschoren en met puimsteen opgepoetst en zijn lip ging schuil onder een bijna dagelijks bijgeknipte snor, ook zonder een spoor van grijs.

In dienst droeg hij een strakke blauwe blazer, zonder insigne, maar wel met een netjes gevouwen en gesteven zakdoekje in het borstzakje. Eén vinger boven de rand, zo precies dat het niet anders kon dan dat hij het elke ochtend mat. Zijn hemd was lichtblauw, niet het vulgaire donkerblauw waar politici zoals Verhofstadt een patent op leken te hebben, de donkere hemden waarop okselzweet zich aftekende en die onaangename luchtjes suggereerden lang voor die te ruiken waren. Een decent grijze broek met messcherpe vouw, grijze sokken en bruine, glanzend opgepoetste schoenen maakten de dienstkleding van de commissaris af.

Van de Besien hield zijn gevouwen handen voor zijn buik. Hoewel, van een buikje was er bij hem niets te merken. Nadine vermoedde dat zijn lichaam even hard en afgetraind was als dat van haar. Een militair van het zuiverste water, dacht ze. Een echte rijkswachter, zoals ze die alleen vroeger konden produceren.

Hij keek haar strak aan met grijze, gevoelloze ogen. Het was het enige aan hem dat haar echt irriteerde. Die blik, waarmee hij haar permanent leek te taxeren. Een evaluatie per seconde. Kil en neutraal. Waarnemen, analyseren, opslaan, verwerken, synthese maken, be- of veroordelen. Hij keek zoals voorgeschreven door een cursus van de rijkswacht.

'De lijst is volledig?' vroeg ze.

Twee A-viertjes met namen onder de titel 'Valcke – Contacten' hadden voor haar klaargelegen op zijn tafel, precies op de plek waar ze ze meteen had kunnen opnemen.

'Voor zover we weten, mevrouw de onderzoeksrechter.'

In het begin had het haar geïrriteerd dat hij haar zo aansprak, helemaal niet vlot en informeel zoals paste in een moderne managerscultuur, maar intussen had ze geleerd die vormelijkheid te appreciëren. Het schiep een afstand, legde verhoudingen vast, bepaalde een veilige hiërarchie. Zij was de baas, ook al was hij oud genoeg om haar vader te zijn. Zij stond aan het roer, ook al had hij meer ervaring dan zij ooit in haar carrière zou kunnen vergaren.

Tegelijk, besefte ze, ging er een subtiele dreiging van uit. De seconde dat een persoon met een hogere titel het van hem zou eisen, zou Van de Besien niet aarzelen en haar afmaken. Niet fysiek natuurlijk, maar beschaafd, op papier, administratief, met de schone, bloedloze wapens waarover hij als hoofdcommissaris beschikte.

'Een naam die eruit springt?' vroeg ze. 'Iets speciaals waar ik voor moet opletten?'

'Niet echt, mevrouw de onderzoeksrechter. U zult wel rekening moeten houden met het nogal uitzonderlijke milieu waarin het slachtoffer verkeerde, vrees ik. Gezagsdragers, ambtenaren, zakenlui, financiers, andere kunstenaars, personen uit de media en uit de culturele wereld. We zouden natuurlijk vragen kunnen stellen bij een aantal dames met wie de heer Valcke omgang leek te hebben, maar ik vrees dat ook dat in zijn wereld normaal is.'

'Welke dames? Wie bedoel je?'

'Ik heb ze achteraan in de lijst opgenomen. Kijk maar, ik heb een extra spatie gelaten.'

'Bedoel je dat ze allemaal zijn liefjes zijn?'

Van de Besien gunde zich een kort lachje. Hij wist natuurlijk dat de onderzoeksrechter lesbisch was, een in zijn ogen hoogst afwijkende neiging, waarbij hij zich had moeten neerleggen, maar die hem toch blijvend zorgen baarde. Hoe moest een persoon in zijn functie tegen een pot spreken? Van man tot man? Van man tot vrouw? Of, de hemel verhoede het, zoals vrouwen onder elkaar?

'Nee, mevrouw de onderzoeksrechter, ik bedoel, wel, eigenlijk heb ik toch iets min of meer merkwaardigs vastgesteld. Mijnheer Valcke lijkt recent veeleer monogaam te zijn geworden. Hij had een verhouding met mevrouw Catherine de Boisy en, voor zover ik heb kunnen nagaan, met haar alleen. Vroeger gaf hij zich over aan wat ik alleen maar als uitspattingen kan bestempelen. Een aantal van zijn toenmalige partners is ons bekend. De dames op de aparte lijst hebben daar niets mee te maken. Zij waren nooit zijn minnaressen, bedoel ik. De roddels willen dat hij die dames gebruikte om eh, als u het me vergeeft, om uit te delen aan vrienden en contacten.'

'Valcke was een soort pooier?'

'Dat impliceert dat hij zich voor zijn diensten liet betalen. Daar hebben we geen aanwijzingen voor.'

'Wat deed hij dan?'

'Laat me het als volgt samenvatten. Valcke haalde met zijn natuurlijke charmes dames over om hun diensten aan te bieden aan personen bij wie hij in het krijt stond. Of van wie hij bepaalde gunsten verwachtte naar de toekomst toe.'

'Naar de toekomst toe?' lachte Nadine Liesens. 'Dat klinkt als een uitspraak van een CD&V-er!'

De onderzoeksrechter was benoemd met liberale steun. Louis Van de Besien, zo had ze meteen bij haar intrede in het justitiegebouw gehoord, had rode roots. Een grapje over de christen-democraten kon dus. De commissaris lachte zuinigjes.

'Inderdaad, maar laten we niet vergeten dat Valcke politiek van alle walletjes at,' zei hij.

'Voor wie waren die vrouwen zoal bestemd, hoofdcommissaris?'

'In dit stadium kan ik daar helaas niet veel over zeggen. Ik heb iemand die het register van De Gielenhof checkt.'

'Register? Hebben die dat? Officieel is het toch geen hotel?'

'Nee, maar ze houden wel een register bij. Blijkbaar voor het geval dat iemand erover struikelt dat ze gasten laten overnachten. Zoals in een hotel...'

'Mm... Zorg ervoor dat die man niet te hard van stapel loopt. Ik wil geen ruzie met Vanden Bulcke. Ja?'

'Vanzelfsprekend.'

'Goed. Nog iets?'

'Ja, mevrouw de onderzoeksrechter. Een discreet telefoontje, net voor u binnenkwam. Het schijnt dat een zekere Geo Joosten al op de dag van de moord verteld heeft dat hij wist dat de Russische verdachte niet de moordenaar was.'

'Joosten? De fotograaf? Hoe betrouwbaar is dat telefoontje?'

'Zeer. Een lokale politieman, die privéredenen heeft om uit de schijnwerpers te blijven. Ik heb daar begrip voor, mevrouw de onderzoeksrechter. Zeker omdat ik de staat van dienst van de inspecteur in kwestie ken. Onberispelijk.'

'Ja, ja, maar wat vertelde die Joosten?'

'Dat de Rus het niet gedaan heeft.'

'Hoe kon hij dat weten?'

'Dat zou ik hem graag vragen, mevrouw de onderzoeksrechter.'

'Doe het. Voorzichtig. Ik wil niet de hele pershorde over me heen krijgen. Begin maar met een informeel gesprek. Ja?'

'Tot uw orders, mevrouw de onderzoeksrechter. Nog iets tot uw dienst, mevrouw de onderzoeksrechter?'

7.
Lunch met Steppenwolf

Petra Van den Boom troonde in een witte leren stoel met hoge rug achter een gigantische tafel. Het armdikke glazen werkblad rustte op zulke dunne draadpootjes dat het vrij in de lucht leek te zweven. Op de tafel stond, behalve een telefoon, alleen nog een voorwerp dat Geo eerst voor een moderne sculptuur hield, tot hij ontdekte dat het een houder was voor een gouden balpennetje en miniatuurpapiertjes.

Alleen een bordeauxrode archiefkast verraadde dat het vertrek een kantoor was en geen kleine kunstgalerij. Een overdaad van schilderijen tegen de witte, indirect verlichte wanden moest de directrice van De Glorie van Vlaanderen er blijkbaar permanent aan herinneren wat haar dagen hoorde te vullen.

Geo mocht plaatsnemen op een constructie van antracietgrijs gelakte draden. Het verbaasde hem dat het stoeltje het niet meteen onder zijn gewicht begaf.

Van den Boom kwam meteen ter zake. Nog terwijl ze hem goedendag zei, haalde ze uit de rode kast een flinterdun, geel mapje, waarop in filigraan de Vlaamse Leeuw prijkte. Het contract.

'Lezen we het samen door?' vroeg ze.

'O.k.'

Tot Geo's grote verwondering was het stuk in bevattelijke mensentaal gesteld en vatte het feilloos samen wat hij in De Gielenhof met Vanden Bulcke had afgesproken. Met zwier tekende hij bij het kruisje onder zijn naam.

De overdracht van de digitale foto's nam minder dan een half uur in beslag. Van den Boom bracht hem naar een ander kantoor om de inhoud van zijn diskettes in een loeiend zware pc over te laden. Geo wees de tien foto's aan die hij voor zichzelf wilde behouden. Petra wiste de beelden zonder discussie uit haar bestand, alsof ze vergeten was dat Vanden Bulcke inspraak had geëist.

'Hoe wordt er betaald?' vroeg de fotograaf.

Van den Boom liep terug naar haar kantoor, waar ze een dikke, grijze, naamloze enveloppe uit de kast nam.

'Vijftigduizend euro, zoals overeengekomen,' zei ze terwijl ze hem het pakje overhandigde.

'Geen factuur?' vroeg hij verbouwereerd.

'Niet nodig. Ik zou wel graag hebben dat je het geld natelt.'

Hij kon zijn oren niet geloven.

'Een vzw van de Vlaamse Gemeenschap die haar leveranciers op onwettige wijze vergoedt?' vroeg hij.

'Je vergist je,' lachte ze. 'We werken samen met de Gemeenschap, maar we zijn niet ván de Gemeenschap. Een fout die wel vaker gemaakt wordt. Tevreden met de regeling?'

'Absoluut! Schitterend! Vijftigduizend netto!'

'Voor vijfhonderd en tien foto's,' hield ze hem voor.

'Winst voor jou.'

'Inderdaad. Tel je het na?' drong ze aan, alsof het haar nog niet snel genoeg ging.

In de enveloppe zaten briefjes van tweehonderd en honderd euro. Ze vlogen door Geo's handen. Vijftigduizend als eindresultaat. Geo liet het geld terug in de enveloppe glijden. Van den Boom gaf hem een stevige, benige handdruk en bracht hem meteen naar de deur. Voor Geo het besefte stond hij op straat.

'Godverdomme,' gniffelde hij stilletjes en toen hij veilig in de Defender zat, herhaalde hij de vloek nog eens hardop. Het leven kon soms toch wel goed zijn!

Geo kocht zoveel troep bij de Chinees dat hij de plastic mand die altijd in zijn auto lag, moest gebruiken om alles in één keer naar boven te dragen. Hij knorde sarcastisch omwille van de etenslucht die hij in de lift achterliet en die daar nog wel een hele tijd zou blijven hangen. Een cadeau voor de andere bewoners van het gebouw.

Tot zijn opluchting had Estelle zich in een slobberbroek en los sweatshirt gestoken. Ze zag er weliswaar uit als een carnavalsgek in een berenpak, maar dat was altijd nog beter dan het mislukte prikkelpakje van de andere avond. Geen plagerij deze keer, dacht Geo. Dat kon alleen betekenen dat ze inderdaad over serieuze zaken wilde praten.

'De kunstwereld gonst van de geruchten,' begon ze. 'Vanden Bulcke blijkt zowat het hele oeuvre van Valcke in handen te hebben. In Londen en Parijs schijnt er veel vraag naar te zijn. Als ik mijn bron mag geloven, gaat hij een paar miljoen winst maken op de rug van het lijk.'

'Frank?'

'Euro.'

'Wauw.'

'Mijn bron beweert ook nog dat Vanden Bulcke en Franken een echte Valcke-show willen monteren. Een nieuw concept. Ze combineren schilderijen en sculpturen met visuals over zijn leven en zijn dood. Wie een kunstwerk koopt, krijgt er een soort exclusief album bij, geen traditioneel kunstboek, maar een dvd met foto's en teksten en artistieke concepten.'

'Godverdomme,' zei Geo, die meteen snapte waar zijn foto's voor dienden. Had de haai Vanden Bulcke hem dan toch het vel over de oren getrokken?

'Ik hoef dus niet te vragen of die foto's toevallig van jou komen,' smakte Estelle met een mond vol hete garnaal. 'Je reactie vertelt alles.'

'Inderdaad. Ik heb net de rechten verkocht,' bekende Geo.

'Duur?'

'Valt mee.'

'Hoeveel?'

'Sinds wanneer interesseer jij je voor geld? Ik dacht dat je alleen begaan was met nobele stijl en edele kunst?'

'Doe niet flauw. Wat heeft hij je geboden?'

'Veel. Toch voor een dorpsfotograaf,' gromde hij.

'Mijn bron zegt...' begon ze, vastbesloten zijn bitse opmerking te negeren, maar hij onderbrak haar.

'Moment. Over welke bron hebben we het? Een concurrent van Vanden Bulcke?'

'Je mag het weten. Piet De Deken.'

'De galerijhouder? Profiteert die niet mee van de lijkenpikkerij?'

'Integendeel. Hij beweert dat Vanden Bulcke hem in het ootje heeft genomen. Nadat Valcke hem ook al had opgelicht.'

De Deken was zijn telefoontje begonnen met complimentjes aan het adres van Estelle. Ze was torenhoog in zijn achting gestegen, vleide hij haar. Het omslagverhaal over Kurt Valcke was het beste kunstartikel dat hij ooit in AQS had gelezen, fleemde hij en kwam toen ter zake. Of hij haar in de loop van de dag kon ontmoeten? Er waren immers dingen aan het gebeuren die hij graag in de openbaarheid had gegooid.

'Om een ware ramp te voorkomen', voegde hij er nog aan toe.

Estelle wierp nerveus een blik op haar horloge. Tegen twaalf uur kon ze in Antwerpen bij Galerij De Deken zijn, rekende ze uit. Mooi op tijd voor de lunch. Op zijn kosten, natuurlijk. Met wat geluk was ze tegen drieën terug op de redactie, tijd zat om het stukje waar ze mee bezig was, af te werken.

'Ik kom naar je toe,' beloofde ze.

'Ik bestel een tafel aan de overkant. Ik zal er op je wachten.'

De overkant, dat bleek het restaurant Djingiz Can't te zijn, een modetent die iets serveerde dat door de eigenaar 'Mongools-Engelse Fusiekeuken' was gedoopt. Britse wansmaak geserveerd met de elegantie van een Hunnenhorde of andersom. De opgediende prak viel niet te vreten, maar misschien was de zaak daarom een trefpunt van de Antwerpse chiqueria geworden.

De Deken had beslag gelegd op het door de meeste klanten begeerde tafeltje bij het venster. De gasten zaten er in een soort bordeeletalage, compleet met rood neon, gordijntjes en stoelen van het soort waarop een vrouw onmogelijk kon plaatsnemen zonder een maximum aan been en dij te laten zien.

'Het stoort je toch niet?' vroeg de kunsthandelaar met een besmuikte blik op Estelles rokje.

'Ach nee,' deed ze en ze ging zitten zonder zich erom te bekommeren dat haar rok even hoog kroop als die van echte hoeren achter echte peesramen.

'Goed zo?' vroeg ze spottend en uitdagend.

'Wat mag worden gezien, mag worden gezien,' grapte De Deken, een beetje hees van plotse opwinding.

De lunchschotel heette 'Steppenwolf', maar had weinig te maken met carnivoren, Duitse denkers, rockgroepen of Centraal-Aziatische steppen. De basis was een zielige lap slap, wit brood, waarop smakeloze reepjes nauwelijks gebraden paardenbiefstuk lagen na te bloeden. Het geheel was bedolven onder goedkoop saladegroen en besprenkeld met een vinaigrettesaus die zelfs een Calvé-Hollander flets zou gevonden hebben.

Piet De Deken legde uit dat hij een vraag had gekregen van een bevriende kunsthandelaar uit Londen. Of hij hem nog werk van Valcke aan de hand kon doen?

Estelle kon niet volgen. De Deken legde haar uit dat de collega hem gebeld had omdat hij de ontdekker van Valcke was. Hij had als eerste iets gezien in de jonge kunstenaar en had meteen twee van zijn doeken in zijn galerij opgehangen.

'Met succes,' zuchtte hij. 'Eén werk heb ik bijna onmiddellijk kunnen verkopen. Voor een meer dan redelijke prijs. Het andere raakte ik niet kwijt, maar ik geloofde zo rotsvast in Kurts mogelijkheden dat ik besloot zwaar in hem te investeren. Ik liet hem een stuk of twintig doeken produceren voor een heuse tentoonstelling met alle bijbehorende tamtam, hapjes, champagne, chique volk, je weet wat ik bedoel. Plus nog een echt kunstboek bovenop, geschreven door Wies Wellens en voorgesteld door Frits Franken. De supershow, kortom.'

Estelle schatte dat ze een rauwe vleeskwab lang genoeg had bewerkt om ze zonder verstikkingsgevaar te kunnen inslikken. Ze vocht tegen haar paniek toen de prop in haar keel dreigde te blijven steken. Ze bracht haar servet al naar haar mond, voor het geval dat, maar de klonter gleed dan toch door haar keelopening en verdween in haar slokdarm.

'Dat was voor mijn tijd,' zei ze. 'Ik heb nooit over die tentoonstelling geschreven.'

'Het was een grote show en een grote flop,' ging De Deken verder alsof hij haar niet gehoord had. 'Niets verkocht, niet één doek. De enige die interesse toonde, was Piet Vanden Bulcke. Niet om te kopen, maar om te huren en door te verhuren via De Glorie van Vlaanderen. Wat er op de doeken stond, kon hem weinig schelen. De Valckes interesseerden hem omdat ze groot waren, want daar bleken de klanten van De Glorie om te vragen. Kunst per vierkante meter, snap je?'

'Ik dacht dat De Glorie iets van de Vlaamse Gemeenschap was?'

'Er zijn er meer die dat denken,' mopperde De Deken, maar hij gaf geen verdere uitleg en ging door met zijn pechverhaal. 'Vanden Bulcke beloofde me dat er niets zou veranderen aan mijn deal met Valcke. Mijn mondelinge deal! Hij beloofde me dat De Glorie geen rechten zou laten gelden als een of ander doek toch nog verkocht raakte. Ik zou bij elke verkoop mijn aandeel krijgen. Nog een mondelinge belofte!'

De galerijhouder schudde zijn hoofd alsof hij nog steeds niet kon geloven dat hij ooit zo naïef was geweest.

'Ik durfde geen geschreven contract te eisen,' foeterde hij. 'Ik was bang dat een zakenman van Vanden Bulckes formaat zich daardoor beledigd zou voelen. Erger nog, ik hield hem voor een gentleman, bij wie een gegeven woord een onverbrekelijk contract was. Vind je me onnozel? Je mag, hoor, maar hou er rekening mee dat mijn geloof in Valcke op dat ogenblik finaal gekelderd was. Ik had hem afgeschreven als commercieel waardeloos. En als ik heel eerlijk mag zijn, ik was blij dat ik zo gemakkelijk van de verliespost verlost raakte...'

Estelle maakte van zijn opwinding gebruik om snel een volgende onverwerkbare paardenvleesbrok onder het brood te verbergen. Ze schoof vol walging het bord weg. De Deken zuchtte diep.

'Stel je mijn verbazing voor,' zei hij, 'toen mijn Engelse collega me kwam vertellen dat iemand in Londen schilderijen van Valcke te koop had aangeboden. Tegen hoge prijzen. Een gevolg van de sensatie die rond zijn dood was ontstaan. Een kunstenaar die scoort omdat de Britse pers in geuren en kleuren heeft bericht over een plaspartij en een moord, stel je voor!'

'Hoeveel doeken van Valcke heb je nog in stock?' vroeg Estelle.

'Niets. Zelfs geen postzegel. Alles wat die rotzak ooit geschilderd heeft, draagt momenteel een naamplaatje van De Glorie van Vlaanderen en gaat straks via Vanden Bulcke en zijn bende onder de hamer in Londen of Parijs. Zonder dat ik er ook maar een cent aan verdien. En dat is het schandaal waarover jij een goede reportage zou moeten maken.'

Een paar skaters bleef voor het restaurant hangen en loerde naar Estelles dijen. De journaliste hoorde hen hitsig doen, maar het etalageglas was te dik om hun woorden te kunnen verstaan.

Ze wierp de jongens een boze blik toe, maar dat schrikte hen niet af. Ze besloot de knulletjes te negeren en nog wat beleefde aandacht te besteden aan de klachten van de kunsthandelaar, al veronderstelde ze dat ze er nooit iets over zou publiceren in AQS. Alleen maar opgewekt, positief nieuws in de lifestyle-sectie van Vlaanderens topmagazine! Haar chef hamerde haast elke week op dat ene spijkertje.

'Waarom spreek je nu al van een schandaal?' vroeg Estelle. 'Als de doeken verkocht worden, heb je toch recht op je aandeel in de winst? Je afspraken met Valcke en Vanden Bulcke zijn toch niet opgezegd? Je hebt voorlopig geen reden om...'

De galerijhouder lachte zo schamper dat ze ervan schrok.

'Geen reden?' gromde De Deken. 'Moet je nog even naar me luisteren, mevrouw! Op een mooie dag is Valcke zijn doeken komen ophalen. Hij was zo blij als een kind dat De Glorie hem in haar aanbieding opnam. Wat hij me niet vertelde, was dat hij een contract had getekend waarmee hij al zijn doeken overdroeg aan De Glorie van Vlaanderen. Afstand van eigendom, zo staat het er letterlijk in. De doeken die hij in mijn opdracht schilderde. En alle latere werken, waar ik een toegevoegde waarde aan had gegeven met mijn tentoonstelling en dat dure boek! Alles deed hij voor zo goed als niets cadeau aan De Glorie! Alles! En Vanden Bulcke liet dat zomaar gebeuren, ondanks zijn dure belofte! Ik heb pas vorige zaterdag ontdekt hoe de vork in de steel zit. En dan nog alleen maar dankzij mijn vriend Scheffers, die ook om de tuin is geleid! Nog dommer dan ik! Ja?'

Zijn ogen stonden bol van opwinding en verontwaardiging.

Estelle sloeg haar ogen neer. Ze trok met haar vingernagel streepjes in het tafelkleed, alsof dat kon helpen om haar gedachten te ordenen.

Mondelinge afspraken, dacht ze, de nachtmerrie van elke journalist.

'Een schandaal,' overwoog ze, terwijl haar hoofdredacteur absoluut geen schandalen in zijn blad wilde.

Een conflict tussen een galerijhouder die zo nu en dan een advertentie plaatste ter grootte van een luciferdoosje en een mecenas die elk jaar honderden bladzijden opkocht om reclame te maken voor zijn talloze zaken. In geen duizend jaar zou ze haar chef ervan kunnen overtuigen partij te kiezen voor de galerijhouder.

Hoe red ik me uit dat wespennest, vroeg ze zich af.

'Ik zal eens nadenken over een invalshoek,' beloofde ze met de hoop dat haar nuchtere, schijnbaar professionele houding indruk zou maken op de galerijhouder.

'Wacht!' riep De Deken, die haar opmerking interpreteerde als toezegging zijn verhaal verbatim in AQS af te drukken. 'Het mooiste moet nog komen!'

Estelle wenkte moedeloos de ober. Koffie?

De galerijhouder vertelde hoe Frank Scheffers in het ootje was genomen. Valcke had hem de exclusiviteit beloofd voor de verkoop van sculpturen, concepten, installaties, evenementen. Daarop had Scheffers op zijn beurt een knots van een catalogus laten produceren, dit keer geschreven door Franken en tijdens een grootse show gepresenteerd door Wellens, het alom inzetbare duo. Hij had maar een paar stukken verkocht en ook hij had een zucht van verlichting geslaakt toen Valcke de resten van zijn door het publiek ongewenste oeuvre parkeerde bij De Glorie van Vlaanderen.

'En Scheffers had ook geen contract,' veronderstelde Estelle.

'Jawel!' riep de kunsthandelaar. 'Maar hij heeft een paar uur voor Valckes dood zijn contractuele rechten overgedragen aan De Glorie! Om goodwill te creëren! Om toekomstige zaken met Vanden Bulcke en diens vrienden te oliën! Daarmee waren alle Valckes in één hand, zei Scheffers me. Niet de schilderijen, zei ik, die zitten nog altijd bij mij. Je vergist je, antwoordde hij, ook de schilderijen staan onder contract bij De Glorie. Ik geloofde hem niet en dus ben ik naar Piet Vanden Bulcke gestapt. Die knipperde zelfs niet met zijn ogen. "Natuurlijk staat Kurt Valcke onder contract bij De Glorie," zei hij, "al sinds hij bij jou is vertrokken."'

'Dat moet een schok geweest zijn,' reageerde Estelle alsof ze diep met het lot van de galerijhouder begaan was.

'Alsof ik een vuistslag in mijn gezicht kreeg. Maar toen bedacht ik me. Wat was die hele Valcke uiteindelijk waard? Zo goed als niets, toch? Tot dat telefoontje uit Londen kwam en ik ontdekte dat Vanden Bulcke schaamteloos aan het incasseren was. En hij pakt het slim aan. Hij heeft zijn knechtje Franken naar Londen en Parijs gestuurd om Valckes schandaalkunst aan te prijzen. Die heeft een gimmick van formaat bedacht. Wie een originele Valcke koopt, krijgt er een dvd bij met zijn biografie en ronkende essays van Franken en Wellens. Plus de schokkendste foto's van zijn laatste publieke optreden. En als uitsmijter een foto van zijn lijk. In close-up met een boor door zijn oog!'

'Wat?' riep Estelle, ineens hevig geïnteresseerd. 'Ben je daar zeker van? Dat klinkt zo, zo, zo ongeloofwaardig! Pure sensatie! Wat heeft dat nog met kunst te maken?'

'Niets, natuurlijk, het is pure marketing,' bromde De Deken, diep teleurgesteld omdat hij nooit dergelijke gouden ideeën had en daarom tot het eind van zijn leven een kleine galerijhouder in Antwerpen zou blijven.

Estelle nipte van de koffie. Standaard Douwe Egberts, recht uit de machine. Niet besmet door Mongoolse of Engelse fusieconcepten.

'Nou?' vroeg De Deken.

'Ik moet het even laten bezinken. Zal ik je morgenvroeg bellen?'

'Ik reken op je.'

In de trein naar Brussel dacht ze: Eigenlijk kan ik een mooi, positief verhaal schrijven over Vanden Bulcke, die Kurt Valcke postuum tot een succesrijk kunstenaar heeft gemaakt. Een story over internationaal succes. Veilingen in Parijs én in Londen. Vlaamse grootheid in het buitenland. De sentimenten waarop AQS dobberde als een kurk op een brakke waterplas. Een commercieel waardevol verhaal, dat haar aan het einde van het jaar beslist een mooie bonus zou opleveren.

Durfde ze De Deken daarvoor schaamteloos te verraden? Terwijl ze de vraag formuleerde, kende ze het antwoord al. Nee. Het zou smerig zijn. Zo gemeen en zo achterbaks dat ze het nooit over haar hart kon verkrijgen.

Ze staarde naar de troosteloosheid langs de spoorlijn. Als ze een ander soort journaliste was, mijmerde ze, en als AQS echt een nieuwsmagazine was, dan zou De Dekens verhaal een geschenk van de hemel zijn. Dan kon ze een bittere aanklacht schrijven over een vies en vettig kunstschandaal, vol genadeloze onthullingen. In artistieke kringen en ver daarbuiten zou de naam Este D. op ieders lippen liggen.

Ook al besefte ze dat ze ook dát verhaal niet zou schrijven, toch vroeg ze zich af hoe onderzoeksjournalisten te werk gingen als ze een sappige brok toegegooid kregen. Ze zuchtte nog moedelozer. Ze had er zelfs geen idee van hoe ze het dossier De Deken zou kunnen aanpakken. Misschien wist Geo het wél. Joosten. Wie had ooit verwacht dat iemand een kunstwerk zou maken van zijn foto's? Ze moest hem absoluut spreken. Misschien had hij die avond tijd, hoopte ze.

.

'Hoeveel vraagt Vanden Bulcke voor een schilderij van Valcke?' vroeg Geo.

'Minstens 12.500 euro,' zei Estelle. 'De prijs van zijn sculpturen varieert naargelang van het formaat. Kleinere dingen kun je al kopen voor een paar duizend euro. Het schijnt dat er daarvan duizenden bestaan, want Valcke vouwde en plooide en laste aan de lopende band. Voor grote stukken zou de prijs naar twintigduizend en meer vliegen.'

'Mm.'

'Je lijkt niet onder de indruk.'

'Toch wel. Ik zat alleen te becijferen hoeveel Vanden Bulcke aan mijn foto's kan verdienen.'

'Hoeveel denk je?' vroeg Estelle en ze hoopte dat Geo eindelijk zou verklappen wat hij aan de transactie verdiend had. Zijn antwoord sloeg haar met verstomming.

'Hij heeft me vijftigduizend euro betaald. Netjes in een bruine envelop overhandigd door Petra Van den Boom.'

'Je houdt me voor de gek!'

'Nee. Echt waar. Netto.'

'Vijftigduizend euro! Hoeveel heeft die zaak met Valcke je intussen al opgebracht?'

'Ik heb er goed aan verdiend,' antwoordde Geo ontwijkend, terwijl hij in een bakje roerde om minuscule brokjes kip uit onduidelijke smurrie te vissen.

'Dat zal wel!'

Tot zijn eigen grote verbazing kostte het hem geen moeite zijn gezicht zo stijf als een plank te houden. Hij voelde zelfs geen behoefte om een sarcastische opmerking te maken over Estelles plotse interesse voor geld. Hij richtte al zijn aandacht op de portie noedels die hij zonder morsen in zijn mond wilde hijsen.

'Ga je iets over het schandaal schrijven?' vroeg hij nadat de slierten veilig weggewerkt waren.

'Ik weet het nog niet,' antwoordde ze. 'Het past niet zo goed bij AQS, schandalen en zo, dat is onze stijl niet.'

'Doe niet schijnheilig. Je mag er niet over schrijven omdat je grote adverteerders niet tegen de haren in mag strijken.'

'Is dat een verwijt of een vaststelling?'

'Een vaststelling. Trek het je niet aan. Op een of andere manier schrijven alle journalisten in dit land voor advertentieblaadjes.'

'Maar ik wil De Deken ook niet voor schut zetten!' riep Estelle.

'Ben je met De Deken getrouwd?'

'Nee, maar ook niet met jou.'

'Daar gaat het niet over. Ik bedoel, je hoeft zijn problemen niet op te lossen. Je moet er wel voor zorgen dat je morgen ook nog een baan hebt.'

'Ja. Nee. Ik weet het niet. Ik hoopte eigenlijk dat jij interesse zou hebben om er iets over te maken.'

'Ik? Estelle! Ik ben fotograaf, geen reporter!'

'Ik bedoelde, jouw krant durft wel eens een schandaal aan te pakken. Toch als ze er commercieel brood in zien.'

'Ach kind, mijn krant heeft alleen interesse voor schandalen die op lange benen lopen, blond zijn en borsten hebben zoals Pamela Anderson.'

Estelle lachte.

'Dat is in elk geval niet de beschrijving van Petra Van den Boom.'

'Hé!' riep Geo. 'Waarom kwam haar naam niet voor in het verhaal van De Deken?'

'Misschien omdat ze minder in de pap te brokken heeft bij De Glorie van Vlaanderen dan jij denkt? Omdat Vanden Bulcke er in werkelijkheid alle touwtjes in handen heeft?'

'Een mens dat enveloppen met vijftigduizend euro mag uitdelen, zonder ontvangstbewijs, zonder bonnetje, zonder duvel of dood? Die zou onbelangrijk zijn? Dat geloof ik niet.'

'Ik had het aan De Deken moeten vragen,' gaf Estelle toe.

Een onderzoeksjournaliste zou een zo belangrijk feit nooit over het hoofd hebben gezien, verweet ze zichzelf. Zelfs Joosten was het meteen opgevallen en hij was... Ze liet de gedachte vallen. Joosten was helemaal niet zo dom als hij zich voordeed. Boertig. Lomp. Plomp. Zeker. Totaal cultuurloos, dat ook. Maar niet dom.

'Zie je iemand als De Deken in staat Valcke om te brengen?' vroeg haar niet-domme ex-man.

Ze staarde hem sprakeloos aan. Meende hij dat?

'De Rus heeft het niet gedaan,' mijmerde Geo. 'Dat is officieel. Liesens heeft toegegeven dat ze zich vergist heeft. Een onderzoeksrechter die haar ongelijk bekent! Even zeldzaam als een paus die het dogma van de Onbevlekte Ontvangenis de rug toekeert. Wie heeft het dan wel gedaan? Iemand die 's nachts bij Valcke op visite mocht komen. En een reden had om de vetzak te mollen. Iemand zoals De Deken, zou ik denken, iemand die nog een eitje met de schurk te pellen had.'

'Dat meen je niet?'

'Nee.'

Ze rommelden zwijgend in het puin van de afvalberg die de Chinese afhaalmaaltijd van in het begin was geweest, op zoek naar iets dat nog enigszins eetbaar kon zijn.

'Hoewel,' zei Geo ineens.

'Wat?'

'Als ze mij een loer draaiden... Zoals Valcke De Deken bij zijn kloten heeft gepakt...'

'Zou jij dan een moord plegen?'

'Eerlijk?'

'Eerlijk.'

'Nee. Het sop is de kool niet waard.'

'Ik dacht wel dat je dat zou zeggen. Heeft Liesens nog andere kastanjes in het vuur?'

'Eerlijk?'

'Eerlijk.'

'Nee. Volgens mij heeft ze er zelfs geen idee van waar ze nu moet beginnen te zoeken.'

'En jij?'

'Ik ga mijn foto's nog eens rustig bekijken. Misschien valt me nog iets op, zoals het geld op dat tafeltje.'

'Welke foto's? Je hebt ze toch verkocht aan Vanden Bulcke?'

'Ach, ik heb natuurlijk nog kopieën. Van alles, als je het precies wil weten. Ik mag ze misschien niet meer publiceren, maar ik mag ze toch nog hebben. Nee?'

'Joosten, je bent altijd een rotzak geweest.'

Hij hoopte dat hij iets in haar stem had gehoord dat hem een kans bood om op het studiootje in Evere te blijven slapen. IJdele hoop. Een halfuur later raasde hij met de Defender naar Borgloon. Honderd per uur bergaf, negentig tussen de trucks de hellingen op. Het stoorde hem niet, want in zijn verbeelding bruiste hij door de Mojavewoestijn. Jammer dat hij de sterrenhemel niet kon zien.

'Hoofdcommissaris Van de Besien heeft gebeld. Wil zo snel mogelijk contact met me opnemen in het justitiegebouw voor een informeel gesprek!' klonk het bevel op het antwoordapparaat.

'Tot morgen!' schreeuwde Geo naar het apparaat en krabbelde in zijn agenda, tussen afspraken met een honderdjarige en een duivenkampioen: 'Generaal Franco'. Zijn bijnaam voor de afgeborstelde rijkswachter.

Louis Van de Besien zag er helemaal uit als een Latijnse dictator uit de jaren dertig, toen Geo om halfvier zijn kantoor binnenliep.

Een secretaresse had de fotograaf nog eens extra gebeld om te melden dat haar chef slechts 'een informele babbel' wilde voeren en dat het gesprek beslist niet langer dan een half uur hoefde te duren.

De hoofdcommissaris sprong recht in een houding die naadloos had kunnen overgaan in hielengeklak en gestrekte rechterarm.

'Mijnheer Joosten! Welkom! Neem plaats!'

Geo mompelde iets dat vaag op een groet leek en ging zitten op de rechte, stijve stoel voor het imposante bureau van de commissaris. Hij legde het fototoestel voor zich op de tafel. Een barricade, maar ook een symbool dat hij niet zomaar de eerste beste was. Hij was journalist, een luis in de pels, iemand met wie ook hoofdcommissarissen bij de Gerechtelijke Dienst rekening moesten houden.

'Wat kan ik voor je betekenen?' vroeg hij.

'Open kaart,' begon Van de Besien. 'Ik heb een brief gekregen van mijnheer de procureur-generaal. Met een schrijven dat hij van jou heeft ontvangen. Daaruit blijkt dat je foto's aanbiedt waarop hij te zien is tijdens de schandaalvoorstelling van wijlen mijnheer Valcke. Foto's die tegen betaling aangeboden worden.'

'Ja?'

Geo geloofde er geen woord van. Hij kon zich niet voorstellen dat de procureur zijn onschuldige brief met bijgevoegd betalingsformulier aan de recherche zou overmaken. Maar goed. Er gebeurden in het justitiegebouw wel meer dingen die hij zich als gewone burger niet kon voorstellen.

'Mijnheer de procureur-generaal vroeg zich af of de foto's waarover het in de brief gaat, niet, eh... Eh... Niet compromitterend zijn?'

Geo slikte zijn woede in en besloot in één moeite ook niet in een luide lachbui uit te barsten.

'Voor zover ik weet, heeft hij geen meisjes in hun bips of boezem geknepen,' zei hij. 'Als ik het me goed herinner, staat de ouwe baas heel deftig op mijn foto's. Op en top een hoogwaardigheidsbekleder, die uit hoofde van zijn functie aanwezig is bij de voorstelling van een belangrijk kunstwerk. Ja?'

Van de Besien staarde Geo strak aan. Hij had een grondige hekel aan perslui. Zeker als ze hem onder tafel probeerden te kletsen met het soort van ronkende volzinnen waarop hij graag een patent had genomen.

'Handelen in compromitterende foto's kan snel gaan lijken op poging tot afpersing,' dreigde hij. 'Al hoed ik me ervoor je daarvan te beschuldigen, mijnheer Joosten.'

'Hoed je dan maar verder,' reageerde Geo nijdig.

Was dit het informele gesprek waarvoor hij helemaal naar Tongeren was gereden? Tergend geleuter over een paar simpele foto's?

'Dit terzijde,' herbegon generaal Franco. 'Ik zal mijnheer de procureur-generaal laten weten dat je bedoelingen zuiver zijn. Misschien bestelt hij wel een foto. Dit terzijde, dus. Eigenlijk wilde ik het in de eerste plaats over een andere zaak hebben. Over een uitspraak die je gedaan hebt de dag na de moord op mijnheer Valcke.'

'Ja? Wat was dat dan?'

'Uit betrouwbare bron hebben we vernomen dat je al de middag na de moord tegenover getuigen hebt verklaard dat de toenmalige verdachte niet de moordenaar kon zijn.'

'Heeft Schraepen geklikt?'

'Mijnheer Schraepen heeft hier absoluut niets mee te maken.'

'Wie dan wel? Wim Dirix? Heeft die snotneus zijn klep niet kunnen houden?'

'De naam van de getuige doet niet ter zake, mijnheer Joosten!'

'Voor jou niet, maar voor mij wel. Kom, zeg, wie was het?'

'Je ontkent het dus niet?'

'Nee. Waarom zou ik?'

'Ik wil niet als té officieel overkomen, mijnheer Joosten, maar ik moet je er toch even aan herinneren dat het verzwijgen van informatie in een dergelijke zwaarwichtige zaak...'

'Ik heb helemaal niets verzwegen!' riep Joosten geïrriteerd. 'Alles heeft open en bloot in de krant gestaan. Op maandagmorgen al. Op de eerste bladzijde. Alleen heeft jouw lieve rechter Liesens er niets van begrepen. En jij blijkbaar ook niet.'

'In de krant? Wat...?'

Geo lachte de hoofdcommissaris nu wel schaamteloos uit. Van alle voordelen die aan zijn beroep verbonden waren, vond hij dit het mooiste. Hij kon straffeloos klootzakken zoals caudillo Van de Besien laten afgaan als een gieter.

'Wat ik wist,' herhaalde hij, 'stond op de frontpagina van mijn maandagkrant en op die van honderden andere kranten, overal ter wereld. Spijtig genoeg kunnen jullie bij het gerecht in Tongeren geen foto's interpreteren.'

'Wat stond er dan op die foto?' vroeg de politieman. 'Wat viel er te interpreteren?'

'Naast het doorboorde hoofd van Valcke kon je een pak geld op tafel zien liggen. Briefjes van tweehonderd euro. Duidelijk te herkennen, zelfs op afdrukken in zwart-wit. Een kind had het kunnen zien. En zelfs een kind weet dat een Russische zwartwerker geen roofmoord pleegt om daarna met lege handen te vertrekken.'

Van de Besien vouwde zijn handen op het smetteloos schone vloeipapier. Hij sloeg zijn ogen ten hemel.

'En dat was het?' vroeg hij.

'Jullie zouden dagen gewonnen hebben als iemand met verstand naar mijn foto gekeken had,' sneerde Geo.

'Waarom heb je mij of mevrouw Liesens niet ingelicht over je bevindingen? Je was toch aanwezig bij de reconstructie?'

'Dat was ik níét,' mopperde Joosten. 'Ik stond voor de deur omdat jullie me niet binnenlieten. Waarom zou ik mensen die me wegjagen een dienst bewijzen?'

'Dat is een zeer negatieve houding, mijnheer Joosten.'

'Van wie?'
De commissaris bekeek hem met ogen die blonken van woede.
'Bedankt, mijnheer Joosten, ik heb verder niets meer te vragen,' gromde hij.
'Mag ik dan iets vragen?'
'Wat?'
'Wie is de moordenaar van Valcke?'
'Je bent een verstandige man, mijnheer Joosten. Ik neem aan dat je geen antwoord op die vraag verwacht. Toch niet van mij.'
'Dat is jammer, mijnheer Van de Besien. Ik dacht echt dat jij het wist.'
Hij liep naar de deur. Halfweg hield de commissaris hem tegen.
'Ik weet waar je al die foto's hebt gemaakt,' zei hij. 'Vanuit een dakraam in het naburige huis.'
'Was het moeilijk om dat te ontdekken?'
'Nee, maar het zal wel moeilijk zijn om in de toekomst nog dergelijke foto's te maken. Ik heb de huiseigenaar verzocht je niet meer binnen te laten. Mijnheer Wuyts is een rechtschapen burger, hij zal rekening houden met onze wensen. Begrepen?'
'En als hij het niet doet? Klaag je hem dan aan?'
'Zoiets. Als daar reden toe is.'
'Je bedoelt dat je daar wel een reden toe zult vinden?'
Van de Besien grijnsde boosaardig. Geo was tevreden. Hij had de caudillo even uit zijn rol laten vallen. Hopelijk zou hij er nooit spijt van krijgen.

Geo stopte bij de bank. Zijn woede over de klucht bij Van de Besien verdween toen hij de respons op zijn mailing zag. Tientallen toeschouwers hadden betaald voor souvenirfoto's van zichzelf tijdens de grote kunstshow, voorafgaand aan de grote moord.
'Dat wordt een avond zegels likken,' knorde Geo, maar hij herstelde zich meteen. Geld smaakt naar postzegellijm, bedacht hij.

Terwijl de printer de bestelde foto's uitspuwde, staarde hij naar gezichten op het computerscherm. Griezelig, dacht hij. Misschien keek hij zonder het te beseffen de moordenaar in de ogen.

Griezelig?

Hij corrigeerde zichzelf.

Opwindend.

Stukken spannender dan een avond televisie kijken.

8. Grove hagel

'Schraepen?'

Geo Joosten drukte de hoorn vaster tegen zijn oor om tussen het gekraak en gepiep te kunnen opvangen wat de persoon aan de andere kant van de lijn hem toeriep. Het was kwart over drie 's nachts. Een luide klik. Ergens in het mobilofoonnetwerk viel een schakelaar op zijn plaats en de stem van de misdaadverslaggever klonk plots wel luid en duidelijk.

'Schraepen, je bent een vleesmade!' tierde Geo. 'Wat bezielt je om me op dit uur wakker te bellen? Wat is er nu weer?'

'Geo!' riep Piet Schraepen vrolijk als altijd. 'Ik sta tussen Membruggen en Vlijtingen. Je weet wel!'

'Godverdomde idioot, wat heb ik ermee te maken waar jij staat?'

Over Geo's hoofd heen hadden de bazen bij de krant ooit beslist dat Schraepen in principe zelf foto's van zijn wrakken en ruïnes moest maken, maar voor moeilijke opdrachten mocht hij een beroep doen op een 'echte' fotograaf. Geo Joosten. Een tijdlang had de verslaggever bijna elke nacht van die mogelijkheid gebruik gemaakt, tot Geo er in een woeste bulderscène paal en perk aan had gesteld. Sindsdien belde Schraepen hem nog hoogstens een paar keer per week uit zijn bed.

'Ze hebben hier twee lijken gevonden,' legde Piet Schraepen ijskoud uit.

Hij was het gewend uitgescholden te worden, dag én nacht door politiemensen of lui van het gerecht, 's nachts door de pechvogels die hij uit hun slaap rukte om een dienst te vragen of op de hoogte te brengen van gebeurtenissen die in zijn ogen onmiddellijke actie vereisten.

'Wat voor lijken?' kreunde Geo.

'Een man en een vrouw. Ze zitten in een auto, die in een bietenveld staat. De moordenaar heeft hen van dichtbij doodgeschoten met een jachtgeweer. Grove hagel. Van hun gezicht blijft niets over, je kunt er zelfs geen américain meer van maken.'

'Maak er zelf een foto van,' stelde Geo voor. 'Daar is toch geen kunst aan?'

'Ik wil wel, maar het is echt een heel belangrijke zaak. Volgens de politie werkte een van de doden op De Gielenhof. Ze had een naamplaatje van de zaak op zak. Je kent dat, een koperen rechthoekje dat ze op hun kleren spelden. De agenten zeggen dat ze de nicht is van Armand Vanspauwen. Een bekende persoon in de streek.'

In één klap was Geo klaarwakker. Hij sprong uit bed en knipte de bandopnemer aan waarmee hij belangrijke gesprekken placht op te nemen.

'Toch niet Gerda Vanspauwen?' vroeg hij.

'O! Je kent haar?'

'Natuurlijk ken ik haar! Wat is er gebeurd?'

'Wat ik je daarnet vertelde. Meer weet ik niet. Het parket is nog niet ter plaatse. Ik sta hier voorlopig alleen met iemand van de concurrentie en de politie.'

'En de man? Wie is de man?' vroeg Geo.

'Bjorn Lowet. Haar echtgenoot.'

'En ze zijn allebei vermoord? Weet je dat zeker? Het is niet toevallig zo dat...'

Schraepen onderbrak hem.

'Familiedrama met moord en zelfmoord? Nee. Ze zijn allebei vermoord. Het moordwapen is onvindbaar. Dus...'

Hij hoefde de zin niet af te maken.

'O.k.!' riep de fotograaf. 'Ik kom! Binnen een half uur sta ik bij je. O.k.'

De groene Focus waarin kamermeid Gerda en haar man om het leven waren gebracht, was over een doorploegde oprit het bietenveld ingereden. Op een meter of tien van de smalle asfaltweg was de auto in de modder vastgelopen. De bestuurder had daarop blijkbaar de motor stilgelegd en de lichten gedoofd. Alsof hij zijn voertuig met opzet tussen de bieten had geparkeerd en niet van plan was snel weer te vertrekken.

De plek was zo afgelegen dat er zich nauwelijks nieuwsgierigen hadden verzameld tegen de tijd dat Joosten er aankwam. Slechts een paar toevallige voorbijgangers troepten samen bij auto's die ze op een veilige afstand in de berm neergezet hadden.

Twee politiemannen hadden linten gespannen rond de Focus en de sporen die zijn wielen in het modderveld hadden getrokken. Met oranje lichten en kegels hadden ze een stuk van de straat beveiligd, voor en achter hun busje, waarvan alle zwaailichten tegelijk flikkerden. Geo had het al van een kilometer ver gezien.

Hij was aangekomen samen met de fotograaf die zich voor de lokale krant gespecialiseerd had in nachtelijke wrakken en daar blijkbaar van kon leven, omdat hij in één moeite ook video schoot voor de provinciale televisie. De agent die de Focus hoorde te bewaken, was eerbiedig opzijgegaan voor de perslui maar zorgde er wel voor dat hij altijd in het blikveld van de camera's stond. Kon zijn familie hem op televisie zien en de volgende dag in de krant bewonderen.

Geo huiverde toen hij in de auto keek. Bjorn en Gerda – hij noemde hen in gedachten al bij hun voornaam – hadden hun veiligheidsgordel nog om. Zijn hoofd lag op zijn rechterschouder, het hare plakte letterlijk tegen de hoofdsteun. Van de gezichten bleef alleen een afzichtelijke brij van vlees, hersenen en bot over, waar geen menselijke trekken meer in te herkennen waren.

De moordenaar had van zeer dichtbij geschoten. Centimeters, schatte Geo, want de auto leek helemaal niet beschadigd. Behalve dat het interieur vol hing met bloed en dingen die eruitzagen als lichaamsresten die door een bom waren weggeslingerd.

Beide zijraampjes stonden open. Vreemd, dacht Geo spontaan, maar verder denken deed hij voorlopig niet, want als hij over dit soort horror begon na te denken, kon hij niet meer werken. Snel en efficiënt schoot hij foto's. Alles wat voor zijn lens opdook. Overzichten en details. Hij besefte dat hij nog maar enkele minuten had voor de gerechtelijken zouden komen. De baasjes uit Tongeren, die hem een schop onder zijn kont zouden geven en honderd meter of nog verder wegjagen.

'Fotografeer ook de hulzen,' fluisterde Schraepen. 'De anderen hebben ze nog niet ontdekt. Ik laat je zien waar ze liggen.'

Hij wees een rood kokertje aan op nog geen halve meter van het linkerportier. Geo stelde scherp en drukte af. Schraepen trok een bietenblad opzij om de tweede huls bloot te leggen. Twee ladingen hagel, twee doden. Moord kon heel goedkoop zijn, bedacht Geo, terwijl hij de hulzen kiekte. Waarom hij het deed? Hij wist het zelf niet, geen krant zou het saaie beeld willen afdrukken, maar het leek hem een goed idee bewijsstukken vast te leggen, belangrijke details, je wist maar nooit. Het leidde ook zijn aandacht af van de verschrikking die hij net had moeten aanschouwen. Arbeidstherapie.

'Het parket is in aantocht,' waarschuwde de agent. 'Beter dat je achter het lint blijft.'

Schraepen trok Joosten een eind het veld in, waar niemand hen kon afluisteren.

'Dit is een zaak waar letterlijk niets klopt,' fluisterde hij in Geo's oor. 'Die ene inspecteur, die je doorliet, die heeft al een moord of twintig helpen onderzoeken, wel, hij heeft me gezegd dat hij er niets van snapt. Een man met zijn ervaring!'

'En waarom zei hij dat?'

'In de eerste plaats omdat hij geen reden kon bedenken waarom die man met zijn Focus het veld is opgereden.'

'Om een potje te vrijen, verdorie!' grinnikte Joosten cynisch.

Schraepen bekeek hem onthutst.

'Met zijn eigen vrouw?'

'Nou ja... Waarom niet? Een wip in de open lucht, er zijn wel meer mannen die daarop kicken. En vrouwen ook, heb ik me laten vertellen.'

'Zou jij daarvoor het gevaar willen lopen in de modder vast te rijden?'

'Hangt ervan af wie er met mij in de auto zit,' deed Geo stoer.

'Het was zijn eigen vrouw,' sloot Schraepen de cirkel.

'Mm. Je zou wel eens gelijk kunnen hebben. Dat hij geen reden had om dat veld in te rijden. En wat nog?'

'Toen de politie aankwam, was de motor stilgelegd en waren de lichten gedoofd.'

'Mm. Heeft de politie de auto zelf gevonden?'

'Ja. Ze waren op inbraakpatrouille.'

Geo kon een sarcastisch lachje niet onderdrukken. Een kilometer in de omtrek waren alleen maar akkers te bespeuren. Niets om in in te breken. Een inbraakpatrouille? De flikken waren gewoon op zoek geweest naar een plek om ongestoord een tukje te doen.

'Beide raampjes stonden open,' zei hij.

'Ja, en de slachtoffers hadden hun gordel nog om,' vulde Schraepen aan. 'Begrijp jij daar iets van?'

'Nee.'

'Net wat de inspecteur ook al zei. Er klopt niets. Je rijdt je auto niet zomaar in het holst van de nacht in een modderig bietenveld om met de motor af en de lichten uit van de frisse lucht te gaan genieten.'

'Waarom zou hij het dan wél gedaan hebben?' vroeg Geo.

'Geen idee,' zuchtte Schraepen. 'Dat zullen zij daar moeten uitvissen.'

Hij wees met zijn hoofd naar de agenten van de gerechtelijke dienst, die ruim de tijd namen voor hun voorbereidselen. Ze trokken laarzen aan en winddichte jacks met fluostrips. Daarna installeerden ze een halogeenlamp, die de misdaadscène in een helder wit licht zette. Toen stapten ze behoedzaam langs het lint naar de Focus toe.

'Wist je vriend nog meer eigenaardigheden te melden?' vroeg Geo.

'Oh ja! Dat het geen roofoverval was. De echtgenoot had zijn portefeuille nog in zijn binnenzak. Met geld en betaalkaarten erin. En haar papieren en geld staken in een tas op de achterbank. De moordenaar heeft niets meegenomen.'

'Tja, en een carjacker was het ook niet,' grinnikte Geo.

'Waarom niet?' vroeg Schraepen.

Niet omdat hij het antwoord niet kende, maar omdat hij die vraag altijd stelde. Beroepsmisvorming.

'Omdat hij de auto niet heeft meegenomen,' antwoordde Geo onnozel.

Schraepen lachte flauwtjes.

'Waarom zou hij ook?' zei hij. 'Er is geen vraag naar Fordjes met een rood interieur!'

Een gruwelijke grap, net wat ze nodig hadden om ongeschonden weg te raken van het bloedbad dat ze hadden moeten aanschouwen.

De aanblik van de kapotte gezichten hadden ze verwerkt. De gruwel was gesublimeerd tot een opsomming van objectieve, haast abstracte feiten, samen te vatten in woorden of beelden ten behoeve van een verre nieuwsfabriek. Morgen te bekijken op papier en daarna op te bergen in een archief.

'Ik ga slapen. Nu het nog kan,' besloot Geo. 'Jij blijft in de buurt?'

'Ik moet wel. Straks wil ik horen wat die van Tongeren te vertellen hebben. Je hebt toevallig geen thermos meegenomen?'

'Ik heb een apparaatje in de Defender waarmee ik koffie kan zetten,' stelde de fotograaf voor. 'Als je wilt, zet ik een kopje. Het bewijs dat ik niet haatdragend ben.'

'Haatdragend? Wat krijgen we nu?'

'Je hebt me verlinkt bij Van de Besien.'

'Ik?'

'Jij of Dirix. Je mag kiezen. Een van jullie is gaan klikken dat ik doorhad dat de Rus niet de moordenaar van Valcke was. Leuk, hoor. Me verraden bij de flikken, in plaats van mijn exclusieve tip in de krant te zetten!'

'Geo, je moet me geloven. Eerlijk. Ik was het niet. En wat Dirix betreft... Je weet wat die jonge snaken waard zijn... Hoewel... Ik ben altijd bij hem gebleven... Godverdomme!'

'Spreek. Of je krijgt geen koffie. Wie heeft me verlinkt?'

'Ik heb het alleen maar aan een oude makker bij de rijkswacht verteld. Dedju. Lomme? Ik had het nooit van hem durven te denken...'

'Eens gendarme, levenslang gendarme, Schraepen.'

'Je zou weleens gelijk kunnen hebben, makker.'

Zoals altijd wist Schraepen veel meer dan hij in de krant had geschreven. Voor Geo was dat geen echte verrassing. Overwerkte misdaadverslaggevers wisten altijd meer dan ze aan het papier toevertrouwden, maar om een of andere mysterieuze reden stopten ze hun extrawetenschap diep weg in hun onderbewustzijn. Wat ze niet in clichés konden vatten of met totale zekerheid aan een betrouwbare bron konden toeschrijven, belandde allemaal in een wachtbekken, waar het pas uitkwam wanneer ze ontspannen bij een kopje of een pint over koetjes en kalfjes keuvelden. En daar hadden ze maar zelden de tijd voor, zodat hun kennis meestal verborgen bleef.

'De gerechtelijke dienst interesseert zich nogal in de boekhouding van Valcke,' zei de verslaggever nadat hij zich in de Defender had genesteld. 'Ze willen achterhalen hoe hij op zo een grote voet kon leven. Hij heeft zijn huis cash betaald, moet je weten! Terwijl hij toch zo goed als niets verkocht. De gaten in de tuin van De Gielenhof waren zijn enige belangrijke opdracht dit jaar. Buiten de subsidies van het ministerie van Cultuur verdiende hij blijkbaar geen rode duit.'

'Als hij genoeg kreeg van de staat, hoefde hij niets te verkopen,' opperde Geo.

'Waarom kreeg hij die subsidies?' vroeg Schraepen, die duidelijk over de zaak had zitten piekeren. 'Waarom steunt het ministerie een klodderaar van wie geen hond een werk wil kopen? Dat is toch niet logisch, Geo?'

'Je vraagt te veel, makker. Ik ken niets van de kunstwereld. Ik zal het aan mijn ex vragen. Die heeft meer verstand van zulke zaken.'

'Estelle? Hoe is het met haar?'

'Goed. Ik heb haar gisteravond nog gesproken.'

'Woont ze nog in Brussel?'

'In Evere.'

'O. Daar.'

'Doe niet alsof je weet waar Evere ligt, Schraepen. Je bent in je leven nog niet verder geweest dan Kuttekoven-Centraal.'

'Voor mij is dat genoeg, Joosten. Wat moet ik elders zoeken? Nog grotere smeerlappen dan die van hier in de streek?'

De koffie smaakte verrassend goed, ook al kwam hij uit een zakje dat een jaar of vijf in de auto had gelegen.

'Als ze naar Valckes inkomsten speuren,' mijmerde Schraepen, 'dan zal die Catherine binnen de kortste keren ook wel verdacht worden.'

'Zijn lief? De Boisy? Waarom?'

'Misschien leefde hij wel op haar kosten en had zij er haar buik van vol. Een explosieve combinatie, Geo. Wijven en centen. Daarmee beginnen de meeste drama's.'

'Wie is op dat idee gekomen? Van de Besien of Liesens?'

'Ik. Maar het zou kunnen. Niet?'

'Alles kan. Alleen snap ik niet waarom dat mens Valcke door zijn kop moest boren omdat zij hém geld toestopte. Ze hoefde toch alleen maar de knip op haar portemonnee te doen en adieu te zeggen? Wat dan een reden voor hém zou geweest zijn om háár te vermoorden.'

'Mm.'

'Wat?'

'De Boisy is zeker al een keer of tien ondervraagd,' zei Schraepen, alsof er in zijn verwarde brein een hokje met nieuwe informatie was opengegaan. 'Dat kan alleen betekenen dat het gerecht haar als een sleutelgetuige beschouwt. Of als een mogelijke verdachte.'

'Ze heeft het lijk gevonden. Ze was Valckes lief. Normaal toch, dat ze haar extra aan de tand voelen?'

'Mm.'

'Zit niet Columbo te spelen, Schraepen. Zeg liever wat je denkt.'

'Dat is het probleem, Geo. Ik weet niet wat ik moet denken, behalve dat wijven en centen een verschrikkelijke combinatie vormen.'

'Over wijven kan ik je niet veel vertellen,' zei Joosten. 'Maar het zou wel kunnen dat centen een rol speelden. Ik heb gehoord dat Vanden Bulcke miljoenen gaat verdienen met de prullen van Valcke. In Londen en Parijs willen zotten zakken vol geld betalen voor een schilderij of een beeldje van onze dierbare overledene.

Ik heb ook gehoord dat Piet VDB nog een hele voorraad van dat spul heeft. Stel dat hij Valcke betaald heeft om aan de lopende band te produceren. Dan hing er meer aan Valckes lijmstok dan alleen maar die subsidies.'

'Je houdt me voor de aap. Een combine met Vanden Bulcke?'

'Echt waar.'

'Als het om zijn centen gaat, zullen die mannen van Tongeren diep moeten graven. Als ze durven, want Vanden Bulcke...'

Schraepen staarde over zijn koffie naar de zwaailichten.

'Geld en wijven plus Vanden Bulcke,' mompelde hij. 'Mamenneman! Wat een combinatie! Dat wordt de zaak van de eeuw!'

'Ga je dat nu ook klikken aan die dikke flik?' vroeg Geo.

'Joosten! Voor wie zie je me aan?' riep Schraepen verontwaardigd.

Sms van Geo Joosten aan Estelle Draps: 'Van wie krijgt schilder subsidie?'

Sms van Estelle Draps aan Geo Joosten: 'Lees site vlaanderen beeldende kunst en musea commissie beeldende kunsten.'

Tussen kiekjes van een maquette voor een gemeentelijke sporthal en van een danscursus door de Landelijke Gilde door, stopte Geo bij taverne De Vierweg. Op de parkeerplaats blonk een twintigtal nieuwe VW Passats en Audi A4's, allemaal met reclame voor een leasingbedrijf naast het nummerbord. Het middenmanagement van een bedrijf had een cursus in De Gielenhof achter de kiezen en was nu in de taverne neergestreken om tegen democratischere prijzen na te kaarten.

Niets in de gelagkamer wees erop dat de nicht van de eigenaar de vorige nacht brutaal om het leven was gebracht. Armand Vanspauwen bediende zoals steeds de tap en de espressomachine en een meisje rende met drank en snacks naar de klanten.

'Het spijt me voor Gerda,' zei Geo. 'Vreselijk.'

'Heb je haar gezien?' vroeg Vanspauwen zonder van zijn werk op te kijken.

'Ja.'

'Was het erg? Het schijnt dat ze in haar gezicht geschoten hebben. En Bjorn ook.'

'Ik spreek er liever niet over. Het was te erg.'

'Dat zei de politieman ook. De agent die het ons is komen vertellen. Vanmorgen. Vroeg.'

'De moordenaar heeft van heel dichtbij geschoten.'

'Dat zei de agent ook, ja. Ik mag er niet aan denken.'

'Nee.'

Vanspauwen schraapte schuim van een vijftal pilsjes en nog voor hij de spatel neerlegde, ging zijn linkerhand al naar een abdijbierglas in het rek boven zijn hoofd.

'Er is iets wat we ons al de hele dag zitten af te vragen,' zei hij. 'Wat ze in godsnaam op die plaats te zoeken hadden. In het veld tussen Vlijtingen en Membruggen! Ik zou niet eens weten hoe ik ernaartoe moest rijden! En in het holst van de nacht dan nog.'

'Je hebt me ooit gezegd dat Gerda in Mopertingen woonde. Dat is vlak in de buurt. Misschien waren zij en haar man bij iemand op bezoek geweest?'

'Bij wie? In het veld?'

'Misschien kwamen ze terug van bij een collega van Bjorn? Of iemand van haar werk?'

'Bij Bjorn werkt alleen volk uit de streek van Loon. En onze Gerda... Wel, haar vrienden ken ik allemaal. Niemand uit Vlijtingen of Membruggen. Nee, jongen, ik zou het niet weten. Daarom loop ik er me al de hele dag suf over te piekeren.'

Terwijl hij praatte, had Vanspauwen een flesje trappist in het bolle glas gegoten. Mooi op tijd voor de dienster, die met een slinkse blik op Joosten twee croques-hawaï bestelde, één omelet met spek en één broodje kaas. En een cola light.

'De agent dacht dat de moordenaar een stroper kon zijn die zich betrapt voelde,' zei Vanspauwen. 'Geloof je dat? Dat een stroper twee mensen in koelen bloede doodschiet?'

'Hij heeft met grove hagel geschoten,' antwoordde Geo en hij had er meteen spijt van.

Hij had evengoed de kapotgeschoten gezichten kunnen beschrijven, want Vanspauwen wist natuurlijk welke schade de dikke loodkorrels aanrichtten.

'Daarom dachten ze aan stropers,' antwoordde die zonder een spoor van emotie. 'Die gebruiken dat soort munitie om maar één keer op het wild te moeten vlammen. Zelfs als ze ernaast schieten, is het nog raak.'

'Het zal niet gemakkelijk zijn de dader te vinden,' zuchtte de fotograaf. 'Een stroper. Daar is geen gebrek aan.'

'Minder dan vroeger.'

'Ja?'

'Volgens mij toch. In onze omgeving toch. Misschien wordt er meer gestroopt in de streek van Membruggen. Ik weet het niet. De weg van Vlijtingen naar Membruggen. Ik herinner me niet dat ik daar al ooit in mijn leven ben geweest. Ik snap totaal niet wat Gerda daar te zoeken had.'

Hij zette Geo ongevraagd een kop koffie voor en verdween in de keuken. Een paar minuten later was hij al terug met de bestelling voor de dienster.

'Je nicht leek wel heel nerveus toen ik een paar dagen geleden met haar praatte,' waagde Geo.

'Dat heeft ze me daarna ook verteld, ja. Ze was doodsbenauwd dat je iets over haar in de krant zou schrijven.'

'Dat begreep ik, ja.'

'Smeerlapperij.'

'Mamenneman!'

'Ik ben het die haar gezegd heeft dat ze niet moest zwijgen. Ik heb haar ook de raad gegeven alles aan de politie te vertellen. Dat die vuilakken in een bordeel gaan vogelen kan me niet schelen, maar hier onder mijn neus...'

'En is ze bij de politie geweest?' vroeg Geo.

'Wanneer was jij hier? Nu, doet er niet toe... De dag erna heeft ze gebeld met iemand van het gerecht in Tongeren. Die zou haar uitnodigen voor een verhoor, maar daar is niets van in huis gekomen. En nu is het te laat...'

Vanspauwen wendde zijn gezicht af, maar vermande zich snel en keek Geo vragend aan.

'Zou het daar iets mee te maken hebben?' vroeg hij.

'Met de moord op Valcke? Ik kan het me niet voorstellen. De klanten van Vanden Bulcke schoten wel veel, maar niet met een geweer.'

'Net wat ik ook dacht, maar ik kan er niets aan doen, het blijft door mijn hoofd spoken.'

'Ja.'

'Wanneer geven ze de lichamen vrij? Duurt dat lang?'

'Hangt ervan af. De politiearts moet een autopsie verrichten, officieel de doodsoorzaak vaststellen, noteren welke wonden de slachtoffers vertonen, passen en meten, dat kan dagen in beslag nemen. Of ook niet. Voor de begrafenis zeker?'

'Ja. Zou ik naar Tongeren bellen?'

'Doe dat. Vraag maar naar commissaris Louis Van de Besien.'

'Heb je al gekeken naar de websites voor de subsidies?' vroeg Estelle.

'Nee. Ik moest gaan dansen bij de Boerinnenbond. En ik ben de oom van de kamermeid uit De Gielenhof mijn deelneming gaan betuigen na de moord op zijn nichtje en haar man. De baas van de taverne tegenover De Gielenhof, zegt dat je iets?'

'Ik heb er niet op gelet...'

Ze pauzeerde kort, Geo hoorde haar letterlijk nadenken en pas toen de ernst van zijn boodschap helemaal tot haar was doorgedrongen, vroeg ze:

'Een dubbele moord? En weer iemand uit de omgeving van De Gielenhof? Dat is toch niet een van je zieke grapjes?'

'Waarom zou ik? Man en vrouw. Hun gezicht weggeschoten met grove hagel. Vannacht, tussen Membruggen en Vlijtingen. Ik ben er foto's van gaan maken. Schraepen heeft me uit bed gebeld.'

'Weten ze al wie het gedaan heeft?'

'De politie denkt aan een stroper. De man van de taverne snapt echter niet wat zijn nicht en haar man daar in het veld deden. Toch niet op dat uur.'

'Membruggen-Vlijtingen? Dat is toch in die uithoek bij Spouwen en Riemst?'

'Helemaal.'

Estelles kennis van de uithoeken van de provincie verbaasde Geo niet. Hij had haar leren kennen toen ze als provinciaal reporter voor een nationale krant verhaaltjes over alles en nog wat produceerde. Voor een hongerloon speurde ze tot in de kleinste nesten naar lekkere onderwerpen. Tot in Kleine- en Grote-Spouwen toe.

'Petra Van den Boom is van Spouwen,' herinnerde Estelle zich plots. 'Ze heeft daar in elk geval gewoond. In een kleine, oude hoeve tussen de appelbomen. Ik heb haar daar geïnterviewd. Destijds. Toen ze nog niet zo mager was en nog niet voor De Glorie werkte. Als ik het me goed herinner, zat ze in een actiegroep en...'

Geo kon zijn oren niet geloven.

'En je herkende haar niet op De Gielenhof?'

'Sorry, maar ik heb in de loop van de jaren met zoveel mensen gesproken. En ik zei je toch dat ze er toen heel anders uitzag. Een beetje truttig en behoorlijk mollig. Ze werkte... Ze werkte... Sla me dood, ik kan er niet opkomen voor wie ze werkte. Een of ander cultureel project...'

'Maar dan woonde ze maar een paar kilometer van de plaats waar dat echtpaar is vermoord!' riep Geo.

'Ja, zeg, Joosten, dimmen! Het is niet omdat Van den Boom ooit iets met de streek te maken heeft gehad, dat ze ineens in het holst van de nacht mensen gaat doodschieten!'

'Heb ik dat dan beweerd?'

'Nee, maar ik hoorde je zoiets denken.'

'Het zou anders wel kunnen, hoor. Petra was blijkbaar een regelmatige bezoekster van het gastenverblijf van De Gielenhof. 's Middags, tijdens de speeltijd.'

'Ik weet niet waar je het nu weer over hebt.'

'Dat leg ik je bij gelegenheid weleens uit, want nu ga ik naar die websites kijken.'

'Tenzij je vanavond liever naar Evere komt. Ik heb hier een heel pak papier over subsidies en zo. Met een hoop uitleg erbij. Echt spannend.'

'De buren zullen over ons gaan roddelen als ik zo vaak op bezoek kom.'

'En wat dan nog? Ik ben een vrije vrouw, ik ontvang wie ik wil. Zelfs mijn ex als ik daar toevallig zin in heb.'

'Ook als dat een onbehouwen boer is, die in een mestkar rondrijdt?'

Het was een van de verwijten die ze hem ooit naar het hoofd had geslingerd, destijds, nadat ze begonnen was bij het damesblad en als Stella Draps stukjes schreef over sofa's en wandkasten met bibliotheekgedeelte op de maat van klassieke hardcovers.

'Misschien houden ze je wel voor een excentrieke miljonair,' spotte ze.

'Stop ik bij de Chinees, de Griek, de Indiër of toch maar bij de frietkraam?'

'Doe geen moeite. Ik heb al voor het nodige gezorgd.'

'Dan breng ik cava mee. Als ik de flessen in ijswater leg, zijn ze koel tegen vanavond. Het voordeel van een Defender. Plaats zat en je hoeft niet bang te zijn om te morsen.'

Het verhaal dat Estelle te vertellen had, klonk kinderachtig eenvoudig. De Vlaamse Gemeenschap subsidieerde talrijke kunstenaars. De artiesten moesten een aanvraag indienen, een dossier over hun werk en hun plannen voorleggen, en een commissie van experts kende hen op basis daarvan een bedrag toe. Of niet.

'Wie zit er in de commissie?' vroeg Geo en Estelle schoof meteen een lijst met namen onder zijn neus. Hij kende slechts een van de zogenaamde experts. Frits Franken. Natuurlijk, die mocht niet ontbreken, dacht hij.

'Hoeveel krijgt een artiest?' vroeg Geo.

Estelle had ook daarvan lijsten bij de hand. Valcke had in de loop van enkele jaren tienduizenden euro's ontvangen. Gemakkelijk verdiend geld, daar niet van, maar zeker niet het droombedrag dat Geo in zijn hoofd had gehad.

'Is dat alles?' vroeg hij ontgoocheld.

'Nee,' antwoordde Estelle. 'Daarnaast is nog van alles mogelijk. Dat beweert althans de specialist die ik daarover gepolst heb.'

Ze was trots toen ze zichzelf die zin hoorde uitspreken. Woorden die zo uit de mond van een onderzoeksjournaliste hadden kunnen rollen, al was de zogenaamde specialist gewoon de redacteur binnenlandse politiek van AQS. Een jongeman die een beetje zijn weg kende in het labyrint van de administratie.

'Omdat Valcke subsidie kreeg, verwierf hij als het ware de status van officieel erkend kunstenaar,' doceerde ze. 'Wie dan de juiste mensen aanspreekt, heeft zo een paar leuke opdrachten te pakken. Een wandschildering in de lobby van het nieuwe gemeentehuis. Een beeld op een rotonde. Een kunsthappening bij de opening van een stadspark. Mogelijkheden zat.'

'De rotzooi die ik jaar in jaar uit fotografeer,' vatte Geo samen.

'Jij noemt ze rotzooi, maar daar zit heus wel heel veel goede kunst tussen!' protesteerde Estelle.

'Kwestie van smaak.'

'Daar gaat het nu niet over,' ontweek ze hem. 'Het is goed dat de Vlaamse Gemeenschap haar openbare ruimte met moderne kunst verfraait.'

'En Valcke leverde kunst om Vlaanderen te verfraaien?'

Estelle negeerde zijn sarcasme.

'Het schijnt dat er in Maaseik en Heverlee plastieken van hem staan,' ging ze verder. 'Ik heb ook ontdekt dat hij een fontein heeft ontworpen voor een park in de buurt van Gent.'

'Brengt dat genoeg op om als rijke vent door het leven te gaan?'

'Ik zou het niet weten,' zuchtte Estelle. 'Maar het is nog niet gedaan.'

Ze griste een paar velletjes uit het pak. Met de hand geschreven notities, snel en slordig en zo goed als onleesbaar.

'Mijn specialist heeft ontdekt dat Valcke in commissies zat als expert in eigentijdse kunst. Hij gaf onder andere raad aan bouwheren, organisatoren van tentoonstellingen, noem maar op, zelfs tot in het buitenland.'

'De toepassing van het principe dat de duivel altijd op de grootste hoop schijt,' grinnikte Geo sarcastisch.

'Maar nog geen reden om hem te vermoorden,' merkte Estelle op. 'Ik kan er alleen maar uit afleiden dat Valcke behoorlijk zijn brood verdiende zonder één werk te verkopen.'

'Niet volgens de speurders in Tongeren,' reageerde Geo. 'Zij konden uit zijn boekhouding niet opmaken waar hij van leefde.'

'Misschien deugde zijn boekhouding niet,' opperde Estelle. 'Of had hij een gewiekste boekhouder.'

'Misschien.'

De Spaanse schuimwijn was op.

'Jammer,' zuchtte Estelle. 'Ik ben dol op cava. Stukken beter en eerlijker dan die Franse bocht.'

'Wat eten we?'

'Kijk maar in de koelkast.'

Een solide muur van lekkernijen. Tientallen plastic doosjes met slaatjes en charcuterie en patés uit een exquise delicatessenzaak in de buurt. In een papieren zak naast de koelkast zat het beste stokbrood dat in Brussel en verre omgeving te vinden was.

Geo kreeg het water in zijn mond.

'Trek ik een Torres 1992 open?' stelde Estelle voor.

'Waarom heb je daar zo lang mee gewacht?' lachte Geo.

Ze stalden al het lekkers uit op het lage salontafeltje. Het viel Geo op dat ze zich niet speciaal had gekleed voor zijn bezoek. Alsof het de normaalste zaak van de wereld was dat hij bij haar kwam eten. Hij proefde van de Torres, in de ijdele hoop dat de wijn hem de moed kon geven om haar daarover aan te spreken, maar zover kwam het niet.

'Weet je waarover ik al de hele dag loop te piekeren?' vroeg ze. 'Wie heeft Valcke zo belangrijk gemaakt? En waarom?'

Verstandigere vragen dan ze in een vol jaar bij AQS had gesteld.

De op twee na boeiendste vragen die Geo zich kon voorstellen, maar die twee durfde hij niet te stellen.

Meende Estelle het toen ze hem destijds toegebruld had dat ze een fysieke afkeer van hem had?

En vooral: bestond er een kans dat ze het ooit nog eens met hem wilde proberen?

9.
Een smerige fotografenblik

Geo Joostens printer was weer geld aan het drukken. De laatste souvenirfoto's. De procureur-generaal had dan toch een luxeversie besteld van zijn tronie met decent-wazige floezies op de achtergrond. Het ministerie van Cultuur kocht een twintigtal gewone afdrukken van diverse onderwerpen. Enzovoort.

Eén overschrijving was Geo speciaal opgevallen. Een heer en mevrouw Verbist-Van den Boom uit Keerbergen vroegen tweemaal twee foto's van het groepje lijkbidders, gekiekt op het ogenblik dat Catherine de Boisy aankwam. De ene prent toonde Valckes lief terwijl ze een luchtzoentje op de wang van Steve Verbist drukte. Op de andere raakten haar lippen de mond van haar vriend.

Het was de eerste keer dat Geo de foto's grondiger bestudeerde. De gelaatsuitdrukkingen bij de wangzoen spraken boekdelen. De directeur bij de Vlaamse Gemeenschap trok een gezicht alsof de Boisy's komst hem een erectie van Eiffeltorenformaat had bezorgd. Zij grimaste alsof ze een dode heilbot tegen haar lippen had geperst.

Op de tweede foto ging Valckes gezicht bijna helemaal schuil achter het hoofd van Catherine, maar Geo's blik viel op een ander detail. Hij floot tussen zijn tanden van verbazing. Terwijl ze hem kuste, greep de Boisy haar minnaar met volle hand in het kruis. Niet zacht en teder, maar keihard, met stevig dichtgeknepen vuist, alsof ze Valckes ballen wilde vermorzelen.

Op die foto was slechts een stukje van Verbists gezicht te zien. Een hoog opgetrokken wenkbrauw, de blik van iemand die hoogst verbaasd was en misschien wel geschokt, maar die onder geen beding een scène zou maken. Toch niet terwijl hij in functie was en honderd ogen op hem gericht waren.

Geo vergrootte het stukje gezicht van de directeur. Keek hij wel verbaasd? Of toonde hij zich eerder verontwaardigd over het loopse gedoe van Valckes teef? Geo kon veel lezen uit een foto, maar het verschil tussen een uitdrukking van verbazing en eentje van verontwaardiging was zo miniem dat hij het antwoord niet vond.

Hij riep foto's op van Verbist tijdens de blote dans en het plasspektakel. Drie beelden gaven de tronie van de directeur scherp genoeg weer om er emotie van te kunnen aflezen. Verbazing? Verontwaardiging? Geo opteerde voor het eerste, maar moest met een zucht toegeven dat het ook het tweede kon zijn.

Verbist had de zoenfoto's niet besteld voor het ministerie. Mijnheer de directeur wilde dus niet dat ze in Brussel in omloop kwamen. Anderzijds vond hij ze toch belangrijk genoeg om ze privé te bestellen en ze met zijn eigen geld te betalen. In tweevoud nog wel. Af te leveren op zijn thuisadres, wat dan weer betekende dat hij er geen lor om gaf dat zijn vrouw ze in handen kreeg.

Geo liet de afdrukken in een anonieme bruine envelop glijden en schreef: 'De heer en mevrouw'. Hij stopte abrupt. Waarom had hij daar niet eerder aan gedacht? Verbists vrouw heette Van den Boom. Dezelfde familienaam als de lederen lady. Wás zij soms Lady Lederland?

Waar maakte hij zich druk over? Dat wangzoentje van Catherine de Boisy, daar kon een mevrouw Verbist-Van den Boom niets op tegen hebben. Waarom zou zij niet samen met haar man lachen om een kunstenaar die door zijn lief vakkundig in zijn ballen werd geknepen? En als ze inderdaad de originele Lady Lederland was, dan verbleekte het gedoe op de foto bij de seksparty's waar het echtpaar aan had deelgenomen.

Geo besloot de foto's niet te posten. Hij zou ze persoonlijk afgeven in Keerbergen. Als hij meteen vertrok, was hij er binnen een uur of zo. Hij zou aanbellen net voor TerZake begon, de nieuwsuitzending die de VRT speciaal voor lui als de heer en mevrouw Verbist-Van den Boom maakte.

De directeur zou zijn portie bekakte duiding moeten missen, maar hij zou niet anders durven dan de bezoeker binnen te laten. Onvermijdelijk zouden ze het dan ook over Valckes nagedachtenis hebben. Zo kon Geo het gesprek dan moeiteloos op de vetpotten brengen waaruit de kunstenaar de voorbije jaren had mogen slobberen. Soms ben je toch wel heel erg slim, feliciteerde hij zichzelf.

De villa van Steve Verbist lag in de chique doolhof rond het meer van Keerbergen, een gat waaruit een halve eeuw geleden zand gedolven was voor de aanleg van een autoweg naar Antwerpen. Het labyrint rond de plas gold intussen als een van Vlaanderens gegeerde villabuurten, een dure thuishaven voor lui die, te oordelen naar hun baksteenburchten, meestal meer geld dan smaak bezaten.

Geo moest een viertal rondjes rijden voor hij het huis vond. De Defender bood daarbij twee voordelen. Hij zat zo hoog dat hij over de meeste haagjes heen kon kijken. En hij viel niet op in een buurt waar stadslui zich een air van stoere mannelijkheid aanmaten door met dat soort auto's te paraderen. Voor één keer bevond Geo zich op een plek waar zijn rammelkar niet als monumentale dwaasheid werd bespot, maar bewonderd als bewust modeverschijnsel.

Verbist woonde achter een poort met camera en deurtelefoon. Zodra Geo uitstapte, floepte een schijnwerper aan, alsof de sensor een levende mens van een auto kon onderscheiden. Hij drukte op de belknop en bijna onmiddellijk vroeg een mannenstem: 'Wie is daar?'

'Geo Joosten. De fotograaf. Ik breng de foto's die je besteld hebt.'

De man nam zijn vinger van de knop en het luidsprekertje van de deurtelefoon ruiste niet langer. Het rode lampje van de camera brandde wel nog. Toen kraakte de luidspreker weer en de stem zei:

'Kom maar binnen. Laat je auto buiten, er is geen plaats meer op de oprit.'

In de poort klikte een deurtje open. Geo wandelde langs een zwarte Audi TT, een zilveren BMW-terreinwagen, een VW Caravellebus van het oude, rechthoekige model, een even oude Suzuki Alto en een nieuwe Dodge Ram met extra brede moerasbanden. De oprit stond inderdaad vol. De kans dat mijnheer én mevrouw Verbist-Van den Boom thuis waren, leek honderd procent.

Verbist wachtte op een veranda, die als een koloniale barza om de villa heen liep. Hij zag er jonger uit dan op De Gielenhof, sportief in perfect gesneden spijkerbroek, ruim slobberend sweatshirt en Nikes die waarschijnlijk meer hadden gekost dan Geo's totale schoenenbezit.

'Goedenavond. Je verrast me, mijnheer Joosten.'

‘Ach, ik was toevallig in de buurt en omdat mensen hun foto’s altijd zo snel mogelijk willen, heb ik maar aangebeld.’

‘Dat is vriendelijk, maar er was echt geen haast bij. Die foto’s zijn niet van levensbelang. Herinneringen aan een nogal speciale dag, meer niet.’

Geo lachte.

‘Nogal speciaal, dat mag je wel zeggen.’

Verbist liep met hem door een ontvangstruimte die de hele breedte van de villa in beslag nam. Het vertrek was gemeubeld in authentieke Congolese colonstijl met loodzware meubels in donker hout, zwarte herinneringen aan een familieverleden waarover waarschijnlijk nooit in het openbaar werd gerept.

Het viel Geo wel op dat er buiten de meubels geen andere koloniale memorabilia te bespeuren waren. De wanden hingen wel tjokvol hoogst moderne schilderijen.

Verbist gebaarde dat Geo mocht voorgaan naar de woonkamer. Dat vertrek was een stuk kleiner en vertoonde niet één spoor van Congo. De meubels waren hypermodern, spullen die Geo alleen maar kende uit de magazinebijlagen die hij wel eens doorbladerde bij de kapper. Shit die gemaakt was om er anders uit te zien dan wat het in werkelijkheid was. Een uitspraak die Estelle tot ontploffing zou brengen, verkneukelde hij zich.

‘Je kent mijn echtgenote,’ zei Verbist.

Pas toen merkte Geo dat er nog iemand in de halfdonkere kamer was. Iets bewoog in een doormidden gezaagde kuip van bijna wit beukenhout tegenover een gigantisch breedbeeldscherm, waarop, zoals verwacht, het hoofd van een TerZake-presentatrice iets van groot belang verkondigde.

‘Mijnheer Joosten!’ riep Petra Van den Boom met haar ogen net boven de rand van het vat. ‘Wat voert jou hierheen?’

‘Ik breng de souvenirfoto’s die je man besteld heeft.’

‘Hoezo? Rijd je het land rond om die persoonlijk af te geven?’

‘Ach, ik was in de buurt. Geen moeite.’

Joosten liet de envelop heen en weer wapperen. Wie nam ze aan? Zij of hij?

'Wil jij ze, schat?' vroeg Verbist.

'Ik heb ze al gezien, schat,' glimlachte Van den Boom. 'Ze zitten al een paar dagen in mijn pc, je weet wel.'

'Ach ja, natuurlijk. Was ik helemaal vergeten.'

'Wil je iets drinken, mijheer Joosten? Of mag ik Geo zeggen?' vroeg Petra Van den Boom.

Ze knipte de televisie uit terwijl ze uit de stoel verrees. Ze had een kobaltblauwe bodystocking aan, die zo dun was en zo op haar huid plakte dat Geo zelfs in het halfduister kon uitmaken dat ze geen ondergoed droeg en overal even gladgeschoren en gepuimd was als de kin van haar man.

Joosten probeerde zichzelf ervan te overtuigen dat dit geen goed moment was voor een erectie.

'Gaan we daar zitten, schat?' vroeg Petra met een gebaar naar een halfrond van constructies in leer en chroom.

'Een cognac, mijnheer Joosten?' stelde Verbist voor.

'Ik moet nog een eind rijden.'

'Een kleintje dan,' zei Petra en ze gebaarde dat de fotograaf in een van de constructies moest plaatsnemen.

'O.k.,' gaf hij toe.

Terwijl Verbist naar iets liep dat een barmeubel verbeeldde, drapeerde Van den Boom haar pezige lijf over een excentrieke stoel. Met het zwierige gemak van een professioneel fotomodel nam ze een zorgvuldig bestudeerde, uitdagende pose aan. Onder een perfect ontworpen en met uiterste zorg gerichte spot leek het leren vel van haar gezicht plots veel zachter, koffie met een scheutje melk, de ideale tint om haar lichte ogen en roze gestifte lippen te laten opvallen.

In het juiste licht en de passende omgeving kon Petra Van den Boom voor een adembenemende schoonheid doorgaan.

Onder de spot kon ze niet verbergen dat haar pupillen wijd open stonden. De ogen van iemand die nog maar net een paar lijntjes cocaïne gesnoven had, constateerde Geo. Die ontdekking hielp hem wonderwel om zijn opwinding onder controle te krijgen.

'Ik wist niet dat jullie getrouwd waren,' zei hij.

‘We blijven daar ook discreet over,’ reageerde Petra met een raadselachtige glimlach.

Geo dwong zichzelf naar Verbist te kijken, terwijl die in de bar rommelde. Een excuus om niet naar haar uitdagende lijf en de onthullingen in haar ogen te moeten staren.

Verbist kwam terug met een fles en glazen, koel als een kelner in een naaktbar.

Wel, wel, dacht Geo. Zo, zo.

Waarom verbaasde hij zich over het gedrag van het directeurspaar? Waren ze niet precies zoals de schuwe Gerda Vanspauwen hen beschreven had? Verbist, stoeiklant uit De Gielenhof. En zij? Wat had het kamermeisje over haar gezegd? Zo goed als niets en toch genoeg om er niet van op te kijken, wanneer de chique Lady Lederland haar hebben en houden als een exhibitionistische floezie tentoonstelde. En dat haar man haar liet begaan? Paste dat ook niet in het beeld?

Ach, dacht Geo, het zou hem zelfs niet verbazen als het duo straks een triootje zou voorstellen met een lijntje coke als gangmaker.

‘Een kleintje, dus,’ zei de directeur terwijl hij twee vingers cognac in de bel liet klokken.

‘Stop! Stop!’ riep Geo. ‘Als ze me laten blazen...’

‘Gezondheid!’ zei Petra, terwijl ze nog uitdagender in lotushouding ging zitten.

‘Proost,’ antwoordde Geo.

‘Op Valcke. Dat zijn ziel moge rusten in eeuwigheid,’ prevelde Verbist.

De cognac brandde in Joostens mond en keel. Hij had sterkedrank afgezworen: cognac, whisky, armagnac, calvados, vooral jenever.

Er waren jaren geweest dat hij zijn hand niet omdraaide voor een paar flessen gedistilleerd vocht per week, plus genoeg wijn en bier om alleen daarvan al doorlopend behoorlijk zat te zijn. De jaren dat hij met Estelle getrouwd was, vielen in die periode. De dag dat ze met haar koffertjes de deur uit gelopen was, had hij het sterke spul in de gootsteen gegooid, alsof hij haar zo nog kon terughalen.

Was dat de reden waarom de cognac hem niet smaakte? Of miste hij gewoon training en routine?

'Valcke,' zei hij met tranen in zijn ogen, omdat de drank bleef nabranden. 'Valcke was wel de parel aan de kroon bij je ministerie. Zijn verlies moet een leemte nalaten?'

'Parel?' gromde Verbist en hij trok misprijzend luid snot op tot in zijn sinusholte.

'Wel, zijn naam stond toch elk jaar op de lijst van gesubsidieerde kunstenaars,' zei Geo. 'Dat betekent toch dat jullie hem belangrijk vonden?'

Verbist en Van den Boom wierpen elkaar snelle blikken toe, zo kort en zo verdoken dat een andere toeschouwer er niets van gemerkt zou hebben. Joosten was het echter gewend dingen waar te nemen met sluitersnelheid, honderdsten van seconden. Hij wist meteen dat het antwoord ofwel ontwijkend ofwel gelogen zou zijn.

'Wat subsidies of werkbeurzen betreft, was Valcke slechts een van de velen,' probeerde Verbist om de vraag heen te laveren. 'Er zijn nog meer "parels", zoals jij ze noemt.'

'Ach, ik ken niet veel van die kunsttoestanden,' bekende Geo. 'Het was maar omdat ik zijn naam een paar keer zag opduiken in een lijst...'

'De Vlaamse Gemeenschap kan verschillende redenen hebben om een kunstenaar te steunen,' zei Van den Boom.

Haar stem liet er geen twijfel over bestaan dat ze sprak als directrice van De Glorie van Vlaanderen. Kil, direct, zakelijk.

'We steunen regelmatig jonge mensen van wie we verwachten dat ze een grote carrière zullen maken,' nam Verbist het van haar over. 'Wat concreet onze vriend Valcke betreft...'

'Had de commissie gelijk,' kwam zijn vrouw tussenbeide alsof ze een zorgvuldig ingestudeerd script volgde. 'Het klinkt natuurlijk cynisch, maar zijn dood bewijst zijn waarde. De internationale kunstwereld roept om zijn werk.'

'Net wat ik erover denk!' zei Verbist iets te enthousiast. 'Valcke stond trouwens al geruime tijd op het punt internationaal door te breken. Dat had de commissie goed gezien. Jaren geleden al!'

'Zijn dood is dus een oprecht verlies voor de Vlaamse kunstwereld,' zuchtte Joosten alsof Valckes overlijden hem diep en persoonlijk trof.

'Inderdaad!'

Van den Boom slingerde hem het woord toe alsof het een projectiel was. Een finaal woord. Einde van de discussie. De baas had gesproken.

Haar brutale toon trof Geo als een elektrische vonk. In één klap vergat hij de angst dat ze hem seksueel zou kunnen opwinden. Hij gooide zijn schroom opzij en staarde haar aan met wat Estelle zijn 'smerige fotografenblik' had genoemd.

Het was een blik van misprijzen, waarmee hij verwaande modellen tot in het diepst van hun ijdele wezen kon kwetsen. De uitdrukking waarmee een veehandelaar keek om een boer diets te maken dat zijn vaarzen echt niet zo prachtig waren en dus best goedkoper mochten.

Hij liet zijn ogen traag, ijskoud en staalhard over Petra's lichaam glijden, zonder ook maar iets te verraden van de hitsige hunkering die zij ongetwijfeld verwacht had. Om de show af te ronden trok hij daarbij ook nog het beate gezicht van een op een kerkplafond geschilderde cherubijn.

Het resultaat was zoals hij gehoopt had. Van den Boom wist niet meer waar ze het had. Ze was het gewend dat mannen bij haar aanblik veranderden in lillende puddinkjes. En niet dat ze haar monsterden als een minderwaardige koe.

'Ik vroeg het maar omdat ik niet goed snap waarom Valcke plots in het buitenland te koop wordt aangeboden,' zei Geo.

Hij sloeg de toon van een lieve idioot aan om Van den Booms verwarring nog wat groter te maken.

'Toeval,' antwoordde Steve Verbist bliksemsnel.

'O!' reageerde Joosten alsof het antwoord een zware last van zijn schouders liet vallen. 'Een toeval... Een gelukkig toeval voor Piet Vanden Bulcke!'

Verbist bracht zijn glas naar zijn lippen alsof hij zich erachter wilde verstoppen, Petra Van den Boom vermande zich.

'Piet Vanden Bulcke?' vroeg ze met een onzeker lachje. 'Waarom zou de moord voor hem een gelukkig toeval zijn?'

'Nou, hij is toch de exclusieve eigenaar van Valckes werk? Of niet?'

'Mijnheer Vanden Bulcke heeft veel geïnvesteerd in Kurt Valcke,' zei Verbist. 'Veel tijd, veel geld. Dat vergeet men weleens.'

'Maar met wat hij nu kan verkopen, al dan niet samen met mijn foto's...' begon Joosten.

Van den Boom sneed hem kordaat de pas af. Het effect van de smerige fotografenblik was uitgewerkt.

'Overdrijf niet, Joosten!' waarschuwde ze. 'Buitenstaanders dromen altijd van een reusachtige winst. Ze vergeten dat er ook kosten zijn. Een goede veiling is niet gratis, de galerijhouder bij wie de kunstenaar onder contract staat, moet zijn deel krijgen, de catalogus en de publiciteit zijn duur. Enzovoort. En de som die we jou betaald hebben. Als ik je daaraan mag herinneren. Tel maar op, dan snap je dat je zwaar moet investeren voor je een kunstwerk kwijt bent op de internationale markt. Ja?'

'Als je het zo uitlegt, snap zelfs ik het,' gaf Geo schijnheilig toe. 'Een zware investering, die uiteindelijk nauwelijks winst zal opleveren.'

'Zo is het,' glimlachte Petra Van den Boom, weer ontspannen omdat de fotograaf genoeg leek te krijgen van vervelende vragen.

'Je kunt je niet voorstellen hoe gelukkig ik ben dat ik niet in het commerciële circuit zit,' zei Verbist. 'Dat ik op een veilige afstand kan waarnemen wat er in de kunstwereld omgaat...'

'Precies de reden waarom ik De Glorie van Vlaanderen ab-so-luut to-taal vrij van elke vorm van commercie wil houden,' hamerde zijn vrouw met een extra accent op bijna elke lettergreep.

'Mooi, als je zo kunt leven en werken,' zuchtte Geo, die weer helemaal in de huid kroop van een pietluttige editiefotograaf die nederig toegaf dat hij een lesje had ontvangen van mensen die torenhoog zijn meerderen waren.

'Ik heb medelijden met je,' loog de kobaltblauwe vrouw, alsof ze hem wilde bedanken voor zijn onderdanigheid. 'Steeds onder druk staan, elke dag weer moeten vechten, het moet hard zijn.'

'Ach, dat valt wel mee,' zei Geo, terwijl hij opstond, het teken dat hij naar huis wilde.

'Heb je nog iets gehoord over het onderzoek?' vroeg Verbist.

'Noppes. Niets meer sinds ze die Rus hebben laten gaan.'

Het echtpaar reageerde niet. Het verhaal van de ten onrechte verdachte zwartwerker kende het tweetal even goed als hij, het had tenslotte uitgebreid in alle kranten gestaan. De fotograaf hield zijn blik schokvast op de vrouw gericht en liet zijn ultieme stinkbommetje vallen.

'Tenzij het parket een verband vindt met de moord op Gerda Vanspauwen en haar man,' zei hij.

Verbist en Van den Boom verdienden ereplaatsen aan de pokertafel, maar Geo verschalkten ze niet. Instinctief hadden ze elkaar willen aankijken, maar ze hielden zich in. Een lichte trilling rond hun ogen, meer was er niet geweest, maar voor de fotograaf was het genoeg om verder te provoceren.

'Gerda wist blijkbaar veel over het reilen en zeilen in De Gielenhof,' zei hij. 'Het schijnt dat ze ook een en ander wist over Valcke. Minder fraaie zaken, dat beweren althans de klappeien. Daarom zouden ze in Tongeren nadenken over mogelijke verbanden. Heb ik althans gehoord.'

'Ken jij die Gerda?' vroeg Verbist schijnheilig aan zijn vrouw.

'Niet dat ik weet,' loog Van den Boom.

'Ik ben foto's gaan maken, de nacht dat de politie de lijken heeft gevonden,' zei Geo. 'In het veld tussen Membruggen en Vlijtingen. Onder Grote-Spouwen. Gek, maar ik moest toen aan jou denken. Jij hebt vroeger nog in Spouwen gewoond, is het niet?'

'Niet echt gewoond,' antwoordde Petra van den Boom onbewogen. 'Steve en ik hebben er een oud hoevetje opgeknapt. Iets wat ik al gekocht had voor we elkaar leerden kennen. Noem het ons buitenverblijf. Om de zoveel weekends trekken we erheen. Om tot rust te komen.'

'Dat wist ik niet,' zei Geo. 'Ik ken die omgeving ook niet zo goed. Een beetje een uithoek. Misschien is het er daarom zo goed als je tot rust wilt komen. Hoewel. Met het verkeer van Bierset en Beek. Geen last van vliegtuigen?'

'Dat valt mee.'

'Goed. Neem het me niet kwalijk. Ik besef dat het van slechte smaak getuigt. Bij een buitenverblijf meteen beginnen over vliegtuiglawaai...'

Verbist lachte begrijpend. Zijn vrouw signaleerde hem met haar ogen dat hij het prima deed en dat hij er nog een schep bovenop mocht doen. De man lachte nog luider. Zij wendde zich tot Geo.

'Journalisten maken blijkbaar spontaan dit soort associaties. Altijd alles in verband brengen met onprettige situaties, dat is toch jullie specialiteit?'

'Ik?' speelde Geo de vermoorde onschuld. 'Nee, hoor. Ik maak alleen maar foto's. Die tonen de werkelijkheid. Niks associaties. Niks theorie. Alleen feiten. Mijn schrijvende collega's... Nou... Dat is wat anders.'

Verbist viel even uit zijn rol.

'Je collega's zullen toch niet schrijven over... Over...?' vroeg hij geschrokken, maar Geo stelde hem poeslief gerust.

'Over jullie buitenverblijf?' vroeg hij. 'Natuurlijk niet. De faitsdiversmannen weten niet eens dat jullie een huisje in Grote-Spouwen hebben. En ik zal het niet aan hun neus hangen, geen haar op mijn hoofd dat daaraan denkt. Niemand heeft zich daar mee te bemoeien.'

Hij zette zijn glas met een luide tik op een constructie met een glazen top, een meubel dat blijkbaar bedoeld was als salontafel. Hij zag vage sporen van wit poeder. Even bekroop hem de verleiding er met zijn vinger over te wrijven, maar hij hield zich in.

'Veilig thuis,' bromde Verbist op zijn gemoedelijkst. 'En als je nog vragen hebt over onze subsidiepolitiek of de rest van ons kunstbeleid, bel me. Ik zou niet willen dat er misverstanden ontstonden.'

'Beloofd,' antwoordde Geo. 'Al is de kans klein dat ik ooit een foto van een subsidie zal maken.'

Terwijl hij de weg naar Tremelo zocht, belde hij Estelle op. Zolang de Defender met een slakkengang reed, kon hij zijn gsm nog enigszins gebruiken.

'Ik kom net thuis,' zei ze. 'Een minuut eerder en je had het antwoordapparaat gehad.'

'Je raadt nooit met wie ik vanavond heb zitten praten.'

‘Dan raad ik er niet naar.’

‘Hé! Zo bokkig? Wat heb ik misdaan?’

‘Niets. Sorry. Zo bedoelde ik het niet. Waar ben je nu? Zo te horen in de auto.’

‘Ik ben op weg naar Tremelo. Dat hoop ik althans. Ik was bij Steve Verbist. En zijn charmante echtgenote. Ken je haar?’

‘Moet ik haar kennen?’

‘Houd je vast. Mijnheer de directeur blijkt getrouwd te zijn met de originele Lady Lederland. Petra Van den Boom.’

Het bleef even stil aan Estelles kant.

‘Heb je ooit,’ zei ze toen. ‘Verbist? De goeroe van het ministerie is de man van het opperhoofd van De Glorie van Vlaanderen?’

‘Je bent altijd sterk geweest in het maken van samenvattingen.’

‘Hij geeft Valcke subsidies en postjes, waardoor die naar hartenlust kan kliederen,’ zei Estelle, zonder er zich rekening van te geven dat ze uit haar rol van kunstminnende AQS-redactrice viel. ‘En zij pikt daarna het werk in voor Vanden Bulcke om het te laten verhuren door zijn vzw. En nu hij dood is, gaan ze de buit met dikke winst verkopen in Londen en Parijs. Mooie combinatie.’

‘Estelle, je hebt het helemaal fout,’ grinnikte Geo sarcastisch, terwijl hij op een T-kruispunt probeerde te raden welke kant hij uit moest. ‘Ten eerste kliedert Valcke niet. Hij is een van Vlaanderens meest creatieve kunstenaars. Althans. Hij was. Je hebt het zelf geschreven.’

‘Ik ben moe, Joosten. Begin me niet te pesten.’

‘Wacht even! Er is nog een ten tweede. Van den Boom heeft me net zitten te vertellen dat haar taak niet puur commercieel is. Dat zij en haar man mijlenver van de commerciële ratrace verwijderd zijn. In één adem voegde ze er wel aan toe dat mijn foto’s een onderdeel zijn van de investering die Vanden Bulcke in Valckes oeuvre gedaan heeft. Kun je volgen?’

‘Je kletst uit je nek, Joosten. Ik kan me niet voorstellen dat een tang van haar formaat zich zo verspreekt!’

‘Wacht!’

Geo lag met zijn kin op het stuur om naar links en rechts te kunnen kijken. In de verte ontdekte hij iets dat neonlicht kon zijn. Reclame. De weg die uit de Keerbergse verschrikking leidde?

'Hier ben ik weer,' zei hij, terwijl hij met zijn linkerhand het stroeve stuur probeerde te laten ronddraaien. 'Ik klets niet uit mijn nek. Ze heeft dat écht gezegd. En zij en Verbist ontkenden eendrachtig dat ze Gerda Vanspauwen kenden, je weet wel, de vermoorde kamermeid. Nooit van haar gehoord!'

'Dat wil ik best geloven. Zou jij tegenover een vreemde zomaar toegeven dat je de meid kent van het rendez-voushol waar je graag je lusten botviert?'

'Ik bezoek geen rendez-vousholen,' protesteerde Geo. 'Ik hoef dus niets te ontkennen of te verzwijgen.'

'Je snapt wel wat ik bedoel.'

'Ja. Maar de rest...'

'Vond ik heel sterk. De straffe Petra Van den Boom die zich zo verspreekt.'

'Misschien had ik haar op het verkeerde been gezet. In de verdediging gedwongen.'

Estelle lachte bitter.

'Jij?' vroeg ze. 'Hoe zou jij dat klaargespeeld hebben?'

'Eerst heb ik zitten drammen over het geld dat Valcke van het ministerie heeft gekregen. En daarna heb ik haar getrakteerd op de beruchte smerige fotografenblik.'

Ze lachte weer, helemaal niet meer bitter, maar trots dat hij haar vondst nog niet vergeten was.

'Ze had een soort balletpakje aan,' zei Geo. 'Met niets eronder. Een blauwe maillot. Zo dun dat ik haar kippenvel kon zien.'

'Maniak.'

'Ze was geschoren.'

'Je bent een vieze, ouwe vent. Rij maar langs Diest naar huis. Kun je in Bekkevoort even stoppen. Daar zitten genoeg dames om je van je sappen te ontlasten.'

'Ik kan ook naar Evere komen.'

'Ken je daar iemand?'

'Iemand bij wie ik 's avonds wel eens langsloop om een hapje te eten.'

Verrassend snel antwoordde Estelle: 'Dat lijkt me een prima idee. Ik heb Poolse worst gekocht bij de Kroatische slager.'

'Met friet en pickles?'

'Lijkt me perfect,' lachte ze, maar meteen klonk haar stem weer ernstig, terwijl ze hem waarschuwde: 'Alleen eten, Joosten, begin niet te dromen!'

'Ik heb mijn dromen allang opgeborgen,' gromde hij voor hij zijn gsm uitzette.

Het wás neon dat hij gezien had. En er stond een wegwijzer op het kruispunt. Die wees naar Haacht en Brussel.

'Schraepen.'

'Nieuws?'

'Godverdomme, Joosten, waarom antwoord je niet op mijn berichten? Ik probeer je al uren te bereiken!'

'Wat is er dan?'

'Dat heeft nu geen belang meer. Eerst een gekantelde tankwagen op de weg naar Maastricht. De hele weg was versperd, melk die bij beken wegstroomde. En daarna is er een zot aangehouden die op De Gielenhof met een punt 44 zat te knallen in de gaten van dat kunstwerk, het Freyjading, je weet wel. De flikken stonden op het punt hem omver te blazen, maar hij heeft zich overgegeven. En ik maar bellen naar jou!'

'Wie is die gek?'

'Och, een of andere pipo uit Bilzen. Hij denkt dat hij Jezus Christus is, of Boeddha, of iets van die strekking. Hij wilde protesteren tegen het onzedige kunstwerk waarover hij in de krant gelezen had. Ze zullen hem wel laten interneren, vermoed ik.'

'Je hebt je pretje dus gehad. Beter dan een voetbalwedstrijd,' grinnikte Geo, al wist hij verdomd goed dat de faits-diversverslaggever dat soort humor absoluut niet begreep. Schraepens luide reactie gaf hem onmiddellijk gelijk.

'Pretje!? Ik weet wel wat prettigers te doen!' riep hij.

'Sst! Schraepen! Dimmen. Het was maar om te lachen. Weet je nog iets over het onderzoek in de zaak van Valcke? Of over de lijken in de Focus?'

'Brouns wilde absoluut nog een follow-up over Valcke brengen. Ik heb wat zever geschreven om hem tevreden te stellen. Eigenlijk is er geen nieuws.'

'Wat heb je dan geschreven?'

'Pft... Zever. Dat zei ik toch. Ik heb met Valckes lief gebeld. Zij woont nu in het huis. Wist je dat? Natuurlijk wel. Veel had ze niet te vertellen. Het atelier is nog altijd verzegeld. Volgens wat zij beweerde, weet het gerecht waar de boor gekocht is. Splinternieuwe machine, waarschijnlijk nog nooit gebruikt. Speciaal gekocht om de moord mee te plegen. Dat is het zowat.'

'En waar heeft de moordenaar zijn DeWalt gekocht?'

'In de Makro.'

'In Alleur?'

'Nee, de Boisy noemde een andere naam. Wacht, ik zoek mijn boekje. In Machelen. Moet dat niet Mechelen zijn?'

'Machelen. Bij Zaventem,' zei Geo.

'Dan heb ik het toch juist opgeschreven,' zuchtte Schraepen opgelucht.

'Hoe reageerde Liesens?' vroeg Geo.

Het was een beredeneerde gok. Schraepen was een vakman van het oude slag, een detailridder, die geen lettertje neerschreef zonder het extra te checken. Beroepseer. En een gigantische dosis onzekerheid. Panische angst dat er iets in de krant kon komen waar mijnheer de procureur en mevrouw de onderzoeksrechter en mijnheer de hoofdcommissaris Van de Besien aanstoot aan konden nemen. Dus had hij ongetwijfeld de uitspraken van de Boisy getoetst bij Nadine Liesens.

'Ze was nogal nijdig omdat ik het wist,' zei Schraepen. 'Ze vond het een uiterst belangrijk detail en ze vroeg zich af of ik het onderzoek zou schaden als ik het publiek maakte.'

'En?'

'Ik heb het toch maar in mijn stuk geschreven, maar wat ze verder nog zei, heb ik er niet aan toegevoegd.'

'En wat was dat?'

'Dat de moordenaar uit Brussel of omgeving afkomstig zou kunnen zijn. Bij ons trekt iedereen immers naar de Makro in Alleur. Daar had ik haar niet voor nodig, dat had ik zelf ook wel kunnen verzinnen!'

'Juist, Schraepen,' zei Geo. 'Bedankt.'

'Mag ik je vannacht bellen als er iets speciaals is?'

'Liever niet. Ik ben niet thuis.'

'Aan het lawaai te horen niet, nee. Je zou toch eens een degelijke auto moeten kopen. Waar hang je eigenlijk uit?'

Tegen zijn nieuwsgierigheid was geen kruid gewassen.

'Als je het heel precies wil weten, ik bevind me nu op een paar kilometer van de Makro van Machelen,' antwoordde Geo plagerig.

Hij genoot van de plotse stilte aan Schraepens kant. Lachend schakelde hij zijn gsm uit.

10.
De paalzitter

'Als ik van plan was iemand te vermoorden, kocht ik mijn wapen beslist niet in de Makro,' zei Estelle.

'Ach, een supermarkt is een supermarkt is een supermarkt,' antwoordde Geo.

'O, nee! In de Makro mag je alleen met een klantenkaart kopen. Je krijgt een factuur met je naam en adres. Wie koopt er een moordwapen met factuur?'

'Niemand,' gaf Geo toe, 'maar ik heb een betere reden om te vermoeden dat de boor uit een andere winkel komt. Ik heb nog nooit een gele DeWalt in de Makro zien liggen. Die van mij komt trouwens uit de Brico.'

'Liesens heeft onze vriend Schraepen iets op de mouw gespeld,' besloot Estelle.

'Het lijkt erop.'

Ze praatten wel als een duo tv-detectives, maar het tafereel op Estelles appartement paste helemaal niet in het script van een *Morse* of *Poirot*. Geo zat op zijn knieën aan de ene kant van het salontafeltje, zij in lotuszit aan de overkant. Tussen hen had zich een landschap gevormd van verfrommeld inpakpapier en kartonnen schaaltjes vol friet, mayonaise, pickles, ketchup. Plus schijven vettige Poolse worst van de Kroatische slager.

Geo leek een landloper in een T-shirt met een gapend gat onder zijn linkeroksel – bij Verbist had hij daarom zijn jasje aangehouden – en een spijkerbroek die meer dan modieus gerafeld was. Estelle droeg een bordeauxkleurige modieuze huiskaftan die wel op oma's slaaphemd leek, maar zo transparant was dat geen Limburgse grootmoeder het vodje ooit zou hebben goedgekeurd.

Was het weer plaagtijd, een poging om te evenaren wat hij over Petra's prikkelmaillot had verteld? Geo zat het zich af te vragen. Hij had ook in stilte gezworen dat hij Estelles gepest niet langer zou nemen, maar voor hij een daad bij het woord kon voegen, zette ze hem toch weer als een vuilniszak op straat. Voor de laatste keer, gromde hij, terwijl hij naar Borgloon reed. Voor de absoluut, finaal allerlaatste keer. Ze moest maar weten wat ze wilde. En wat hij wilde, ook al wist hij ook dat nog niet zo goed.

Kunstkring Impreza vierde zijn vijftigste verjaardag met een tentoonstelling van hoogtepunten uit de productie van de voorbije halve eeuw. Het feest begon natuurlijk met een academische zitting, waarop, na voorzitter, cultuurschepen en burgemeester, ook een zeer gewaardeerde gast zou spreken. Dat was Wies Wellens, de eminente kunstkenner, zoals het in de uitnodiging stond.

Geen haar op Geo's hoofd dat eraan zou hebben gedacht vrijwillig een avond door te brengen tussen portretten, landschappen en stillevens. Nog minder zin had hij in een paar uur gezwets over schilderkunst.

De eindredacteur in Brussel had er echter anders over beslist. Eén foto van een typische amateur met een staaltje van zijn werk, zeker niet van het poserende bestuur, had hij besteld. Het soort foto dat je pas na, en nooit voor, het kletsuurtje kon schieten.

Om de schade te beperken sloop Geo pas om halftien het zaaltje binnen, waar een vijftigtal leden van Impreza – familieleden inbegrepen – nog steeds dociel luisterden naar Wellens' visie op hun kunstbeleving. Geo deed wat hij meestal deed in dergelijke gevallen. Hij sloot zijn oren en droomde van blote vrouwen die in Snoecks-stijl uitgespreid lagen over in de woestijn geparkeerde Landrovers.

Nadat de burgemeester de tentoonstelling plechtig voor geopend had verklaard, liet Geo een van de oudste amateurs poseren bij haar werk. Ze was een gerimpelde ex-schooljuf en volgens Geo had het mens gedurende tien decennia steeds dezelfde kat geschilderd in altijd dezelfde houding, weliswaar in verschillende, meestal hoogst avontuurlijke kleuren. Hij kiekte haar naast een monster met een vacht in psychedelische oranjes.

'Kan ik die foto ook kopen?' vroeg de trotse artieste.

'Natuurlijk,' antwoordde Geo spontaan, ook al was hij niet van plan geweest die avond handel te drijven.

Hij gaf haar een overschrijvingsformulier, waarop ze alleen nog haar naam en het nummer van haar bankrekening moest invullen. Dat de afdruk 25 euro kostte – A4, luxepapier – leek haar niet te deren. Integendeel zelfs, want een vingerknip later belegerde een tiental zondagsschilders hem met het verzoek ook hen te kieken bij een voorbeeld van hun kunnen. Geo voldeed graag aan hun wensen. Een extraatje wees hij nooit van de hand.

Wellens charmeerde intussen lokale notabelen, vooraleer de envelop met zijn honorarium – zwart – in ontvangst te nemen. Het stond niet goed meteen de poen te pakken en er spoorslags vandoor te gaan.

Geo's teller piekte op driehonderd euro, toen Wellens zijn wijnglas op een passerend dienbord zette en zich naar de deur begon te bewegen. Geo deed alsof hij hem als bij toeval tegen het lijf liep.

'Mijnheer Wellens!' riep hij. 'Goedenavond! Heb je de foto's goed ontvangen?'

'De foto's?'

Het duurde een paar seconden voor de kunstgoeroe zich herinnerde wie Joosten was.

'Die foto's!' antwoordde hij met een brede glimlach. 'Maar natuurlijk! Prachtig! Prima service! Er zijn niet veel persfotografen die zo een goede dienst aanbieden. Ja, ja, ik heb ze gekregen. Zeer tevreden. Absoluut!'

'Je weet toch dat enkele van die foto's opgenomen zijn in een soort kunst-dvd die Vanden Bulcke en je collega Franken aan het samenstellen zijn?' vroeg Geo.

Wellens knikte heftig, maar hij werkte zich nog altijd naar de deur toe, alsof de fotograaf hem intens stoorde en hij zo snel mogelijk wilde ontsnappen. Geo schoof mee, maar wel een beetje trager, zodat de kunstkenner zich moest inhouden. En gedwongen werd het gesprek toch nog aan de gang te houden.

'Het is een merkwaardig project, mijnheer Joosten,' zei hij op een toon die bij Geo als verdacht koel overkwam. 'Vind je niet? Ik herinner me niet dat iemand zoiets al heeft gedaan. Toch niet op deze manier. Origineel.'

'Ik ben zeer nieuwsgierig naar het resultaat,' antwoordde Geo.

Hij bleef stilstaan en dwong zo ook zijn gesprekspartner halt te houden.

'Het is de eerste keer dat ik aan een dergelijk project meewerk,' zei hij. 'Als iemand me een maand geleden verteld had dat mijn foto's als kunst verkocht zouden worden, zou ik het niet geloofd hebben.'

Wellens gaf zijn ontsnappingspoging op. Hij glimlachte de grijns van de goeroe. Hij kon het niet laten.

'Je bent te bescheiden,' oreerde hij. 'Alles kan kunst zijn.'

'Alles?'

'Als je het op de juiste manier inkleedt? Er een extra dimensie aan weet te geven? Dan kan alles kunst zijn, zoals ik daarnet in mijn lezing uitgelegd hebt.'

'Dat was inderdaad de boodschap,' veinsde Geo.

Wellens knikte bemoedigend, als een leraar die bij een mondeling examen vaststelt dat een snuggere pupil zijn stof niet alleen heeft geleerd, maar ook verteerd.

'Werk jij ook mee aan het project?' vroeg Geo.

Wies Wellens aarzelde.

'Eh... Een beetje. Eh... In de rand. Ik volg Valcke tenslotte al van in het begin. Ik ben min of meer zijn ontdekker geweest. Ja, ja. Dus lever ik ook mijn bescheiden bijdrage aan de dvd-biografie. Zodra alles klaar is, zul je het wel zien. Ik hoop dat je tevreden zult zijn.'

'Daar twijfel ik niet aan,' vleide Geo hem gemelijk. 'Voor zover ik daarover zal kunnen oordelen, want een kunstkenner zal ik wel nooit worden.'

'Is er nog nieuws van het onderzoek?' vroeg de echte kunstkenner ineens. 'Jullie journalisten weten altijd meer dan wat we in de kranten kunnen lezen. Nietwaar?'

'Dat valt tegen,' zei Geo. 'Het parket is niet erg loslippig. Het gaat per slot van rekening om een internationaal belangrijke kunstenaar, vermoord na een opzienbare performance in het belangrijkste cultuurcentrum van de streek. Allemaal redenen om op eieren te lopen.'

'Maar er moet intussen toch ergens een aanduiding opgedoken zijn over wie de moord gepleegd heeft? Iets. Eh... Ik weet niet wat?'

'Nou,' deed Geo geheimzinnig en hij sloeg de meest samenzweerderige toon aan die hij met zijn beperkte acteertalent kon opdissen. 'Er is natuurlijk de levensstijl van Valcke, waarover nog niet alles gezegd is. En daarnaast zijn er ook nogal wat vragen over geld.'

Op slag leek Wellens vergeten te zijn dat hij nog maar een paar minuten eerder op weg naar de deur was geweest. Hij gebaarde naar een hoekje aan de bar dat nog niet was ingenomen door zondagsschilders.

'Kom, drink nog een glas. En vertel me alles wat je weet,' stelde hij voor.

'Eigenlijk weet ik niet meer dan dat,' bekende Geo, maar hij zag dat de kunstkenner hem niet geloofde en pas tevreden zou zijn als hij gevoed was met een dosis smeuïge insinuaties.

'Wat bedoel je met die levensstijl?' vroeg Wellens. 'Vrouwen? Zuipen? Drugs?'

'Dat allemaal, ja.'

'Ik wist het!' riep de goeroe. 'Ik heb het van het eerste ogenblik af gezegd!'

'Hoe bedoel je? Wat heb je gezegd?'

'Dat het een vrouwengeschiedenis was! Vrouwen... Weet je... Valcke wond een bepaalde soort vrouwen om zijn vinger. Hoe hij het klaarspeelde, weet ik niet, maar hij kon alles van hen gedaan krijgen. Ik heb hem ooit een Albanese pooier genoemd. Zomaar, recht in zijn gezicht. Hij maakte zich er niet eens kwaad over. Integendeel. Hij lachte alsof ik hem een compliment had gemaakt.'

'Wat deed hij dan met die vrouwen?' vroeg Geo. 'Men beweert toch dat hij en Catherine...'

'Dat klopt. Dat klopt,' reageerde Wellens ongedurig, omdat de fotograaf hem onderbroken had. 'Sinds Catherine hem aan de haak had geslagen, leefde hij bijna monogaam. Maar weet je wat? Dat maakte zijn succes bij andere vrouwen nog groter. Bizar, als je het mij vraagt.'

'Wat bedoelde je toen je over een bepaalde soort vrouwen sprak?'

Wies Wellens trok zijn vingers als een kam door zijn lange haar, onmiskenbaar zijn tic, zoals de lange pauzes het merkteken waren van zijn collega Franken. Geo onderdrukte een sarcastische grijns. Een radioman met een visuele tic en een televisieman die met klank speelde. Kunstgoeroes. Hij begon ze te kennen, vreesde hij.

'Volgens mij kon Valcke het ruiken als er iets mis was met vrouwen,' fluisterde Wellens alsof hij een staatsgeheim onthulde. 'Ik bedoel, exhibitionisten mochten jurken van roestvrij staal aantrekken, voyeurs zich in een donkere kamer opsluiten of nymfomanen wegkruipen tussen nonnen in een slotklooster, hij pikte ze er zo uit. Het sterkst was hij echter in het identificeren van vrouwen die ontevreden waren over de prestaties van hun venten. Alsof hij het aan hen kon ruiken. Gewoon onvoorstelbaar!'

'Ik wou dat ik dat talent ook had,' grinnikte Geo, maar er was zoveel herrie in de zaal dat Wellens het niet hoorde. Die had net twee pilsjes weggegrist bij de jongeman aan de tapkraan en hij schoof een druipend schuimglas door naar de fotograaf.

'Daarom was het voor Valcke altijd een koud kunstje om performers te vinden voor zijn gewaagde happenings. Zoals dat gedoe bij Vanden Bulcke. Hij pikte vier exhibitionistische potten uit zijn voorraad, vulde hun lege hoofden snel met wat geleuter over aardmoeders en dergelijke en hop! Vier dampende orgasmes stonden klaar om ongeremd over de groene wei te huppelen. Ja?'

Het bitse sarcasme van de kunstbabbelaar verraste Geo aangenaam. Bittere mensen hadden altijd de neiging meer te vertellen dan ze wilden of mochten lossen. Hij hoopte dat Wellens nog meer zou vertellen, veel meer.

Hij gaf de jongen een teken dat de pintjes mochten blijven komen. Drank plus sarcasme plus bitterheid plus een gigantisch ego. Succesformule. Wellens kiepte zijn bier in één teug naar binnen en graaide meteen naar het volle glas dat Geo hem toestak. Zijn stijve deftigheid smolt weg als sneeuw voor de zon.

'Ik heb bij Valcke opvoeringen meegemaakt die je zelfs in de seksclubs van Amsterdam of in Hamburg niet kunt meemaken,' hijgde

Wellens in Joostens oor. 'De smerigste pornografie. Althans, als je geen rekening hield met het verhaal dat Valcke erbij had verzonnen, want dan moest je toegeven dat hij er telkens weer die extra zwaai aan gaf waardoor het minder op porno en meer op kunst leek. Sterker. Kunst wás. Correctie. Kunst wérd. Sjonge! Als ik in het openbaar durf te vertellen wat ik bij Valcke in besloten kring beleefd heb, vlieg ik achter de tralies voor zedenschennis.'

Hij likte bierschuim van zijn lippen. Geo wachtte op pittige details, maar Wellens beloonde zijn geduld niet. Hij liet de orgieën voor wat ze waren en schakelde over op een ander onderwerp.

'Kurt maakte zich ook geliefd door hongerige huisvrouwen aan potente partners te helpen,' zei hij. 'En vice versa. Hij kon het niet verdragen dat sommige vrienden of vriendinnen hun teveel aan opgekropte seksuele energie niet kwijtraakten. Ik zie je glimlachen, maar dat meende hij wel. Echt waar. Ernstig. Hij maakte van die frustraties zelfs een thema dat een groot deel van zijn werk beheerste. Daarom die verwijzing naar Freyja in zijn installatie op De Gielenhof. Lichamelijk genot op godenniveau, je hebt het ongetwijfeld opgemerkt.'

'O ja?' deed Geo, voor wie Valckes gaten in het gras nog altijd bijzonder weinig boodschap bevatten.

'Frustraties... Het begin... Ik denk daarbij meteen aan een vijftal doeken uit zijn vroegste werk,' mijmerde Wellens. 'Explosies van kleuren en vormen. Vulkanen die sperma spuien. Ja, ja. En ook de installatie op De Gielenhof, natuurlijk. Pure seksuele energie. Wie zich een beetje concentreert, voelt toch zijn zaadleider kloppen als 's avonds het licht door de glazen wand van Freyja's vagina flitst. Ja, toch?'

'Inderdaad,' kreunde Geo om de man aan de gang te houden.

'De permanente vervlechting van het alledaagse en het sublieme verklaart de huidige visie van Vanden Bulcke en Franken of omgekeerd,' zuchtte Wellens. 'Wat Valcke in het echte leven dééd en wat hij in zijn werk uitbeeldde, vinden zij twee facetten van eenzelfde geheel. Valcke is voor hen tot één groot kunstwerk geworden. Zijn werken zijn daarin nog maar een detail, zoals kippenvel een detail is op een mensenhuid. Ben ik duidelijk?'

'Luid en klaar,' loog de fotograaf, die niets van het gebabbel begrepen had. Hij reikte Wellens een glas aan en die sloeg het meteen gretig achterover.

'Dat is hun concept, maar de uitvoering ervan kan niet zonder risico's te nemen,' oreerde de aangeschoten goeroe. 'Er loert zeker één groot gevaar. Eén groot gevaar. De performances die Valcke regisseerde, speelden zich niet uitsluitend op een podium af. Ze vloeiden over in het echte leven. Kurt greep als een God de Vader in het echte leven van zijn acteurs in. Hij speelde met echte mensen. Echte gevoelens. Echt bloed. Echt sperma. Echt schedevocht. Ja? Ben ik duidelijk?'

Geo knikte. Wellens staarde naar het plafond alsof hij daar inspiratie kon opdoen en ging toen verder.

'Kurt Valcke deed de laatste tijd alsof hij de hele wereld onder controle had en de realiteit zich naar zijn grillen moest buigen. Ja? Duidelijk? Natuurlijk botste hij op grenzen. Acteurs bijvoorbeeld, die weigerden nog langer hun voorgeschreven rol te spelen. En dan. Boem! Hop! Maar wat als je van de kunstenaar zelf een totaalconcept maakt? Ga je als schepper van het concept mee de dieperik in als het binnen het kunstwerk tot moord en doodslag komt? Ik weet het niet. Ik vraag het maar. Mijn taak. Vragen. Vragen. Vragen. Vanden Bulcke kon niet lachen toen ik ze hem voorlegde...'

'Wat zei hij?' vroeg Geo, maar Wies Wellens was al te ver heen om nog op hem te letten.

'Man, wat ik met Valcke heb meegemaakt!' zuchtte hij. 'Sjonge! Ik zou er een boek over moeten schrijven. Een echt boek. Maar ik zal het niet doen, hoor. Voor je het weet, ontsnapt het uit je handen en belandt het bij de sensatiejagers en staan de boekjes er vol van en dan valt alles in duigen. Nee. Nee. Kun je me volgen?'

'Valcke organiseerde seksspelletjes en stak vrienden en kennissen samen in bed,' vatte Geo Wellens' uitleg oneerbiedig samen.

'Voilà.'

'Iemand voelde zich op zijn pik getrapt. Letterlijk, in dit geval. En hij heeft Valcke dan maar omgebracht.'

'Voilà.'

‘En jij bent nu bang voor je eigen reputatie en voor die van je artistieke maten, als blijkt dat Kurt Valcke vermoord is vanwege iets wat hij in de loop van zijn zogenaamde performances heeft uitgestoken?’

‘Voilà.’

‘Wie komt er dan volgens jou in aanmerking als moordenaar?’

‘Mijnheer de fotograaf, zoals je weet, verdien ik een droge korst door over kunst te schrijven. Kun je me volgen? In tegenstelling tot de collega’s van de dagbladpers heb ik niet de neiging over bloed en smurrie te schrijven. Volg je nog? Ik ben daarom de laatste aan wie je die vraag moet stellen, want ik weet het niet. Ik weet wél dat je een paar stadsbussen nodig hebt om alle verdachten te vervoeren. Iedereen die ooit deelgenomen heeft aan een spektakel van Valcke. En hoe dichter bij Valcke, hoe meer redenen om hem uit te schakelen. Denk ik. Volg je nog?’

Hij bracht een glas naar zijn mond en hij slaagde erin het bier door zijn keelgat te laten lopen zonder één keer te slikken. Een door en door getrainde zuipschuit, noteerde Geo.

‘Met geld heeft het dus niets te maken?’ vroeg hij.

‘Geld?’ riep Wellens verontwaardigd. ‘Geld! Pff! Sinds wanneer speelt geld een rol in het leven van Kurt Valcke?’

‘Ik heb gehoord dat hij van zowat alle officiële walletjes at. Dat bracht hem een mooi bundeltje op.’

‘Een bundeltje? Ach. In de ogen van een proleet lijkt het misschien veel, maar eigenlijk was het niet meer dan een aalmoes. En daarenboven, met de subsidies was het toch zo goed als afgelopen.’

‘Dat wist ik niet.’

Wellens grijnsde naar de fotograaf. Hij genoot van de verbazing op diens gezicht.

‘Het vlotte niet meer zo goed met mijnheer Steve Verbist’, zei hij. ‘De klootzak die voor grote Vlaamse kunstpaus doorgaat en meent dat hij alles en iedereen in zijn zak heeft, omdat hij met de grote cultuurpot slaafjes mag kopen voor zijn loopse pokkenwijf. Nee, mijnheer de fotograaf, Valcke had dit jaar voor de laatste keer uit de Vlaamse pappot mogen eten. Gedaan. *Fini*. Volg je nog?’

'Dat moet niet goed gevallen zijn,' meende Geo. 'Ik bedoel, hij was toch afhankelijk van die subsidies en van De Glorie? Hij verkocht nauwelijks iets. En hij leefde op grote voet...'

'Pfft!' deed Wellens en hij besprenkelde Joosten van top tot teen met speeksel en bierschuim. 'Pfft! Valcke was niet voor één gat te vangen. Als iemand in staat was andere en betere sponsors te vinden, dan hij wel. Hij was heus niet aangewezen op aalmoezen van onbenullig slijm zoals Verbist.'

'Sponsors? Bedoel je Vanden Bulcke?'

'Mijnheer! Ik weiger nog langer over geld te praten! Dat is geen onderwerp voor beschaafde lieden. Geld krijg je en geef je uit. Punt. Gedaan.'

'Staan daarom al die kunstenaars bij Verbist in de rij voor een portie...' begon Geo, maar Wellens snoerde hem de mond.

'Mijnheer! Je snapt niets van het kunstenbeleid! Net zomin als de oetlullen, die staan te trappelen voor een toemaatje van mijnheer de minister! Volg je nog?'

'Nee.'

'Dan is het goed.'

Hij goot nog een pils naar binnen. Geo had er spijt van dat hij niet geteld had hoeveel glazen Wellens al verzet had. Het waren er zeker al meer dan tien. Hij merkte wel dat het laatste glas Wellens als een mokerslag had getroffen. Ineens was de man straalbezopen, op de rand van een delirium.

'Hoor eens, ik zal het je uitleggen,' wauwelde de goeroe. 'Rustig uitleggen. Beleid. Een minister wil naam maken. Hij heeft geld. Veel. Hij zou het leuk vinden als hij het in eigen zak kon steken. Mag niet. Hij moet... Móét het aan anderen geven. Moeilijk. Volg je nog? Wat doet de minister? Hij duidt lullen aan. Zoals ik. Om ideeën te spuien over Kunst en Kunstenaars met hoofdletters. Beleid. Volg je nog?'

'Helemaal,' antwoordde Geo.

'Dan ben je knapper dan ik,' giechelde Wellens, zat en ongegeneerd. 'Ik weet zelf niet meer waar ik het over had. *Bon*. En dan stelt de minister andere lullen aan. Commissies. Die leggen op basis van ernstige...

Haha. Ernstige. Ob-jec-tie-ve criteria. Die leggen vast aan wie de minister geld schenkt. Centen. Die hij liever niet afgeeft. En die lullen? Wat doen ze? De poen voor zich houden? Dat kan niet! Mág niet! Dus, hop ermee, naar de rekening van vrienden. Of vrienden van de minister. Of. Kopen ze er vrienden mee. Vrienden? Macht. Invloed. Prestige. Kopen. Beleid? Mijn kloten. Ja? Ik snap er niets meer van. Proost.'

Hij dronk met de gulzigheid van een dorstige woestijnreiziger die eindelijk in een oase is aanbeland. Hij liet een boer, kneep zijn ogen dicht, haalde diep adem.

'Dus subsidies dienen...' begon Geo.

'Subsidies dienen om uitgedeeld te worden,' lalde Wellens. 'Met maximum effect voor mijnheer de minister. En bekijk me asjeblief niet alsof ik een streptokok ben. Denk na. Wat heeft een politicus aan een kunstenaar? Niks. Wat heeft een politicus aan onderdanige cliënten? Alles. Hij kan er zelfs zijn kont mee schoonvegen. Proost.'

'Dus zette Verbist Valcke op droog zaad omdat hij niet onderdanig genoeg was?' vroeg Geo.

Wellens lachte.

'Geachte mijnheer, veroorloof me één simpele vraag. Is een hoer onderdanig? O.k., ze onderwerpt zich aan de driften van haar klant. Maar is ze daarom onderdanig? Ligt zij niet boven, figuurlijk, dan wel letterlijk?'

'Je noemt Valcke een hoer,' zei Geo.

'Heb ik dat recht dan niet? Heb ik, van alle godverdomde mensen op de godverdomde wereld, dat recht niet? Hoor. Luister. Valcke was een hoer.'

'Een hoer én een Albanese pooier,' spotte Geo.

'Juist. Proost. Op de heilige, hoerige tweevuldigheid.'

Wellens stak zijn hand onzeker uit naar een glas dat nog onder de tapkraan stond. Daardoor moest hij zijn arm iets te ver uitstrekken en hij verloor zijn evenwicht, schoof van de barkruk, knalde met zijn kin op de scherpe rand van de bar en plofte op de grond.

'Bel de 100 maar,' luidde de diagnose van een arts-zondagsschilder, die Wellens vluchtig onderzocht. 'Ik vrees dat hij een hersenschudding heeft. En de snee in zijn kin moet worden genaaid, anders loopt mijnheer Wellens voor de rest van zijn leven rond met een lelijk litteken.'

'Mijnheer de fotograaf!' riep Petrus Wuyts.

Geo Joosten hield zijn adem in. Een Haspengouwer die onverwacht bezoek met 'mijnheer' aansprak, stond hem niet aan. Er was altijd wel een kans dat de oude man oprecht blij was hem te zien, de mogelijkheid dat hij net het tegenovergestelde bedoelde was echter veel groter.

De buurman van wijlen Kurt Valcke was zo verrast geweest door het klopje op de achterdeur dat hij vergeten was zijn duivenmelkerspet op te zetten. Geo ontdekte dat Wuyts' schedeldak zo kaal als een knikker was.

'Ik kwam eens kijken of je de foto's goed hebt ontvangen,' zei hij.

'Absoluut.'

'En of je geen last hebt gehad van, eh, de mannen van Tongeren. Ik had zoiets gehoord en ik vroeg me af...'

'Maar nee!' riep Wuyts. 'Er is hier wel een commissaris geweest, een echte dikke nek, die me wilde verbieden nog mensen op mijn zolder toe te laten, maar ik heb hem gevraagd of hij daar wel het recht toe had. Dat had hij natuurlijk niet en toen is hij maar weer vertrokken. Wat stellen die mannen zich eigenlijk voor?'

'Was dat Van de Besien?'

'Hij heeft een naam genoemd, maar ik heb er niet naar geluisterd. Een vent in burger, maar met een echte flikkenkop. Borstelhaar. Snor. Ken je hem?'

'Ja. Van de Besien.'

Geo voelde zich opgelucht. Wuyts was niet boos op hem. Althans, niet op het eerste gezicht. En op het tweede? De oude had hem nog niet gevraagd binnen te komen en dat kon een slecht teken zijn. Haspengouwse etiquette.

'Ik kwam horen of je nog iets vernomen hebt over je buurman,' zei hij.

'Blijf daar niet staan,' beval Wuyts. 'Kom toch binnen. We kunnen even goed zitten.'

Nog een typisch trekje, noteerde de fotograaf. Je nodigt een bezoeker niet uit, je beveelt hem binnen te komen. En tegelijkertijd zadel je hem op met de indruk dat het zijn eigen schuld is dat hij nog niet over de drempel gestapt is.

Op de tafel in de bijkeuken vertelden een thermos met koffie, een leeg kopje en twee kranten waarmee Wuyts bezig was geweest toen Geo aanklopte. Twéé kranten: het regionale monopolieblad en Geo's nationale krant. Petrus Wuyts wilde nog altijd niets missen van de zaak-Valcke.

'Vertel me nu eens alles,' begon Wuyts. 'Wie is de moordenaar?'

'Ik zou het niet weten.'

'Kom, dat geloof ik niet. Na zoveel dagen moeten ze dat in Tongeren toch doorhebben? Waarom willen ze het nog niet bekendmaken? Waarom mogen de kranten het nog niet schrijven? Kom, wie was het?'

Geo lachte.

'Je hoeft je niet af te vragen waarom het parket niets lost. Het antwoord is simpel. Omdat ze nog altijd niets weten. Ik wed dat jij me veel meer kunt vertellen!'

Wuyts bewoog zijn hoofd langzaam heen en weer. Ineens herinnerde hij zich dat het netjes stond een bezoeker iets aan te bieden.

'Koffie? Van vanmorgen, maar hij is nog warm. Ik heb er net nog van gedronken.'

'Ja. Bedankt. Ik ben al een tijdje op stap en dan smaakt een bakje wel.'

De man haalde een schoon kopje uit de kast.

'Wie denk jij dat het gedaan heeft?' drong Geo aan. 'Wat zeggen de buren? Wie verdenken zij?'

Wuyts pompte en de koffie pruttelde uit de tuit. Hij vond de handeling zo moeilijk dat hij er al zijn aandacht bij moest houden. Pas toen het kopje vol was, antwoordde hij, snuivend van minachting.

'De buren? Die komedianten doen alsof ze nergens van weten. Maar ja, wat wil je? Het zijn altijd dwarsliggers geweest. Zeker die van hiertegenover. De andere dag stond ik achter haar in de Prima en ik hoorde haar tegen een vrouw zeggen dat ik mezelf interessant wilde maken, want ik ging met journalisten om. Snap je?'

'Misschien is ze jaloers, omdat ik niet op haar zolder ben geweest om foto's te maken.'

'Denk je dat je daar iets anders zou hebben gezien dan bij mij? Dat het daar beter is?'

'Zo bedoel ik het niet. Ik wilde alleen maar zeggen dat ze waarschijnlijk een hartenvreetster is. Begrijp me niet verkeerd. Ik kan nergens betere foto's maken dan vanuit jouw zolderluik.'

'Dat dacht ik ook! Maar goed. Wat dat wijf vertelt, raakt me niet. Ze had je maar moeten uitnodigen, zoals ik, ja toch? In plaats van achteraf te komen zeuren omdat ik slim genoeg was je te vragen? Is het niet?'

'Gelijk heb je.'

'Dat mens heeft nooit gedeugd. Ze is van Gingelom, als je snapt wat ik bedoel.'

'Ma! Mijn pree en mijn ponjaard!' riep Geo, want van jongemannen uit Gingelom vertelde men destijds dat ze altijd een dolk op zak hadden wanneer ze naar de kermis gingen.

'Hij is een jongen van hier,' ging Wuyts verder. 'Een goede vent, maar ik heb nooit begrepen waarom hij met haar getrouwd is. Liefde is blind, het spreekwoord liegt niet. Ik zie hem weleens bij de bond. Hij speelt niet meer, maar hij komt er nog wel een pint drinken en babbelen over vroeger, toen hij nog duiven hield. Het is zijn enige kans om zonder haar buiten te komen. Sinds hij met pensioen is, met vervroegd pensioen, ze hebben hem afgedankt in Chertal, daar werkte hij in het staal, van toen af zit hij de hele dag tegenover die zure smoel.'

'Sommige mensen trekken het ongeluk aan,' grinnikte Geo en de oude was blijkbaar tevreden omdat de fotograaf met de buurman van de overkant meevoelde, want hij liet zijn stem tot een fluistertoon zakken om een belangrijke mededeling te doen.

'Hij heeft die nacht iets verdachts gehoord,' fezelde hij. 'Dat heeft hij me verklapt in het café. Hij heeft Valcke horen thuiskomen, maar dat is normaal. Die poort piept en kriept dat horen en zien je vergaat. En de vetzak had ook nog de gewoonte ze met geweld dicht te smijten, alsof de hele wereld moest horen dat hij aangekomen was. En mijn buur heeft ook de barones horen gillen, dat kon hij niet missen.'

'De barones?'

'Het lief van Valcke. Die met de kleine "de" in haar naam. Maar tussenin heeft hij een truck gehoord. Een vrachtwagen, die een tijd lang voor zijn deur heeft stilgestaan. Hij heeft de motor horen ronken, tot de chauffeur het sleuteltje omdraaide. Even was hij nog van plan te gaan kijken, maar uiteindelijk is hij toch in zijn nest blijven liggen. Hij heeft die camion niet meer horen vertrekken en toen de barones begon te krijsen, was die wel weg.'

'Heeft je buurman dat al aan de politie verteld?'

'Nee!' riep Wuyts, alsof dat idee een aanfluiting van alle regels was. 'Hij mocht niet van zijn vrouw! Ze zei dat hij het gedroomd had en dat hij zich belachelijk zou maken. Daarom heeft hij zijn mond gehouden. Ter wille van de lieve vrede.'

'Ken jij iemand die geregeld met een truck op bezoek kwam bij Valcke?'

'Nee. Busjes en camionetten en jeeps, in overvloed. Maar vrachtwagens niet. Dat maakt het zo moeilijk.'

'Dat begrijp ik.'

'Nee, je begrijpt het niet.'

Geo schrok van het harde antwoord. Wuyts staarde in stilte naar zijn gevouwen handen op tafel. Geo proefde van de koffie. Die was koud. En bitter. En slap.

'Wat begrijp ik niet?' vroeg hij.

'Waarom een vrachtwagen het me zo moeilijk maakt,' zei Wuyts. 'Wie rijdt in een truck? Meestal toch? Mannen. Nietwaar?'

'Meestal. Ja.'

'Valcke is niet door een man vermoord,' fluisterde de oude.

Geo staarde hem onthutst aan.

'Het moet een vrouw geweest zijn,' ging Wuyts verder.

Hij had niets van Joostens reactie gemerkt. Hij durfde de fotograaf nog altijd niet in de ogen te kijken.

'Het moet wel een vrouw geweest zijn,' herhaalde hij, 'omdat Valcke op een speciaal plekje vermoord is. De paal waartegen zijn lijk leunde. Die heeft me aan het denken gezet.'

De oude man zweeg. Geo hield zijn adem in. Wuyts staarde naar zijn vingers.

'O.k.,' moedigde Geo hem aan. 'Vertel verder. Het blijft tussen jou en mij. Beloofd. Vertel me wat er zo speciaal is aan die paal.'

'Je zei ooit dat het gerecht me kan laten vervolgen als voyeur,' fluisterde Wuyts, hees en beverig. 'Ik heb daar veel over zitten piekeren. Of ik wel een voyeur ben. Je hebt ongelijk. Ik ben geen gluurder. Ik heb die artiest niet met opzet bespied. Ik kon er niet aan doen dat ik hem en zijn troep varkens bezig zag. Het was ook mijn schuld niet dat ik op een dag toevallig uit het dakvenster keek en zag wat er in dat atelier loos was.'

'Nee,' troostte Geo. 'En dat je daarna nieuwsgierig was en iedere keer opnieuw ging kijken, dat is menselijk.'

'Dat vind ik ook,' zuchtte de oude, blij dat hij een bondgenoot had.

'Maar je hebt wel iets gezien waarin een vrouw en de paal een rol speelden?' drong de fotograaf aan.

Wuyts' hoofd veerde op. Zijn ogen schoten vonken.

'Mamenneman!' riep hij. 'Iets? Honderd keer heb ik het gezien!'

'Wat dan?'

'Valcke ging met zijn rug tegen de paal zitten en liet zijn armen achter zijn rug binden, je snapt het wel, zo om de paal heen. De vrouwen kwamen dan voor hem staan en ze lichtten hun rok op. Als ze die al aanhadden, want meestal liepen die wijven rond met hun gat bloot. En dan likte Valcke die hoeren tussen hun benen. Tot zij er genoeg van hadden of tot hij het niet meer kon houden. Dan gingen de wijven schrijlings over zijn benen zitten en lieten ze zich zakken zodat zijn ding bij hen naar binnen gleed. En dan wriemelden ze heen en weer tot hij klaarkwam.'

'O.'

'Ja.'

'Je had het over "vrouwen". Ik dacht dat hij het de laatste tijd alleen nog met de Boisy deed.'

'Vroeger had hij elke dag een andere. Soms wel twee of drie per dag. De laatste maanden was het alleen nog de barones.'

'Tegen de paal.'

Dat was precies de lichtjes spottende opmerking die Wuyts nodig had om bevrijd te raken van zijn schroom en zijn angst. De oude begreep Joostens ironie en grijnsde breed. Opgelucht.

'Tegen de paal,' zei hij. 'Dat zeg je goed. En hij heeft die paal zo vaak gebruikt dat je er de sporen van kunt zien.'

'Sporen? Wat dan?'

'Een vlek op de grond. Hij heeft er zoveel naast gespoten en die wijven hebben zoveel sap verloren dat er een vlek op de vloer zit. Serieus. Kom maar kijken. Je kunt het vanuit mijn dakvenster zien! Met het blote oog!'

Geo ontdekte dat de oude niet overdreven had. Op de blanke plankenvloer, een kleine halve meter van de paal vandaan, was er een donkere vlek in het hout gebeitst. De opgedroogde lichaamssappen van Valcke en zijn vriendinnen.

'Mamenneman!' kreunde de fotograaf.

'Weet je wat ik denk dat er gebeurd is?' vroeg Wuyts. 'Hij is die avond tegen de paal gaan zitten om nog een vettig spelletje te spelen voor het slapengaan.'

'En toen zij op zijn paal plaatsnam...' begon Geo.

'Heeft ze een boor door zijn hoofd gedraaid,' vulde Wuyts aan.

'Op het ogenblik dat hij kwam en niet besefte wat hem ging overkomen. Hij heeft nooit geweten wat hem trof.'

'Je praat bijna zoals inspecteur Morse,' lachte Geo.

'Wie is dat nu weer?' vroeg Wuyts, die naar de televisie keek zonder afstandsbediening. Hij had meer dan genoeg aan VTM.

II.
De ogen van het slachtoffer

'Mijnheer Vanden Bulcke wenst u te spreken om achttien uur.'

'Kan niet,' antwoordde Geo.

'Hebt u een momentje?' vroeg de secretaresse.

Pokkenpianogetokkel om hem aan de lijn te houden. Tussendoor loog een vrouwenstem in vier talen dat Vanden Bulcke Associés blij was dat hij gebeld had. En of hij nog heel even geduld wilde oefenen?

'Joosten!' bulderde ineens Vanden Bulckes stem. 'Het kan me niet schelen welke uitvluchten je bedenkt. Ik wil je zien. Om zes uur. Geen discussie.'

'Ik ben op reportage,' herhaalde Geo, meer verontwaardigd dan geschrokken door de toon van de makelaar.

'Maak je maar vrij. Zes uur. Op De Gielenhof.'

Vanden Bulcke gooide de hoorn neer.

'Je kunt ze kussen,' zei Geo tegen de dode lijn.

Hij begon foto's te mailen naar de redactie. De telefoon op de andere lijn biepte.

'Geo? Met Petra Van den Boom. Goedemiddag. Mijnheer Vanden Bulcke heeft je net gebeld?'

'Dat klopt.'

'Hij wil dat je om zes uur naar De Gielenhof komt. Dringend.'

'Ja, maar ik kom niet. Ik heb geen tijd. Een fotoreportage die niet kan wachten. Voor de krant van morgen.'

'Het gaat over een ernstige zaak.'

'Dat is nog geen reden om te brullen alsof ik een slaaf ben. Vertel hem dat hij de pot op kan. En dat hij manieren moet leren.'

'Toe nou, Geo, niet zo koppig alsjeblief. Mijnheer Vanden Bulcke kan hoekig overkomen als hij onder grote druk staat, maar hij bedoelde het zeker niet zo.'

Geo's antennes stonden helemaal rechtop. Vanden Bulcke die bulderde, terwijl hij zich anders altijd zo kleverig als Loonse stroop voordeed? Meteen gevolgd door Van den Boom die voor een keer niet als een hakmes praatte, maar suste en fluisterde als een huismoeder die wat bijverdiende aan de sekstelefoon?

'Hij had ten minste kunnen zeggen waarover hij mij wil spreken,' mopperde hij.

'Ik zal het hem vragen en ik bel je terug.'

'Bedoel je dat je me opgebeld hebt, terwijl je niet eens wist waarom hij me wilt spreken?

'Sorry. Ik probeer iets te regelen. O.k.? Zou je je op een ander ogenblik kunnen vrijmaken?'

'Niet om zes,' zuchtte Geo. 'Een half uur later. Rond zeven is beter. Maar alleen als het belangrijk is. Ik bedoel, alleen als ik het belangrijk vind.'

Hij legde zwaar de nadruk op 'ik', maar Van den Boom reageerde er niet op. Anderhalve minuut later was ze er al terug. Zeven uur was goed. En het gespreksonderwerp kende ze intussen ook. Vanden Bulcke wilde uit zijn mond vernemen wat Wies Wellens overkomen was.

Geo zei dat hij hem dat met alle plezier zou vertellen.

De makelaar ontving hem in het kantoor van de zaakvoerder van de vzw Het Rurale Cultuur- en Kunstencentrum, de koepel die de zogenaamde vormende aspecten van de vzw De Gielenhof behartigde. In mensentaal: de sluis waardoor het geld van Europese Unie, Landbouw en Cultuur binnenstroomde.

Het kantoor zag er veel bescheidener uit dan het hoofdkwartier van De Glorie van Vlaanderen. Alledaagse meubelen uit een Buro- of een andere 'market'. Affiches in plaats van originele kunst. Een vergadertafel met koffievlekken. Rechte stoelen, bekleed met kunstleer dat protgeluiden produceerde als je erop ging zitten.

Vanden Bulcke gebaarde van achter het bureau van spaanplaat dat de fotograaf plaats mocht nemen. Voor gekeuvel had hij duidelijk geen tijd of zin, want hij brandde meteen los.

'Had Wellens gezopen?'

'Nogal.'

'Was je de hele tijd bij hem?'

'Nee. Na zijn voordracht heeft hij nagekaart met de burgemeester en het bestuur van de vereniging. En waarom moet ik jou dat allemaal vertellen?'

De makelaar negeerde de vraag en ging door met het verhoor.

'Waarom heb jij hem staan uithoren?'

'Dat is mijn zaak.'

Vanden Bulcke staarde hem ijskoud aan.

'Mijnheer Joosten, ik vind je houding allesbehalve loyaal,' sneerde hij. 'Ik heb je net een jaarsalaris laten verdienen. In ruil heb ik recht op een beetje medewerking.'

'Je vergist je. Ik heb dat geld zelf verdiend. Niemand heeft het me láten verdienen. Ik zie dan ook niet in welke rechten je op me kunt laten gelden,' snauwde Geo en hij schrok een beetje van zijn eigen moed.

De makelaar grijnsde geamuseerd.

'Waarom heb je nooit carrière gemaakt in de zakenwereld?' vroeg hij. 'Met zo een brutale bek...'

'Omdat carrières me niet interesseren, misschien. Omdat ik gelukkig ben met wat ik doe. En met wat ik heb.'

'Arm en eerlijk,' spotte de makelaar.

'Ik ben niet arm.'

'Maar wel eerlijk?'

Geo haalde zijn schouders op. Hij had zin om iets diepzinnigs te verkondigen over grootse morele principes, maar de makelaar gaf hem de tijd niet.

'O.k., ik zal je op de man af een vraag stellen. Ik hoop dat je eerlijk antwoordt.'

'Waarom zou ik niet?'

'O.k. Heeft Wellens met zijn zatte kop zitten uitbazuinen dat Valcke vermoord is omdat hij in louche zaken betrokken was, waarin ik ook verwikkeld zou zijn?'

Vanden Bulcke tikte bij elk woord met een potlood op het bureaublad. Hij was nerveus, dacht Geo. Verdomme, de machtige Vanden

Bulcke was zo zenuwachtig dat hij als een schoolknaap met een potlood zat te spelen.

'Hoe kom je daarbij?' vroeg hij en meteen flitste het antwoord door zijn hoofd. Omdat Wellens het zelf had doorverteld.

'Ik weet het, dat volstaat,' zei Vanden Bulcke.

'Maar je gelooft het gezwets van Wellens niet?' gokte Geo.

Vanden Bulcke hield zich op de vlakte.

'Ik wil het van jou horen.'

Geo haalde zijn schouders op.

'Ach,' reageerde hij geïrriteerd. 'Wellens schijnt te geloven dat Valcke vermoord is wegens een affaire met vrouwen. Het verbaasde hem blijkbaar niet, want Kurt Valcke gedroeg zich volgens hem als een Albanese pooier. Zo. Maar dat wist je zelf natuurlijk ook al.'

Het getik was opgehouden. Vanden Bulcke duwde het stompe eind van het potlood met zoveel kracht tegen het bureaublad dat het erop leek alsof hij het erin wilde rammen.

'Of heeft hij je iets anders wijsgemaakt?' vroeg Geo.

'Wie?'

'Wellens?'

'Waarom veronderstel je dat die me iets verteld heeft?'

'Omdat er niemand anders aanwezig was bij ons gesprek.'

De makelaar slingerde geërgerd het potlood in een bakje. Alsof het Wellens was en hij de kunstkenner in een afvalbak keilde.

'En wat als het niet Wellens is geweest die met zulke dwaze theorieën leurde?' vroeg Vanden Bulcke. 'Wat als jij de persoon bent die mij en mijn mensen verdacht maakt?'

Geo lachte de makelaar uit.

'Wellens is dus echt bij jou komen uithuilen,' treiterde hij. 'Ocharm. Ik had het moeten voorzien.'

'Hou op over Wellens, Joosten, want jij bent het die roddels verspreidt,' gromde Vanden Bulcke boos. 'Jij bent het die het steeds opnieuw over duistere machinaties heeft met subsidies en over zogenaamd geheime financiële aspecten van mijn samenwerking met Valcke. Of ontken je dat?'

'Helemaal niet. Integendeel. Ik vind het nog altijd vreemd dat Valcke centen van de Staat kreeg om werk te produceren dat niemand wil, behalve Piet Vanden Bulcke dan. En ik heb Wellens alleen maar gevraagd of dat geld tot de moord kan hebben geleid. Zonder iemand te beschuldigen of iemands schuld te insinueren.'

'Hoe kom je erbij die theorieën uit te bazuinen?'

'Je ontkent toch niet dat Valcke zwaar gesubsidieerd werd?'

'Eigenlijk ontken ik dat wel,' zuchtte Vanden Bulcke. 'Want wat bedoel je met "zwaar gesubsidieerd"? Het is maar hoe je het bekijkt. En zelfs als het zo was, wat is daar dan mis mee? Mag de gemeenschap geen beginnende kunstenaars meer steunen?'

'Ja, maar...'

De makelaar sneed hem de pas af.

'Volgens mij staat wat Valcke als steun ontving perfect in verhouding tot wat hij in de toekomst als kunstenaar kon betekenen. En ik ben niet de enige die er zo over denkt. De commissie dacht er net zo over, zoals je intussen ook wel weet. Punt afgehandeld.'

Een mooie samenvatting van wat Verbist en Van den Boom hem hadden voorgezegd, besloot Geo. En net als die avond in Keerbergen, herhaalde hij:

'Er zijn wel meer kunstenaars die iets kunnen gaan betekenen en toch geen steun ontvangen.'

Vanden Bulcke verloor zijn geduld.

'Je snapt er niets van, Joosten!' riep hij. 'En ik snap helemaal niet dat een ventje dat van toeten noch blazen weet het waagt de harmonie tussen het beleid en mijn stichtingen verdacht te maken!'

Geo haalde zijn schouders op. Hoe moest hij iemand aanpakken die het licht van de zon ontkende, vroeg hij zich af. Voor hij kon reageren, had Vanden Bulcke het echter al over een ander trefwoord. Pooier.

'Wat zei Wellens over vrouwen?' vroeg hij.

'Wat wil je horen? Wat hij letterlijk zei of wat ik van zijn gelal begrepen heb?'

'Begin maar met wat jij ervan gemaakt hebt.'

'Hij beweerde dat Valcke seksspelletjes organiseerde onder het mom van artistieke performances. Dat hij geile wijven koppelde aan hete venten. En dat jij je nek zult breken als daar iets van uitlekt.'

'Dat is gemene vuilbekkerij.'

'Je gebruikt de taal van de gewone man. Dat siert je.'

Vanden Bulcke trommelde geïrriteerd met zijn vingers op het bureaublad. Hij haalde diep adem en traag, met veel nadruk, zei hij:

'Ik raad je af hier ook maar één letter over te schrijven. Het verspreiden van dergelijke roddel zou je duur te staan kunnen komen.'

'Ben je vergeten dat ik geen schrijvende journalist ben? Ik knip foto's. Volgens sommige kenners zouden het zelfs kunstfoto's zijn.'

De spottende toon viel niet in goede aarde.

'Besef je nog altijd niet dat ik bloedernstig ben?' zei Vanden Bulcke.

'Ik veronderstel het, ja. Maar dat verandert niets aan het feit dat ik niet schrijf. Waarom wil je me afraden iets te schrijven over Valckes spelletjes als ik toch niets schrijf?'

'Lees dit.'

Vanden Bulcke schoof een papier over het bureau. Een afgedrukte proef van een schermpagina. De naam van het bestand luidde: VITA.

'Dat betekent "leven" in het Latijn,' zei Vanden Bulcke en Geo kon het niet laten te antwoorden:

'Dat weet ik ook wel, hoor.'

De pagina rook naar Frits Franken. Gekunstelde zinnen, ronkende woordenkramerij, een massa verbale ballast verdoezelde dat de auteur eigenlijk niets te zeggen had, maar het geheel wekte wel de indruk dat de tekst vreselijk diepzinnig, wijs, geleerd en cultuurfilosofisch waardevol was.

Volgens wat Geo ervan begreep, ging het stuk erover dat Valcke in zijn artistieke gedrevenheid zo ver was gegaan dat hij zijn hele leven in de vorm van een kunstwerk had gegoten. De woordenpap waar ook Wellens van geslobberd had.

Het kwam hem ineens hoogst komisch voor. Hoe kwamen die lui erbij Valckes leven een 'kunstwerk' te noemen! Over wat voor kunst hadden ze het dan? Kakkunst? Piskunst? De kunst een vrouw op je pik te laten zitten, terwijl je poten achter je rug aan een paal gebonden zijn? De kunst van het ejaculeren op de vloer? Kunst! Hij kon zijn lach niet inhouden.

'Wat wil je dat ik hierover zeg?' vroeg hij aan Vanden Bulcke, die bozer keek naarmate Geo harder giechelde.

'Deze tekst zal samen met je foto's deel uitmaken van het pakket dat we aanbieden bij elk verkocht werk van Valcke. Ik vind het een briljante tekst voor een briljant concept. Wil jij dat werk naar de vaantjes helpen met platte roddel en pure sensatiezucht?'

'Mijnheer Vanden Bulcke,' antwoordde Geo zo plechtig als de dreigende slappe lach hem toeliet. 'Mijnheer Vanden Bulcke, neem het me niet kwalijk, maar dit is prietpraat. En als ik correct interpreteer wat Franken hier heeft neergeschreven, dan barst straks een schandaal van je welste los. Exact zoals Wies Wellens het voorspeld heeft. Zodra Nadine Liesens ontdekt welke del Valcke om zeep heeft gebracht, zal er geen seconde sprake meer zijn van een tot kunstwerk verbouwd leven. Dan zal er alleen nog gesproken worden over pornografie en pooierschap.'

'Over welke del heb je het?'

Dat hij er net dat ene woord had uitgepikt, noteerde Geo met genoegen. En met nog meer plezier liet hij zich ontvallen:

'De del die Valcke tegen zijn befpaal geprikt heeft.'

'Wie? Noem een naam.'

'Vertel jij het me. Jij weet immers met wie Valcke kunstneukte. Ik niet.'

Vanden Bulckes gezicht was vuurrood aangelopen. Geo kon letterlijk de aders in zijn slapen zien kloppen.

'Komt dat in de krant?' vroeg hij met een stem die hees klonk van onderdrukte razernij. 'Let op met wat je schrijft, Joosten! Ik bel meteen mijn advocaat!'

'O.k. Doe me een lol. Als je dan toch niet wilt geloven dat ik niet van plan ben ook maar één letter roddel neer te schrijven, bel dan maar. Laat je advocaat contact opnemen met mijn chefs in Brussel. Dan hoef ik het niet zelf te doen. Hou er wel rekening mee dat de voltallige redactie daarna zal willen weten hoe de vork in de steel zit. Wil je dat een reporter naar Liesens stapt voor meer uitleg? O.k. Bel. Dan is iedereen op de hoogte. Dan kan het parket jou en Wellens en je hele bende eens serieus aan de tand voelen.'

'Joosten. Je bent eigenlijk een smeerlap.'

'Uit jouw mond klinkt dat als een compliment.'

'Besef wel dat je hoog spel speelt,' dreigde de makelaar. 'Een fotograafje dat zich voor onderzoeksrechter houdt... Eén verkeerde stap en...'

'Vreemd dat je dat zegt, mijnheer Vanden Bulcke. Ik speel namelijk niet voor rechter. Ik speel helemaal niets. Ik ben gewoon iemand die foto's maakt van gouden bruiloftsparen en van duivenmelkers die de vlucht op Orléans hebben gewonnen. En toevallig ook van kunstenaars met een gele boormachine door hun kop. Wat niet betekent dat ik een idioot ben. Ja? En als je verder niets te vertellen hebt, dan ga ik ervan door, want ik heb nog werk.'

Vanden Bulcke staarde hem woordeloos aan. Geo schoof de proefdruk naar hem toe.

'In jouw plaats gaf ik Franken het bevel die tekst te herschrijven,' zei hij. 'Laat hem zwijgen over seks en levende kunstwerken. Ik meen het. Als maar de helft klopt van wat ik over je grote kunstenaar en zijn vrienden gehoord heb, dan ben jij tot over je oren betrokken in het vettigste schandaal van de laatste jaren. Jij en De Gielenhof en De Glorie van Vlaanderen en je hele chique tralala. Zelfs Nadine Liesens zal er niet in slagen dat allemaal in de doofpot te stoppen.'

'Dag, mijnheer Joosten.'

Het klonk misschien rustig en beheerst, maar Geo voelde toch tot in zijn ruggenmerg de zware bedreiging die Vanden Bulcke in zijn afscheidsgroet legde.

'Tja,' zei hij, omdat dat het enige was dat hij kon bedenken.

'Schraepen? Hoe ver staat het met het onderzoek?'

'De expert heeft vastgesteld dat die kamermeid en haar man vermoord zijn met een tweeloop van op nauwelijks twintig centimeter afstand. Een dubbel schot vlak in hun gezicht.'

De misdaadverslaggever gaf zijn antwoord zo snel en precies dat Geo vermoedde dat hij het uit zijn notitieboekje aflas.

'En?'

Er stond blijkbaar niet meer in het boekje, want Schraepen antwoordde niet meteen. Pas na een lange pauze ging hij verder.

'Dat soort van executies komt niet vaak voor. Een slachtoffer van zo dichtbij doodschieten is moeilijk. De gemiddelde doder bewaart liever enige afstand om zijn slachtoffer niet recht in de ogen te moeten kijken.'

Schraepen bezat een indrukwekkende bibliotheek over moorden en moordenaars. Een onderwerp waarvan hij niet genoeg kon krijgen. En toch gebruikte hij zijn boekenkennis nooit om zijn berichten op te fleuren. Hij vond dat het een simpele moord- en doodslagcorrespondent niet paste kennis tentoon te spreiden.

'Behalve als de moordenaar zijn slachtoffer grondig haat, dan kom je dat soort toestanden weleens tegen,' doceerde hij verder. 'Een man die zijn trouweloze vrouw vermoordt. Of omgekeerd. Dan wil de doder van dichtbij de angst zien waarmee de vroegere geliefde hem of haar in zijn laatste ogenblik aankijkt. Genieten van de blik waarmee een slachtoffer in extremis om genade smeekt. Wreed. Niet?'

'Vind je dat nu ter plekke uit?' vroeg Geo wantrouwig.

'Ik heb het ergens gelezen.'

'Dus zijn, volgens jou, Gerda en haar man doodgeschoten door iemand die hen kende?'

'Iemand die hen góed kende,' antwoordde de verslaggever met nadruk. 'En genoot van hun dood.'

Geo zuchtte. Hij had de reporter graag tegengesproken, maar kon niet één argument verzinnen.

'Zoals ook de moordenaar van Valcke iemand was die hem goed kende en oprecht plezier beleefde aan de penetratie van zijn schedel,' besloot Schraepen zijn exposé.

'Als je me belooft niet te kwekken tegen Liesens of Van de Besien, wil ik je een exclusieve tip geven,' zei de fotograaf.

‘Ik kwek nooit!’ riep Schraepen verontwaardigd. ‘Het is niet omdat Lomme zijn mond niet kon houden, dat ik...’

‘Beloof me vooral dat je niets tegen hém zegt.’

‘Kom nou, Geo. Als je toch zo wantrouwig bent, waarom hou je dan niet zelf je grote mond?’

‘Omdat we samenwerken.’

‘O.k.’

‘Valcke is vermoord door een vrouw.’

Schraepen bleek helemaal niet verrast. Hij reageerde bliksemsnel.

‘Dat had ik ook al vermoed. Van het begin af al!’

‘O ja? En waarom toen al?’

‘Omdat ik ooit gelezen heb dat vrouwen graag het gezicht verminken van de man op wie ze wraak nemen. Om te vernietigen wat ze ooit aanbeden hebben.’

‘Heb jij criminologie gestudeerd?’

‘Nee.’

Ironie was nooit besteed aan Schraepen. Een trekje dat je bij meer van zijn collega’s vond, wist Joosten. Zelfspot leidde te gemakkelijk tot het relativeren van het eigen werk en wie daarmee begon in de branche van crime-’n-slime, kon het wel schudden.

‘O.k. Over die vrouw,’ hernam Geo. ‘Ik heb van een betrouwbare bron gehoord dat er ernstige aanwijzingen zijn dat de moord door een vrouw gepleegd is. Materiële bewijzen. Geen vermoedens.’

‘Goed dat je me dat vertelt. Ik hou er rekening mee. Dat voorkomt verrassingen.’

Geo vroeg zich af wat Schraepen daarmee bedoelde, maar besloot er niet naar te vragen. Hij had geen zin in een nieuwe cursus voor amateur-criminologen.

‘Vanavond niet,’ bromde Estelle nog voor Geo kon uitleggen waarom hij haar belde. ‘Ik moet morgen heen en terug naar Londen voor de presentatie van Valckes *Life’sArt*. Ik moet nog een passende outfit bij elkaar zoeken.’

‘Wat bedoel je met “vanavond niet”?’ gniffelde Geo spottend.

Ze deed alsof ze zijn insinuatie niet begrepen had.

'Dat je vanavond niet hoeft binnen te wippen,' snauwde ze.

'Was ik ook niet van plan. En wat die outfit betreft, als de voorstelling iets wordt in de trant van Valckes vorige penetratieshow, kun je net zo goed in je blootje gaan.'

'Weet je wat op dit moment mode is in Londen?' daagde ze hem uit. 'Rokje tot net onder je bips, het kleinst mogelijke tangaslipje en een afgeknipt T-shirt tot een halve hand onder je tieten. Zegt het je iets?'

'Vanavond niet!' smeekte Geo.

'Waarom bel je?' vroeg Estelle.

'Valcke is vermoord door een van zijn floezies.'

'Zeker?'

'Nee, maar er zijn wel serieuze aanwijzingen. En Liesens lijkt het nog niet te weten.'

'Hoe serieus zijn die aanwijzingen dan? Als de onderzoeksrechter niet eens op de hoogte is?'

'Ik heb zo mijn bronnen. En het lijkt heel erg waarschijnlijk. Vind je niet?'

Estelle zweeg. Geo wachtte geduldig.

'Zou kunnen,' zei ze ten slotte. 'Alleen geloof ik niet dat het een echte floezie was, zoals jij ze noemt. Niet een van de vier blote danseressen. Waarom zouden zij Valcke doden? Ik heb met die meiden gepraat op De Gielenhof. Ze amuseerden zich als kleuters in een bezeikt ballenbad. Die deden niets liever dan met hun kut paraderen en zich bepissen voor de ogen van een hoop toeschouwers. Waarom zouden ze een man die hen zoveel pret bezorgde vermoorden?'

'Ik dacht ook niet aan jouw artistieke viertal. Ik dacht aan vrouwen die geregeld op Valckes paal mochten kruipen. En die plots op nonactief stonden, omdat hij het alleen nog met de barones wilde doen.'

'Welke paal?'

Geo vertelde haar wat Petrus Wuyts vanuit zijn dakraampje had mogen meebeleven.

'Is dat het motief?' vroeg ze, toen hij klaar was met zijn verhaal. 'Een vrouw die Valcke vermoordt omdat hij niet langer met haar wil sollen?'

'Zou een vrouw dat spel als met zich sollen ervaren?'

'Ken jij er soms een andere naam voor?'

'Ik zou het veeleer een portie stevige seks noemen.'

'Je denkt met je ongewassen lul, Joosten.'

Een maand geleden zou de verwijzing naar zijn sanitaire gewoonten hem nog kwaad gemaakt hebben, maar nu liet Geo begaan.

'Dus geen floezie?' vroeg hij. 'Een floezie van een hoger niveau dan dat viertal?'

'Doe niet zo radicaal. Het kan een verwaarloosde minnares geweest zijn. Alleen deed ze het volgens mij niet omdat Valcke niet meer aan haar wilde sabbelen. Ik kan een hoop betere redenen bedenken om een kerel te vermoorden.'

'Zoals?'

'Joosten! Vanavond niet! Ik heb werk! Ik moet nog een rokje innemen en iets zoeken dat erbij past en morgenvroeg moet ik voor dag en dauw in de Eurostar. Ik zal er onderweg over nadenken en morgenavond vertel ik je mijn natte dromen. Ja?'

'Nee. Wacht. Geef me één betere reden om een kerel te mollen. Anders lig ik de hele nacht te piekeren en ik heb al een paar weken bijna niet geslapen.'

'Eén voorbeeld. Ik zou een vent eigenhandig wurgen, of zelfs een boor door zijn kop rammen, als ik ontdekte dat hij me alleen maar verleidde om me als koopwaar te gebruiken.'

'Iets wat Valcke deed.'

'Wat?'

'Vrouwen lijmen en daarna verpatsen aan vrienden en kennissen. Dat beweerde Gerda toch.'

'Denk daar dan maar eens over na,' zuchtte Estelle. 'En verder wens ik je nog een goede, rustige nacht toe.'

Om kwart voor twaalf viel Geo Joosten in slaap. Om middernacht floepte in zijn droom een videoscherm aan, waarop een grote Valckefilm werd getoond.

Met Ry Cooders soundtrack uit *Paris, Texas* op de achtergrond schudde de kunstenaar te midden van een posse kunsthandelaars en cultuurdirecteuren de handen van zijn gasten en drukte hij zoentjes op wangen van melancholische dames uit alle sociale standen.

Wiegend op tonen van negentiende-eeuwse schlagers, vertolkt door de Fischer Chöre, bestegen eminente experts een spreekgestoelte om de lof van de kunstenaar te zingen, maar daar lette Geo niet op. Hij had een en al oog voor wat er zich achter en voor het podium afspeelde.

Vips lieten hun voeten meedeinen op hoempatonen. Valcke walste van de ene blote floezie naar de andere, tot een balletmeesteres tussenbeide kwam en hem voor zich alleen opeiste. De floezies en de leden van de posse hosten in een polonaise rond het paar. De balletmeesteres drukte de kunstenaar tegen zich aan en wreef driftig met haar hand tussen zijn benen.

Vuurwerk! Trompetten! Spotlights. Schel licht, pal in Geo's ogen. Een lachsalvo. Hij schermde het licht af met zijn handen en ontdekte dat hij op een podium stond en dat Valckes gezelschap hem aanstaarde. Hij keek naar beneden en stelde vast dat hij geen broek aanhad.

Met een gil schoot hij wakker. Het was halfeen. De lakens die de werkster de vorige ochtend had ververst, waren kletsnat. Zweet stroomde in straaltjes over zijn borstkas en buik. Hij had het gevoel dat zijn navel een kikkervijvertje was.

Hij nam een lauwe douche en daarna voelde hij zich fris en monter alsof hij de hele nacht geslapen had. Hij stak de cd met Valcke-foto's in zijn laptop en overliep nog eens de beelden. Om de moordenares recht in de ogen te kijken. Wie ze ook was.

Om vier uur viel hij in slaap met zijn hoofd naast de computer. Om zeven uur werd hij wakker van de kou, minuten voordat in de slaapkamer de wekker rinkelde.

'Godverdomme,' zei hij toen na een muisklik het scherm weer tot leven kwam en de floezies naar hem pisten. Het was een heel artistiek beeld, in tegenlicht, de late zon liet de pisstralen van goudgeel tot brons verkleuren.

'Godverdomme. Kunst,' vloekte Geo Joosten.

12.30 uur. Provinciehuis Hasselt. Tweejaarlijkse Poëzieprijs voor ambtenaren. Uitgereikt door minister van Cultuur Eddy Van de Bulpaep.

De Tweejaarlijkse Poëzieprijs voor beambten van Staat, Gewest, Provincie en Gemeenten, een initiatief van bestendig afgevaardigde Paul Vandenborre stond in kleine lettertjes op de uitnodiging.

Voor één keer deed Geo Joosten mee aan het spelletje 'tik een minister aan'. In plaats van de excellentie alleen maar te fotograferen, stelde hij zichzelf voor. Tot zijn verbazing was dat niet nodig, want Van de Bulpaep leek hem te kennen. Sterker nog, de minister vroeg op een toon van oprechte verwondering:

'Moest je niet in Londen zijn, mijnheer Joosten? Als ik goed geïnformeerd ben, spelen je foto's een hoofdrol in de grote Valcke-show.'

'Ik ben niet uitgenodigd,' antwoordde Geo. 'Ik ben er niet rouwig om, want zo een grote kunstenaar ben ik ook weer niet.'

De minister lachte om het flauwe grapje en met de stoute bek die de kwaliteitskranten hem toedichtten, zei hij:

'Dat was Valcke ook niet.'

'Je ambtenaren en raadgevers denken daar wel anders over,' grinnikte Joosten.

Een kabinetsmedewerker trok een pijnlijk gezicht en probeerde de minister discreet te waarschuwen dat het gesprek een gevaarlijke richting uitging, maar Van de Bulpaep negeerde hem.

'Waarom zouden mijn mensen er anders over denken?' vroeg hij.

'Ze hebben hem een paar jaar lang flink gesteund.'

'Verleden tijd. Dit jaar zou hij niets meer gekregen hebben.'

'Dat heb ik ook gehoord. Waarom?'

'*Off the record?* Ik weet het niet. Ik had het aan Steve Verbist moeten vragen. Zelfs een minister kan niet alles weten. Al weigeren journalisten dat te geloven.'

'Is het niet ironisch?' vroeg Geo. 'Net wanneer de experts van het Vlaamse ministerie van Cultuur beslissen dat Valcke hun steun niet langer waard is, breekt hij internationaal door.'

'Ach... Doorbreken?' mompelde de minister. 'Is een schandaalsucces wel een doorbraak?'

'Als je er zo over denkt, ben ik blij dat ik niet in Londen ben.'

Van de Bulpaep lachte luid, maar zijn ogen seinden de kabinetsmedewerker dat het pijnlijke onderwerp afgesloten was. Geo haalde nog snel uit voor een laatste plaagstootje.

'In elk geval verkondigen Piet Vanden Bulcke en Frits Franken vandaag in Londen de glorie van Vlaanderen,' zei hij. 'Daar zul je als minister wel geen bezwaar tegen maken?'

De minister grijnsde en nam afscheid met een slap handgebaar. Geo voelde zich uiterst tevreden en opgelucht.

Sms van Estelle aan Geo: 'Nul bloot in Londen.'

Sms van Estelle aan Geo: 'Foto's groot succes.'

Sms van Estelle aan Geo: 'FF haat je.'

Sms van Estelle aan Geo: 'VDB prijst je kunst.'

Sms van Estelle aan Geo: 'VDB noemt je een klootzak.'

Sms van Estelle aan Geo: 'Doek verkocht voor 13.000 euro.'

Sms van Estelle aan Geo: 'Petra noemt je een persmuskiet.'

Sms van Geo aan Estelle: 'Vanavond wel?'

Sms van Estelle aan Geo: 'O.k. 22 u., of later, moet nog stuk schrijven.'

Estelle schreef haar verhaal in de Eurostar. Een fluitje van een cent. Werken kon verrassend eenvoudig zijn voor een reporter Kunst&Lifestyle bij AQS.

Korte zinnen, kreten, slogans, meer hoefde ze niet te verzinnen. Zelfs een bonobo kon de journalistieke formule van AQS onder de knie krijgen. Zolang hij maar niet te ambitieus was.

Openingszin: 'Kunst uit Vlaanderen staat weer vooraan op de internationale bühne'.

En verder: schilderijen, mobielen, plastieken, sculpturen, installaties, opsomming, de lezer de indruk geven dat hij heel veel zou vernemen als hij zichzelf kon dwingen tot het bittere einde door te lezen.

Human interest. Kurt Valcke. Tragische dood. Onopgeloste moord. Artistieke geweldenaar, die van zijn hele leven één grote performance had gemaakt.

Aan de vooravond van zijn dood, laatste vernissage. Ruraal kunst- en cultuurcentrum, dat internationaal aandacht krijgt voor frisse, moderne benadering.

Estelle feliciteerde zichzelf omdat ze dat item op die plaats in haar tekst kon wurmen. Een knipoog naar commercieel belangrijke klanten werd altijd geapprecieerd. Ze deed er nog een schep bovenop en wijdde een paragraafje aan Vanden Bulcke. De mecenas, de zakenman, de kenner.

Terug naar Londen. Een dvd met werk en biografie van de kunstenaar, herinneringen uitgedrukt in beelden van persfotograaf Geo Joosten. Ontroerend. Valckes performancekunst voor eeuwig vastgelegd. Uniek. Bewonderenswaardig concept.

En dan het klapstuk. Prijzen. De lezer wilde weten wat kunst kost. Dromen dat ook hij zich ooit een onbetaalbaar doek zou kunnen veroorloven.

Goed gevoel voor de nieuwe Vlaamse chauvinist als slot: nieuwe formule om kunst aan de man te brengen. Succes. Euro's. Beloning voor Vlaams privé-initiatief, geworteld in gedurfde cultuurpolitiek van Vlaamse Overheid.

Getekend: Este D.

De sneltrein begon af te remmen. De bocht rond Tubeke. Nog een paar minuten tot het Zuidstation. Estelle klapte de laptop dicht. Straks op de redactie nog even nalezen. Ze zou ruimschoots op tijd thuiskomen.

Piet Vanden Bulcke kwam bij haar zitten.

'Welke verrassing zal ik woensdag in AQS lezen?' vroeg hij.

Estelle deed afstandelijk, zoals het een echte professional betaamde.

'Ach, het gewone verslag. Succesverhaal in Londen. Nieuw, modern concept. Vlaamse kunst die het maakt in het buitenland dankzij privé-initiatief.'

'Dat klinkt goed. Ik had trouwens niet anders van je verwacht. Een paar dagen geleden heb ik nog tegen Peter Vandenbroucke gezegd dat ik je werk zeer apprecieer.'

Pieviediebie, zoals hij op zijn redacties genoemd werd, was uitgever van AQS en van tonnen ander bedrukt papier.

'Hij zal het graag gehoord hebben,' glimlachte Estelle.

'Inderdaad!' riep Vanden Bulcke. 'Hij hoorde het zelfs heel graag. Hij kent trouwens je werk. Leest het elke week, zei hij.'

'Dat is pas een mooi compliment.'

'Zou ik denken. Niet dat we samen zaten om over jouw stukken te spreken. Jammer genoeg niet. Het was helaas weer tijd om contracten te vernieuwen. AQS begint wel verdomd duur te worden om te adverteren.'

'De prijs van de kwaliteit,' plaagde Estelle.

'Noemen jullie het zo?' lachte Vanden Bulcke. 'In elk geval, gefeliciteerd. Ik zal je stuk met plezier lezen. Staan er goede foto's bij?'

'Er was iemand van Photo News. Een agentschap. We zullen hun foto's gebruiken.'

'Foto's? In het meervoud? Hoeveel bladzijden zul je vullen?'

'Twee.'

Vanden Bulcke straalde. Hij legde vertrouwelijk zijn hand op haar voorarm en hield zijn hoofd schuin om in haar oor te fluisteren.

'Estelle. Als ik ooit iets voor je kan doen. Op kunstgebied. Een goed woordje of zo. Aarzel nooit. Je hebt mijn nummer toch? Ach, natuurlijk heb je dat. Anders bel je maar naar het hoofdkantoor. Die schakelen je zo door. Jou toch. Ja?'

Hij stond op. De trein helde over in de bocht. Vanden Bulcke moest zich aan de leuning achter Estelle vasthouden, en terwijl hij met de wagon meeschommelde, zei hij, alsof het nu pas door zijn hoofd geschoten was:

'Ik weet niet hoe je verhouding is met die ex-man van je. Joosten. Dat zijn mijn zaken ook niet, maar je zou toch eens met hem moeten praten. Als het kan. Hij kraamt een hoop onzin uit. Hij heeft nog maar pas Wies Wellens geterroriseerd met een platte roddel over Valcke en over subsidies en over de moord en de hemel mag weten waarover nog. Je reinste vuilspuiterij. Hij zou beter moeten weten. Wat hij nu doet, is heel slecht voor zijn reputatie.'

'Als ik hem tegenkom, zal ik er een woordje over laten vallen,' loog Estelle.

‘Prima! En hou het goede werk vol. Als we iets willen maken van de nieuwe Vlaamse kunst, moeten we allemaal aan hetzelfde zeel trekken.’

De sneltrein begon weer vaart te maken in de laatste rechte lijn naar Brussel. Frits Franken sjokte met een zware tas naar de deur. Hij bleef bij Estelle staan.

‘Mijnheer Vanden Bulcke zegt dat je een groot stuk over ons hebt geschreven?’

‘Twee bladzijden. Zoals me gevraagd is.’

‘Mooi. De concurrentie zal blozen. En daar doen we het toch voor?’

De concurrentie? Estelle wist niet of hij sprak als journalist – zoals hij zich soms voordeed – of als kunstsjacheraar. Ze staarde hem vragend aan.

‘Het Vlaamse kunsthandeltje is een provinciaal rattennest,’ zei hij. ‘Geen visie. Provinciaal. Kliekjesgeest. Zonder een visionair als Piet Vanden Bulcke stonden we nergens, nietwaar?’

‘Net wat ik in mijn stuk heb geschreven.’

‘Mooi. Ik zal het met plezier lezen. Trouwens, ik zat me al een tijd af te vragen of je geen zin had om ook buiten AQS wat te presteren. Een verstandige, mooie vrouw als jij. Je zou het prima doen op een podium. Persoonlijkheid. Een scherp verstand. Een spitse pen. Je zou het echt niet slecht doen. Denk er eens over na en kom eventueel eens praten. Ja?’

‘Bedankt.’

‘Tot later. Ik loop alvast voorop, want met die zware tas wil ik niet tussen het volk gevangen raken...’

‘Tot ziens.’

Sms van Estelle aan Geo: ‘VDB en FF hebben me liefde verklaard.’

Sms van Geo aan Estelle: ‘Denk aan lot floezies. Frituur?’

Sms van Estelle aan Geo: ‘Lasagne in koelkast.’

12.
Een gerust geweten

Estelle spoelde de klefheid van Eurostar en Londen weg met een lange, lauwe douche. Om Geo's hormonen te sparen trok ze een authentieke, enkellange Japanse kimono in vederlichte zijde aan. Zedig als een ursulinenhabijt. En toch even klassiek sensueel als de pluimen in het gat van een danseres van de Moulin Rouge, voor het geval ze hem toch nog wilde jennen. Ze dekte de tafel met een gesteven kleed, haar beste bestek, geurige kaarsen. Ze schoof een uur of drie vrolijke opera in de cd-speler.

Geo zorgde, als altijd, voor het contrast met finaal scheefgelopen sportschoenen, een uitgerafelde spijkerbroek en een vettig leren jasje over een T-shirt met een cartoon van de Simpsons.

'Een feestmaal, mevrouw?' vroeg hij terwijl hij goedkeurend het decor opnam en tersluiks ook de kimono inspecteerde op al dan niet gewilde inkijkjes.

'Mag het? Na een hele dag receptievreten en de varkenskost in de trein? Ik heb een degelijk diner verdiend.'

'Je hebt een hard leven.'

Hij slingerde zijn jasje in een hoek. Het bleef rechtop staan tegen de muur. Estelle noteerde dat er deze keer geen gaten in zijn T-shirt zaten, maar een los draadje onder zijn linkeroksel liet vermoeden dat ook dat niet lang meer zou duren.

'Een slok uit Navarra?' vroeg ze.

'Ik zeg niet nee.'

'Je hebt een betere smaak op het gebied van wijn dan van kleren.'

'Wat scheelt er nu weer aan?'

'Alles. Alles wat je om je lijf hebt, is versleten.'

'Ach... Als het maar gemakkelijk zit.'

'Je bent hopeloos.'

Hij haalde zijn schouders op en proefde gulzig van de wijn, smakte met zijn lippen en rolde met zijn ogen alsof hij de hemel wilde danken.

'Soms droom ik ervan clochard te worden. Kan ik elke dag liters opperbeste wijn drinken,' zei hij.

'Clochards drinken foezel. Ze kunnen zich geen opperbeste wijn veroorloven.'

'Tja, elk beroep heeft zo zijn nare kanten. Dat van jou dwingt je hele dagen door te brengen tussen eminente oenen.'

'Ah! Dat doet me eraan denken! Vanden Bulcke heeft me gesmeekt je wat in te tomen. Hij leek behoorlijk in zijn wiek geschoten door je babbel met Wies Wellens. Vuilspuiterij, dat woord gebruikte hij!'

'Echt? Het moet hem wel vreselijk hoog zitten wanneer hij nu ook al mijn ex inschakelt om me te bekeren!'

'Reken maar dat het hem hoog zit. Hij heeft er blijkbaar veel voor over om zich van mijn diensten te verzekeren. Hij stelde poeslief voor dat ik hem zou bellen als ik met een probleem zit. Hij heeft me zelfs gezegd dat hij complimentjes over mij in het oor van onze Pieviediebie gefluisterd heeft. En daarna kwam Franken nog opdraven om me leuke schnabbels aan te bieden. Ik hoef maar met mijn vingers te knippen en ik mag spreken op vernissages en zo. Tegen betaling!'

'Proficiat. Zul je het doen?'

'Zo nu en dan een mooie jurk aantrekken om een aangepaste versie van een stuk uit AQS te declameren? Gul betaald. Zou jij het afwijzen?'

'Wil je mijn eerlijke antwoord? Ik zou "ja" zeggen. Elke cent die je van die kerels afpakt, is er een die zij niet meer kunnen gebruiken voor hun deugnieterij. En jij kunt elk extraatje goed gebruiken. Je hoeft er geen slecht geweten aan over te houden. Je hoeft geen komedie te spelen. Je blijft gewoon wie je bent. De kunstmadam van AQS.'

'Kunstmadam? Wil je me beledigen?'

'Nee. Ik zeg het alleen maar zoals het is,' lachte hij.

'Kletskoek. Je krijgt schuim op je lippen als je het woord kunst uitspreekt,' mopperde Estelle.

'Je vergist je, geachte kunstmadam. Ik schuimbek wanneer ik denk aan de maniakken, afzetters, charlatans, bedriegers, oplichters die zich achter dat kunstgedoe verschuilen.'

'Gaan we ruzie maken?'

'Wie is begonnen?'

'Ik niet! En je reageert echt als een maniak. Ik snap nog altijd niet dat je je foto's wilde verkopen als onderdeel van een kunstwerk! En dan nog aan die charlatans, zoals je ze noemt!'

'Raak. Maar denk niet dat ik er spijt van heb. Ik verkocht uiteindelijk toch maar foto's die ik volgende maand zelfs niet meer aan de straatstenen kwijt kan. Voor een waanzinnig bedrag. Geen kunst met een grote K, maar cash met een kapitale C.'

'Joosten!' beet Estelle hem toe. 'Besef je dat je in principe geen haar beter bent dan Vanden Bulcke en zijn troep?'

'Ho, ho! Wacht even! Principes! Ho! Ik handel niet in principes zoals die troep rond De Glorie van Vlaanderen! Ik kom er vierkant voor uit dat ik die foto's verkocht heb omwille van de lieve centen. Gewone nieuwsfoto's. Geen gezeik over kunst! En ten tweede, en dat is het grootste verschil, ik licht de belastingbetaler niet op. Mijn geld komt niet uit de staatskas, maar uit de zwarte kas van Vanden Bulcke.'

'En hoeveel geld van de Staat steekt daarin?' snauwde Estelle.

Ze trok de kimono vaster om haar lichaam, alsof ze het koud had gekregen.

'Nu je toch op de eerlijke toer bent,' sneerde ze, 'waarom beken je niet dat ik Frankens voorstel moest aannemen omdat je vindt dat ik bij zijn troep hoor?'

'Waarom vraag je dat aan mij? Weet je het dan zelf niet? Wel? Hoor je erbij?'

Estelle rilde. Ze zag er moe uit.

'Wel?' drong Joosten aan.

'Ik vind van niet,' antwoordde ze. 'Ik voel het zo niet aan.'

Hij klopte bemoedigend op haar schouder.

'Mooi. Net wat ik erover denk, meisje,' stelde hij haar gerust. 'Ondanks alles hoor je niet bij de bende. Niet meer. Is dat niet geweldig?'

'En toch kan ik me volgens jou rustig door Vanden Bulcke laten betalen?'

'Waarom niet? Niet iedereen is dapper genoeg om "foert" te roepen. Laat die vetzak dus maar keihard afdokken omdat jij niet dapper kunt zijn.'

'Eigenlijk wil je dat ik me erbij neerleg dat ik een geletterde hoer ben.'

'Natuurlijk! Je bent toch een Vlaamse journaliste?'

'En jij bent een cynisch varken.'

'Dat zeg je alleen maar omdat je diep in je binnenste nog altijd van me houdt.'

'Als dat waar was, haalde ik een slagersmes over je strot. En daarna over de mijne.'

'Pak dat mes dan maar.'

'Is er dan niets waarin je gelooft, Joosten?'

'Waarheid. Eerlijkheid. Oprechtheid.'

'Smeerlap. Je lacht me uit.'

'Je vergist je. Ik geloof in grote waarden, maar niet in grote woorden. Punt. Geen pretenties. Ik ben graag eerlijk tegenover mezelf. En jij wilt eigenlijk ook, diep in je binnenste, een simpele, eerlijke boerentrien zijn. Zoals je destijds was, toen je bij me introk.'

'Ik bij jou ingetrokken? Andersom, zul je bedoelen?'

'Zoals je wilt. Perceptie. Discussie zinloos.'

Estelle voelde boosheid opkomen, maar hield zich in. Ze wilde zich niet laten uitdagen. Zeker nu niet, na het eerste ernstige gesprek dat Joosten met haar gevoerd had. Het eerste in vele jaren.

'We kunnen eten,' zei ze.

'Het werd tijd.'

De diepvrieslasagne uit de Aldi was verrassend lekker. Ze hadden allebei zoveel trek dat ze geen tijd meer verloren met gepraat. Pas na de tweede reuzenportie begon Estelle over Londen.

'Het was een leerrijke trip.'

'Ik heb je berichtjes gelezen. Intrigerend. Wat bedoelde je met "nul bloot"?'

'Dat er geen floezies waren. Niets gewaagds. Op een uitzondering na, waren zelfs alle te blote beelden uit je fotoreeks geschrapt. Op de dvd kan de koper de plasfoto's alleen bekijken via een persoonlijk, geheim password.'

'Een goed idee,' vond Geo. 'Maakt de zaak nog spannender. Wie heeft daaraan gedacht? Franken?'

'Mm. Misschien. Hij heeft het hele zaakje samengesteld. Geregisseerd, noemde hij het op de persconferentie. Blijkbaar heeft hij ook alle teksten geschreven. In het Engels. Een prestatie, zoveel tekst, in zo korte tijd.'

'Vind je? Voor iemand die zo oeverloos kan kletsen?'

'Mm.'

'Wat betekent die "mm"? Dat je het met me eens bent?' grijnsde Geo.

'Nee... Ik vraag me af... Aanvankelijk was er toch sprake van dat anderen aan de dvd zouden meewerken? Heb jij me dat verteld? Of was het Piet De Deken?'

'Daar vraag je me wat. Is het belangrijk? Als je het echt weten wilt, vind ik het wel terug in mijn notities.'

'Notities? Hou je tegenwoordig een dagboek bij?'

'Ben je helemaal betoeterd? Ik schrijf gewoon wat op, maar in plaats van de papiertjes meteen weg te gooien bewaar ik ze in een sigarenkistje. Mijn archief. Had je niet verwacht, hè?'

'Ik zal helemaal onder de indruk zijn als je er ook nog in slaagt iets terug te vinden in je archief.'

'Test me.'

'Liever niet.'

Hij vulde de glazen, terwijl zij het toetje uit de koelkast haalde. Rijstpap van Olympia. Puur voor haar, met een schep blonde cassonade voor hem. Estelle was Geo's zoete zonden nog niet vergeten.

Terwijl hij de suiker door de pap roerde, knipte ze haar laptop aan. Het scherm kleurde oranje, grijze letters doken op uit de achtergrond, eerst in een onleesbare verwarring, dan flitsten ze over en weer, tot ze na veel gedoe AQS EDITORIAL SYSTEMS vormden. Het meervoud sloeg nergens op, want AQS bezat slechts één redactioneel productiesysteem. En dat was niet eens speciaal voor AQS ontwikkeld, maar een standaardproduct, dat duizenden andere redacties en drukkers gebruikten. Imago. Perceptie.

Estelle stak de Valcke-dvd in de lezer.

'Kijk. Het meesterwerk.'

'Deelt Vanden Bulcke zijn dvd's zomaar uit? Dat is sterk! Ik heb nog geen exemplaar en ik heb er volgens het contract recht op!' riep Geo verontwaardigd.

'Kalm maar. Alle journalisten hebben in Londen alleen maar een minischijfje gekregen. Een trailer. Dit is de volledige dvd. Ik heb hem gejat.'

'Gejat? Jij? Durfde je dat?'

Estelle monkelde. Was Geo's verbazing een teken dat ze op de goede weg zat voor een nieuwe, misschien toch niet onbereikbare rol? Die van harde onderzoeksjournaliste?

'Petra Van den Boom had dit exemplaar laten slingeren,' grijnsde ze. 'Ik heb het maar in mijn laptop gestoken. Zo zou jij het toch ook doen?'

'Natuurlijk.'

'Wel? Wat vind je ervan?'

'Goed gewerkt, meisje.'

'Een complimentje. Dat wilde ik horen.'

Ronkende titels vulden het scherm, begeleid door klavecimbelmuziek. Toen dook een portret van Valckes hoofd op, geforceerd kunstzinnig in zwart en wit. Het verdween abrupt en maakte plaats voor de kleurige afbeelding van een schilderij. En dat verdween in een storm van lettertjes, een ware tekstlawine, scherm na scherm na scherm met woorden van Franken.

Geo vond het gedoe even saai als een lezing met dia's in de parochiezaal. De dvd was duidelijk geproduceerd door iemand die absoluut niet wist hoe hij met het nieuwe medium moest omgaan. Franken, dus.

Estelle klikte snel door. Weer een portret. Tekst. Nog een schilderij, gevolgd door nog meer tekst. En nog maar eens een portret van Valcke, teksten, afbeeldingen van sculpturen. Geo en Estelle geeuwden tegelijk.

'Wat hebben ze met mijn foto's gedaan?' vroeg hij.
'Hou je vast!'
'Is het zo slecht?'
Het fragment van Joostens fotoreportage begon met een gifgroen scherm, waarop plots enorme, van bloed druipende letters verschenen in de stijl van een griezelfilmaffiche. Geo kreunde.
OUR MOTHER'S BLOOD gilde de affiche. Estelle klikte op 'next'. Foto's schoven over het scherm zonder orde, structuur of verklaring. Ze gleden over elkaar heen, vloeiden in elkaar over, vielen in stukken uit elkaar. Losse fragmenten werden nu eens schermgroot opgeblazen, dan weer ordeloos door elkaar geklutst tot zelfs Geo de tel kwijtraakte.
'Is dat nu kunst?' zuchtte hij.
'In Londen reageerden de kenners alvast enthousiast,' zei Estelle.
'Je antwoordt niet op mijn vraag. Moet ik dit kunst vinden? Of mag ik het stuntelig geknutsel noemen?'
Haar bij AQS gefokte instinct dwong Estelle hem tegen te spreken. Ook al vond ze dat Geo best gelijk had.
'Je bekijkt het te veel met het oog van een technicus,' zei ze. 'Kunst mag een loopje nemen met de techniek.'
'Je hoeft dus niets te kunnen om kunst te produceren? Vakmanschap...'
'Het gaat erom schoonheid te scheppen,' onderbrak Estelle hem. 'Kunst is emoties wekken. Ideeën stimuleren. Dat is wat anders dan afgelikte reclamebeelden voortbrengen, wat jij waarschijnlijk als technisch perfecte kunst beschouwt.'
'Shit.'
'Zoals je wilt...' knorde ze verongelijkt en ze klikte het volgende scherm aan.
'Nee! Wacht!' riep Geo. 'Haal die laatste foto terug!'
Het was een fragment uit een beeld dat hij geschoten had tijdens de toespraak van Franken. Routine. Dingen die hij knipte om de tijd te doden. Een gewoonte die hij aangeleerd had sinds hij met digitale camera's werkte en hij geen rekening meer hoefde te houden met dure, verspilde negatieven.

De originele, onbewerkte, onverknipte foto had hij al honderd keer bekeken zonder dat hem iets speciaals opgevallen was. Het was een saai beeld met uiterst links Franken op het spreekgestoelte en de troep lijkbidders bijna in het midden van de compositie. Rechts zaten de vips op stoeltjes en het mindere volk vormde de achtergrond. Helemaal op de rand van het beeld, enigszins wazig tegen een bakstenen muur, waren vaag twee vrouwenhoofden te onderscheiden.

Franken had om hoogst onduidelijke redenen de banale foto in tientallen stukjes gehakt en elk fragmentje tot schermgrootte opgeblazen. Hij met de kunstenaar. Hij en de ambtenaar. Hij en het publiek. Individuele gezichten. Purper gekleurd. Blauw. Roze. Zwart en wit.

Een fragment toonde de wazige vrouwen in zwart en wit, zodanig buiten alle proporties opgeblazen dat ze haast niet meer als menselijke vormen herkenbaar waren.

'Zie jij wat ik zie?' vroeg Geo.

'Vrouwen?' aarzelde Estelle.

'En wat doen ze?'

Ze staarde naar de schimmen.

'Vrouwen... Hoofden... Wat ze doen? Ik zou het niet weten,' mompelde ze.

Geo riep een menu op waarvan Estelle niet eens wist dat het in haar pc verborgen zat. Hij tokkelde op toetsen om het contrast bij te stellen. Egaal grijs veranderde in bijna zwart en wit.

'Het zijn vrouwen die elkaar een kus geven, zou ik zeggen,' probeerde Estelle.

'Herken je ze?'

'Nee. Jij?'

'Klik terug naar het eerste beeld. Het origineel in kleur.'

Estelle gehoorzaamde. Geo boog zich over het scherm en gromde:

'Volgens mij zijn het Van den Boom en de Boisy. En dat is geen gewone kus. Die twee draaien elkaar een tongetje.'

'Je fantaseert. Ik zie niet meer dan een vlek...'

'Wacht.'

Hij haalde zijn eigen iMac uit de Defender, met de cd waarop hij de foto's van Valckes receptie had gekopieerd. Het duurde even voor hij het gewenste beeld had gevonden.

'Is dat het archief waar je zo trots op bent?' spotte Estelle.

'Wacht maar. Ik vind altijd wat ik zoek. Systeem.'

'Welk systeem?'

'Niets weggooien wat je ooit nog kunt gebruiken.'

Het scherm van de Mac was stukken helderder dan dat van de AQS-pc. Ook de kwaliteit van de originele foto bleek stukken beter dan die van de kopie. Joosten mopperde over het knoeiwerk op Frankens dvd. Hij vergrootte het fragment met de twee vrouwen. Estelle leunde over zijn schouder, haar adem warm in zijn oor.

'Je zou gelijk kunnen hebben,' fluisterde ze, nadat Geo het kussende duo maximaal had uitvergroot. 'Dat lijken me inderdaad Van den Boom en de Boisy...'

De gezichten bleven vaag, maar het was duidelijk dat er zich iets tussen de twee monden bevond. Tongen. Tenzij de dames een snoepje van mond tot mond doorgaven.

Geo opende een nieuwe elektronische trukendoos om het beeld van de zoenende vrouwen scherper te stellen. Vergeefse moeite. Hij bracht de oorspronkelijke foto weer te voorschijn en tikte op Valcke en Verbist.

'Moet je dat duo zien,' zei hij. 'Waar ze naar kijken.'

'Naar de twee potten.'

'Inderdaad,' zei Geo. 'Ze hebben het in de gaten. Lady Lederland en madame la baronne die elkaar een tong draaien, terwijl de heren toekijken.'

'En die heren zijn daar niet gelukkig mee,' voegde hij eraan toe nadat hij het detail met de mannen maximaal had uitvergroot.

'Dat verbaast me,' meende Estelle. 'Valcke en Verbist waren toch gewend aan dit soort seksspelletjes?'

'Inderdaad,' mompelde Geo en hij liet de cursor over de inhoudstafel van de iMac lopen. 'Maar de foto liegt niet. Blijft dus de vraag waarom die pooiers zo ongelukkig kijken als hoeren uit hun stal elkaar aan het aflikken zijn.'

Hij had gevonden wat hij zocht. De foto die volgde op de tongkus. Hij had zijn camera een paar graden naar rechts gedraaid. Frankens gezicht was verdwenen, maar de vrouwenhoofden waren iets minder onscherp. Een klein beetje beter herkenbaar. Maar ook een beetje minder dicht bij elkaar.

'Ze zijn het,' zuchtte Estelle.

Ze boog zich naar het scherm en wreef ongewild met haar linkerborst langs Geo's bovenarm terwijl haar wang bijna de zijne raakte. Hij bracht zijn hand naar het klavier, zijn wang schuurde langs de hare. Niet echt ongewild. Hij vergrootte het detail met de hoofden van Van den Boom en de Boisy, maar zijn aandacht was meer bij wat zijn wang voelde dan bij wat hij op het scherm zag.

'Ze zijn het zeker,' herhaalde hij. 'Twijfel uitgesloten, maar hamvraag niet beantwoord.'

Estelle liet hem de rest van de dvd zien. Om de plasfoto's te openen, eiste de machine een geheim password.

'Jammer dat je de code niet kent,' zei Geo.

Met een brede grijns om haar mond tikte Estelle KURT.

'Verdomme!' riep Geo. 'Hoe kom je daaraan?'

'Petra Lederland had het op de hoes geschreven. Waarschijnlijk was ze bang zo een moeilijk woord te vergeten,' lachte Estelle.

'De Vlaamse primitieven zijn nog lang niet dood,' gromde Geo boosaardig.

Frits Franken had geen moeite gedaan om de plasfoto's een artistiek tintje te geven. Hij had zich blijkbaar veilig gevoeld achter de wal van het password en bood zijn klanten wat ze boven alles verlangden. Foto's van naakte vrouwen met gespreide benen op melkkrukjes, foto's van naakte, pissende vrouwen in een weide en een foto van een over die vrouwen heen zeikende man.

'En jij vond dat kunst,' knorde Joosten.

Estelle zette de pc uit. Zonder commentaar.

'Heb je al gezien hoe laat het is?' vroeg ze. 'Halftwee!'

'Nog een glaasje voor het slapengaan?' vroeg Geo.

Estelle kneep haar ogen tot spleetjes. Meende hij het of maakte hij een grapje? Voor ze iets kon zeggen, nam hij haar twijfels weg.

'Ik stel voor dat we samen nog een flesje kraken,' lachte hij. 'Dan ben ik te zat om te rijden...'

'Vergeet het maar, vriendje! Scheer je weg. Probeer maar heelhuids in Borgloon te raken nu je het nog kunt. En maak dat je morgenvroeg op tijd uit je nest kruipt om foto's te maken van alle Zuid-Limburgse jubilarissen die op je zitten te wachten.'

'O.k. Maar hou er rekening mee dat mijn eerste reportage morgen geen gouden bruiloft is, maar een begrafenis. Van Gerda Vanspauwen en haar man.'

'Het spijt me. Ik wilde niet... Ik wist niet...'

'Geeft niet, meisje.'

Estelle stond in de deuropening toen hij wegging. Ze draaide haar wang naar hem toe voor een afscheidszoen. Geo slaagde erin met de rug van zijn hand over een borst te wrijven. Hij voelde een harde tepel onder de kimonozijde.

'Soms moet je tevreden zijn met kleine dingen,' zuchtte hij toen hij in de lift stapte.

Er brandde nog licht bij Piet Schraepen. Kwart voor drie. Het enige nog verlichte raam in het dorp Borgloon, dat zich zo graag een stad noemde. Sliep die kerel dan nooit? Geo tikte met zijn autosleutel tegen het vensterglas. De verslaggever deed open in pyjama.

'Wie is er dood?' vroeg hij.

'Waar is het lijk?' antwoordde Geo.

Een ongepaste grap, want Schraepen antwoordde meteen met echte doden. Zoals van hem verwacht kon worden.

'Niet één, maar twee lijken,' zei hij. 'Een frontale botsing in Bilzen. Een Marokkaan van negentien tegen een Turk van twintig. Ook nog een viertal gewonden. Limburgers onder elkaar, het zal morgen wel alleen maar in het streeknieuws staan.'

In zijn rommelige werkkamer kraakten en krasten vier radioscanners tegelijk. Schraepen had de verboden tuigen gemonteerd op een paneel dat hij met één handbeweging omhoog kon laten kantelen, zodat het een deel van de lambrizering leek. De beweging sloot meteen de stroom af om te vermijden dat ongewenst bezoek de politie- en brandweerradio's hoorde. Schraepen hoopte dat de truc goed genoeg was om een serieuze huiszoeking te doorstaan.

'Trek in een witte?' stelde hij voor.

'Eén. Ik moet eigenlijk naar bed.'

Schraepen vulde twee grote borrelglazen met sterke, oude Smeets. Ze hieven het glas, een toost zonder woorden, en kiepten de bijtende drank in één geut naar binnen.

'Nog iets gehoord van de zaak-Valcke? Of van de kamermeid?' vroeg Geo.

'Van de Besien heeft tot nog toe een man of dertig laten ondervragen over de dubbele moord. Zonder gevolg. Voor zover ik weet. En wat de schilder betreft... Noppes. Liesens schijnt wanhopig te worden, omdat haar mensen werkelijk geen enkel spoor vinden. Overigens, voor je weer kwaad wordt, ze wist alles van de vrachtwagen die de nacht van de moord tegenover het huis van Valcke stond. Een buurman van de schilder schijnt het haar verteld te hebben.'

'En?'

'Verder niets. Geen beschrijving, geen nadere gegevens, niets.'

Geo zuchtte. Hij maakte aanstalten om naar huis te gaan, toen Schraepen zei: 'Ludwig Frenssen heeft een theorie over die vrachtwagen.'

'De zonechef? De hoofdcommissaris. Of hoe heet dat tegenwoordig?'

'Hoofdcommissaris Frenssen. Spreek hem zo aan, anders bijt hij je neus af. Hij zegt dat hij de ochtend na de moord naar afdrukken van banden heeft gezocht. Volgens hem waren er geen sporen van een vrachtwagen bij het huis tegenover Valcke.'

'Heeft hij foto's laten maken?'

'Nee. Hij vond het niet nodig. Er waren gewoon te veel afdrukken. Elke auto die op die plek een tegenligger kruist, wijkt uit tot in de berm. Vandaar.'

'Waarom heeft hij je dat allemaal verteld?'

'Misschien omdat zijn geweten knaagt. Nu het verhaal van die vrachtwagen opgedoken is, heeft hij er natuurlijk spijt van dat hij een mogelijk spoor heeft laten uitwissen.'

Geo glimlachte bitter.

'Een geweten. Iedereen heeft het er tegenwoordig over.'

'Hij leek me wel heel zeker van zijn stuk. Geen truckspoor. Niet moeilijk om dat vast te stellen. Tenslotte laat een vrachtwagen een heel ander soort afdrukken na dan een personenwagen of een busje of een 4x4...'

'De getuige had ook geen truck gezien,' zei Geo. 'Hij had alleen een dieselmotor gehoord.'

'Een lawaaiige dieselmotor,' zuchtte Schraepen. 'Geen gemakkelijk spoor, moet je toegeven.'

'Geef ik toe. Geef ik toe. Slaap ze.'

De Gielenhof was ruim vertegenwoordigd op de zo lang uitgestelde begrafenis van Gerda en haar man. Natuurlijk waren al haar collega's er, maar ook het administratieve personeel, de programmator, het personeel van het cultuurcentrum, de zaakvoerder, zelfs Piet Vanden Bulcke.

Geo schoot zoals gewoonlijk enkele foto's voor de krant. Er zou er eentje op de nationale pagina's verschijnen en vier of vijf op de regionale. Een paar lichtjes verschillende versies voor de huis-aan-huisbladen, frontpaginanieuws, en daarnaast een hoop souvenirs voor de aanwezigen. Zelfs een familie van bescheiden omvang was al snel goed voor een foto of twintig, dertig. De Vanspauwens waren met méér.

Op weg naar de begraafplaats wenkte Armand Vanspauwen hem. De waard van De Vierweg volgde met de familieleden de lijkwagen, maar zag er blijkbaar geen bezwaar in dat de fotograaf naast hem kwam lopen.

'Kom naar de koffietafel,' fezelde hij. 'Je moet absoluut horen wat een vriendin van Gerda te weten is gekomen.'

Het vooruitzicht een paar uur te moeten doorbrengen tussen familieleden en vrienden van de overledenen zou Geo in normale omstandigheden op de vlucht hebben gedreven, maar deze ene keer gaf hij toe. Misschien wist de vriendin evenveel als Gerda. En hopelijk was ze loslippiger.

De tafels voor de begrafenislunch waren niet gedekt in De Vierweg – familie hoorde niet te verdienen aan het rouwmaal – of in De Gielenhof – begrafenissen pasten niet in het ruraal cultuur- en kunstencentrum – maar in een zaaltje van De Volksmacht in het centrum van het dorp. Het soort gelegenheden waar Geo kind aan huis was.

De vriendin van Gerda bleek Myriam te heten en alleen maar dialect te spreken. Armand legde haar uit dat Geo fotograaf was én journalist én vertrouweling van de familie. Geen woord van Myriam zou ooit in de krant komen, verzekerde hij haar. Wat voor zin het gesprek dan nog had, ontging de vrouw helemaal, net zoals Geo niet begreep waarom de waard hem boven alle mensen ter wereld vertrouwde.

'Gerda heeft me verteld dat een vrouw haar voorstellen heeft gedaan,' stak Myriam van wal. Ze bloosde bij het woord 'voorstellen'.

'Wanneer was dat?'

'Dat weet ik niet. Een tijdje geleden. Ze heeft het me verteld op dat feest, de dag voor die schilder vermoord werd.'

'Was jij daar ook?'

Myriam bloosde nog meer.

'Ja, ja, ik heb toen alles vanuit het gebouw gezien. Gerda had me voorspeld dat er spektakel zou zijn, ook al wist ze niet wat er precies op het programma stond. Wij verwachtten eigenlijk dat een of andere zanger of groep zou optreden.'

Geo grinnikte.

'Dan heb je waar voor je geld gekregen.'

'Het was een schande, mijnheer, een echte schande. Zo een smeerlapperij en dat terwijl al dat hoog volk zat te kijken. Foei.'

'Het juiste woord. Foei.'

'Wel, in elk geval, terwijl de sprekers bezig waren en die naakte vrouwen nog niet, wees Gerda me mensen aan. Beroemde mensen.

Vooral de personen die ze herkende uit het hotel. Van sommigen beweerde ze dat die alleen kwamen logeren om, wel, je snapt wat ik bedoel. Niet om te slapen. Niet?'

Myriam bloosde nog vuriger. Geo knikte maar.

'Wel, dus, toen wees ze ook twee vrouwen aan en ze vertelde me dat ze drank naar hun kamer had gebracht. Ze was met champagne naar boven gegaan, al was dat eigenlijk haar werk niet. Dat is iets voor de barman, maar die had het te druk, en dus ging zij. Toen ze de kamer binnenkwam, van binnen hadden ze geroepen dat de deur niet op slot was en dat ze mocht komen, lagen die twee vrouwen die ze me aanwees daar in bed. Helemaal bloot, dus, in elk geval. En de ene speelde met zo een ding, een vibrator, die stak tussen haar benen en ze was er zo hard mee bezig dat ze Gerda niet eens opmerkte, en de andere gebaarde dat Gerda het dienblad moest neerzetten. Toen vroeg ze of Gerda zin had om mee te spelen. Gerda wilde natuurlijk niet, ze is altijd een fatsoenlijke vrouw geweest en daarom probeerde ze meteen weer buiten te raken, maar die ene was haar te snel af. Ze sprong uit bed en ging tegen de deur staan, zodat Gerda niet naar buiten kon. Toen begon dat wijf haar te bepotelen en aan haar lippen te likken, tot Gerda haar een stoot gaf met haar elleboog en kon vluchten, dus. Ze durfde dat nooit tegen iemand te vertellen, zelfs niet tegen Bjorn. Maar op dat feest zag ze die twee wijven ineens weer samen en toen kon ze zich niet langer inhouden en verklapte ze wat haar overkomen was.'

'Straf verhaal, Myriam. Weet je ook hoe die vrouwen heetten?'

'Natuurlijk weet ik dat! Want toen Gerda me dat vertelde, was het alsof ik de grond onder mijn voeten voelde wegzakken. Twee chique madammen. Dat die zoiets vies durven te doen, dat had ik nooit kunnen vermoeden. En dat ze helemaal niet beschaamd waren! En dat ze Gerda zomaar vroegen om mee te doen! Dat ging mijn verstand te boven!'

'En hoe heetten ze?'

'De ene was die gravin, het lief van de schilder, iets met een 'de', de rest van haar naam is Frans. En de andere was de directrice van een vereniging waar mijnheer Vanden Bulcke de grote baas van is. Van den Boom, zo heet ze.'

'Twee lesbische vriendinnen,' mijmerde Geo.

'Lesbisch? Waarom doen ze het dan ook met mannen?' vroeg Myriam. 'De ene met de schilder en de andere met andere venten, dat heeft Gerda me ook gezegd.'

'Ik zou niet weten wat hen bezielt,' bekende Geo. 'Ik ben niet zo thuis in die zaken.'

De vrouw schudde haar hoofd, nog steeds even verontwaardigd als die middag op De Gielenhof. Geo hoopte dat er nog meer onthullingen zouden volgen, maar Myriam had geen verdere anekdotes meer.

'Ik ben blij dat je me het verteld hebt,' zei hij. 'Altijd goed te weten wat voor vlees je in de kuip hebt als je met die mensen moet omgaan.'

'Ik kan het nog altijd niet geloven,' herhaalde Myriam met een diepe zucht. 'Zulke chique vrouwen. Met een goede positie en met geld in overvloed. Je ziet toch dat er veel schijn in de wereld is, nietwaar?'

Geo knikte.

'Waar ik me later zo kwaad over gemaakt heb,' zei Myriam. 'Wel. Nadat Gerda en haar man doodgeschoten waren, dus. Dat zo een braaf en serieus paar moest sterven en dat die vuile wijven kunnen blijven voortdoen. Soms ben ik zo razend dat het lijkt alsof ze mijn keel dichtsnoeren en of ik pas adem zal kunnen halen als ik zo een sloerie een pak op haar bakkes heb gegeven. Dat is erg, je zo te voelen, weet je dat?'

'Ik begrijp precies wat je bedoelt.'

Myriam was niet meer te stuiten.

'Nog maar een paar dagen geleden, dus, dat moet ik toch nog vertellen. Toen zag ik die ene, de directrice, op De Gielenhof aankomen. Bruingebrand alsof ze net terug was van Tenerife. Op hoge hakjes. En met een leren rokje tot juist onder haar kont en een leren jasje dat openhing tot aan haar navel. Je had ze gemakkelijk voor een van die mannequins kunnen houden, je weet wel, die blote, die je wel eens op televisie ziet. Verdomme. Ik moet een paar maanden werken voor zo een tailleur, want die komt niet van H&M, neem dat maar van me aan.'

'En dan reed ze ook nog met een Audi-sportwagen,' zei Geo om Myriams woede nog meer aan te wakkeren, in de hoop dat ze zich uit pure boosheid of afgunst nog meer sappige details zou herinneren.

'Sportwagen? Nee! Een grijs busje was het. Met een kapotte knalpot!'

'En toen had je zin om haar de nek om te wringen.'

'Absoluut.'

'Je krijgt Gerda niet terug door een moord te plegen. Het is beter rustig te blijven, goed na te denken en je zoveel mogelijk te herinneren van wat ze je verteld heeft. Misschien heeft Gerda wel iets gezegd dat naar haar moordenaar kan leiden.'

Myriam knikte driftig van ja, maar zei: 'Dus, in elk geval, meer heeft ze me niet willen vertellen die dag. Ze zei dat ze beschaamd was dat ze in zo een bordeel moest werken. Ik heb haar direct getroost. Dat het haar schuld toch niet was dat er schunnige dingen gebeurden op De Gielenhof. Het zijn toch de bazen die dat toelaten, is het niet? Dat kun je het personeel toch niet kwalijk nemen?'

'Zo is het helemaal,' besloot Geo.

'Arme Gerda,' snikte Myriam.

13.
Pure, onverdunde Franken

Wies Wellens bleek in een Hasseltse arbeidersbuurt te wonen. Een straat met allemaal gelijke huizen uit de jaren twintig. Donkere baksteen, grijze vensterbanken. Smalle gevels met naast de voordeur nog net genoeg plaats voor een tweedelig venstertje.

Het duurde een eeuwigheid voor de kunstgoeroe reageerde op Geo's gerammel met het klepje van de brievenbus.

Wellens zag er nog altijd gehavend uit. De jaap onder zijn kin was wel dichtgegroeid, maar het zou nog een paar weken duren vooraleer het rode litteken finaal verdwenen was. Zijn onderlip, waar een paar tanden dwars doorheen waren gegaan, was zo dik dat Geo spontaan moest denken aan een floezie, die zich met silicone Congolese lippen had laten aansmeren.

'Goedemiddag.'

Wellens' groet klonk naar diepvries. Geo dwong zichzelf tot een glimlach.

'Ook een goededag,' zei hij met een brede grijns. 'Mag ik binnen?'

'Ik heb liever dat je gaat.'

De kunstgoeroe sprak alsof hij een bol ijs in zijn mond had. Bij de val had hij niet alleen in zijn lip, maar ook in zijn tong gebeten.

'Ik denk dat we moeten praten,' drong Geo aan.

'Ik hoef geen verantwoording af te leggen. Niet tegenover jou.'

'Je hebt me wel flink in de zeik gezet bij Vanden Bulcke.'

Wellens had gemakkelijk de deur kunnen dichtgooien, maar hij deed het niet. Geo klopte uitnodigend met zijn handpalm op de draagtas met de laptop.

'Mag ik binnen? Ik heb de dvd van Valcke voor je meegenomen.'

Wellens probeerde een pokerface te bewaren, maar Joosten merkte toch dat hij verrast was. Blij? Of onaangenaam? Geo wachtte. Wellens staarde van twee treden hoog naar de straat, alsof hij bang was dat verborgen belagers op een kans loerden om samen met de fotograaf naar binnen te glippen.

'Heb je hem al gezien?' vroeg Geo.

Wellens' nieuwsgierigheid was groter dan zijn angst of zijn gêne. Hij deed een stap achteruit. Geo wrong zich langs hem heen en vatte post bij de houten trap, die steil als een ladder naar de verdieping steeg. De kunstkenner sloot de deur met de sleutel en schoof er nog een grendel voor. In stilte liep hij langs de fotograaf en gaf hem een teken te volgen. Naar de veranda, veronderstelde Geo, want wie in een dergelijk huis woont, brengt zijn dag niet door in de benauwde, enge kamertjes, maar in een opgetutte serre met uitzicht op twintig vierkante meter tuin.

'Ik heb gelezen dat de dvd goed ontvangen is in Londen,' mompelde Wellens met stijve tong en dikke lip.

'Dat heb ik ook gehoord.'

'Over een paar dagen lanceren ze Kurt Valcke in Parijs,' zei Wellens. 'Ik ben benieuwd wat dat gaat geven. De Fransen reageren meestal anders dan de Engelse parvenu's.'

'Hoe komt het dat er niets van jouw hand op de schijf staat?'

Hij reageerde beheerster dan Geo had verwacht.

'Ik heb het via via moeten vernemen. Ze hadden blijkbaar niet de moed me in mijn gezicht te zeggen dat ze geen materiaal van mij opgenomen hadden.'

'En dat terwijl je in Vanden Bulckes gat bent gekropen? Ondank is inderdaad 's werelds loon...'

Wellens keek hem woest aan, maar Geo liet zich niet afschrikken.

'Je ontkent toch niet dat je mij hebt zwartgemaakt om in extremis toch nog je stukje op de dvd te redden?' vroeg hij. 'Dat je Vanden Bulcke daarom hebt wijsgemaakt dat ik roddels over hem rondstrooide?'

'Vanden Bulcke en Van den Boom hebben me in het ziekenhuis bezocht. Ik was nog suf van de anesthesie. Ik had een kater. Plus een hersenschudding. Geen wonder dat ik wartaal uitsloeg.'

'Ach, kom!' riep Geo. 'Wartaal? Ik heb zelden zo een stel overtuigende, consistente leugens gehoord!'

'Larie.'

'Zal ik je vertellen wat in er werkelijkheid gebeurd is? Je hebt in dat ziekenhuis nog maar eens gediscussieerd over de inhoud van de dvd. Een ultieme poging om Vanden Bulcke het idee uit het hoofd te praten. Toen je geen gelijk kreeg, heb je een scenario uit je duim gezogen om hem de stuipen op het lijf te jagen. Ook dat is je niet gelukt en daarop is Vanden Bulcke zo kwaad geworden dat hij je aan de deur dreigde te gooien. Om je vel te redden heb je dan maar verzonnen dat het paniekverhaal over mogelijke schandalen eigenlijk van mij kwam. Goed gevonden. Geroddel van een buitenstaander. Een journalist dan nog! Het beste bewijs dat de negatieve publiciteit al om de hoek loerde!'

Wellens reageerde niet op de uitbarsting. Geo zag dat zijn handen beefden. De sukkel had waarschijnlijk geen druppel alcohol meer aangeraakt sinds hij van de kruk was gedonderd. Ontwenningsverschijnselen.

'Hoe knap ook, je gok heeft je niet geholpen. Is het niet, Wellens?' ging Geo verder. 'De stoute Joosten kreeg dan wel de schuld, maar Franken kreeg gelijk en de arme Wellens kreeg niets. Hij mocht niet meer meespelen. Omdat hij zijn bazen tegensprak, maar vooral omdat hij tegen de vlakte was gegaan tijdens een hevige discussie met, jawel, die stoute Joosten. Een zatte discussie, waarbij de straalbezopen Wellens de journalist uitgerekend díé feiten had meegegeven die Vanden Bulcke uit de openbaarheid wilde houden.'

'Je zou romans moeten schrijven in plaats van foto's te maken.'

'Mamenneman!' riep Geo. 'Daar zou veel volk naar komen kijken!'

'Ben je daarom gekomen?' vroeg Wellens. 'Om me uit te horen over wat ik al dan niet aan Piet Vanden Bulcke heb verteld?'

'Het zal je verbazen, maar dat interesseert me nauwelijks,' antwoordde Geo. 'Net zoals jouw lot me geen lor interesseert. Ik ben wel gebeten om te achterhalen waarom Vanden Bulcke die dvd ondanks alles toch heeft laten maken. Waarom heeft hij je raad in de wind geslagen? Waarom wil hij ondanks alle waarschuwingen het risico lopen de geschiedenis in te gaan als mecenas van maniakken en pornografen?'

Wellens haalde zijn schouders op.

'Dat het Vanden Bulcke niet om het geld te doen is, heb ik intussen wel begrepen,' zei Geo. 'Wat Valckes rotzooi ook opbrengt, in de boeken van Vanden Bulcke betekent het niet meer dan een cijfer achter de komma. Een man van zijn formaat steekt zijn kop niet in de strop voor een paar miljoen. Wat is het dan wel? De eer en de glorie?'

Eindelijk reageerde Wellens.

'Ja!' riep hij, pijnlijk fel.

Hij hield zijn bevende hand op zijn lip. Het zag er pathetisch uit.

'Eer en glorie, inderdaad,' lispelde hij. 'Vanden Bulcke is een publiciteitsgeile pummel. Kunst interesseert hem niet. Alleen het BV-schap dat eraan verbonden is, kan hij niet missen. Een verslaving.'

'Dat wilde ik horen,' besloot Geo. 'Het oordeel van een expert. Al begrijp ik nog steeds niet wat er zo belangrijk is aan Valckes zogenaamde levende kunstwerk, dat Vanden Bulcke alles op alles wil zetten. Was er echt niets beters op de markt?'

Wellens wees naar Joostens laptop.

'Het antwoord zit daarin,' zei hij. 'Op de dvd. Klaar en duidelijk. Toch voor wie de boodschap begrijpt.'

Geo negeerde de verdoken kritiek.

'Wil je die dvd bekijken en me uitleggen wat ik had moeten begrijpen?' vroeg hij zo vriendelijk als hij maar kon.

Hij startte de laptop. Het schijfje was een kopie van Estelles exemplaar. Geo had verwacht dat het ding op alle mogelijke knappe manieren beveiligd zou zijn, maar Franken bleek daar niet aan gedacht te hebben. Kunstsnobs die een zak geld veil hadden voor een originele Valcke met hoogst exclusieve performance-dvd, kregen een prul in handen dat gemakkelijker te kopiëren was dan een ouderwetse vinylplaat.

Wellens nam plaats voor het openingsscherm en begon te klikken. Geo liet hem begaan. De vragen waren voor straks.

Een uur ging voorbij. Wellens zei geen woord. Gespannen las hij Frankens teksten, scherm na scherm. Geo hield het niet uit op de harde terrasstoel. Hij ijsbeerde door de veranda, van de witte muur aan de ene kant naar de even witte muur aan de andere kant. Heen en weer langs bloempotten met tientallen cactusjes en vetplanten, tussen een partij hangende geraniums en een cascade van gele en groene klimop.

De klep van de brievenbus kletterde. Wellens schrok op uit zijn concentratie en repte zich naar de deur. Hij kwam meteen terug en ging weer voor het scherm zitten. Een vrouw met een nors gezicht stak haar hoofd naar binnen, knikte kort naar de bezoeker en trok zich onmiddellijk terug. Geo hoorde haar de trap opstommelen. Wellens verdiepte zich weer in teksten en foto's.

'Pure dwaasheid,' bromde hij ineens tegen zichzelf. 'Maar ja. Franken. Door en door Franken. De gek. Altijd absoluut de eerste willen zijn om nieuwe trends te ontdekken. La Vie c'est l'Art. *Life'sArt*. Met apostrof, zonder spatie en met een hoofdletter in het midden. Stuntelig!'

Hij wendde zich tot Joosten.

'Dát is de verklaring. Lees deze paragraaf. Franken, die voor alles een nieuwe naam bedenkt. En deze. Hier staat de ware reden waarom Vanden Bulcke alles op het spel zet. Franken roept de onnozele vetzak uit tot de eerste, belangrijke verzamelaar ter wereld die deze nieuwe trend heeft onderkend! Vanden Bulcke, ontdekker van een kunststroming! Daarvoor moesten de prullen van Valcke absoluut op de internationale markt komen. De dwazen. Life'sArt. Bah! En hier! Wat hier staat, is gewoon porno onder een andere naam! En dan dit. De verwijzing naar De Glorie en naar Van den Boom. Natuurlijk. Hier. Lees dat. Pure, onverdunde Van den Boom.'

Hij leek Joostens aanwezigheid weer helemaal vergeten te zijn. De fotograaf kuchte en Wellens ontwaakte uit zijn trance.

'Waarom heb ik dat niet begrepen toen ik Frankens proza las?' vroeg Geo.

'Omdat je de voorgeschiedenis niet kende. Omdat je niet wist dat Vanden Bulcke na de plasact eindelijk tot het besef kwam dat hij Valcke niet langer kon controleren. Omdat hij uiteindelijk begreep dat zijn beschermeling ooit, onvermijdelijk, zou ontsporen. Dat iemand zou blootgeven wat Valcke allemaal in naam van De Gielenhof had mogen of moeten uitspoken. Seksparty's, partnerruil, prostitutie, alles zogenaamd in dienst van de kunst.'

Wellens' stem ging een paar tonen naar beneden.

'Kurt Valcke kon hen allemaal kraken wanneer hij maar wilde,' zei hij. 'Zijn dood was geen drama voor Vanden Bulcke of Verbist of Franken of Van den Boom. Het was een geschenk! Een lastpost minder!'

'Dat staat niet in die teksten,' wierp Geo op. 'Daarin staat dat Valcke een groot artiest was en een visionair en nog meer van die onzin.'

'Een vlucht naar voren!' riep de kunstgoeroe. 'Lees toch tussen de regels, man! De dvd is een scherm om de buitenwereld te misleiden. Een gewaagde vlucht vooruit. Franken onthult een klein deeltje van wat op termijn toch uitgelekt zou zijn. Handig ingekleed. Totaal waanzinnig geïnterpreteerd. Slim, hoor, want op die manier snijdt hij iedereen die keet wil schoppen de pas af. Lees het maar eens na. Valcke hield geen orgieën, hij organiseerde interactieve performances, *dixit* Franken. Hij was geen koppelaar, maar creëerde kunstzinnige omgevingen, waarin intermenselijke relaties tot bloei kwamen. Hij was geen voyeur, maar een waarnemer, die zich liet inspireren door het liefdesgedrag van de mensen om hem heen.

Voilà, *le nouveau* Valcke. Een levend kunstwerk, uitgevonden door het onverbiddelijke duo Franken en Van den Boom.'

'Welke macht heeft Van den Boom over Vanden Bulcke? Was ze zijn minnares?' vroeg Geo.

Wellens maakte weer het wegwerpgebaar.

'Ach, de baas die een wip waagt met een medewerkster, meer was het volgens mij niet. Verbist wist van de verhouding. Hij liet zijn vrouw betijen. Ook omdat hij er financieel beter van werd, denk ik. Verbist was gul met subsidies aan de kunstenaars die Vanden Bulcke hem aanprees. Liever gezegd, die de raadgevers van Vanden Bulcke aanprezen. Zodra Vanden Bulcke winst begon te maken met het werk van een artiest, bij sommigen ging dat snel, vloeide een percentje via Van den Booms bonus naar Verbist. Privé, vanzelfsprekend. En niet eens illegaal.'

Het klonk zo primitief dat Geo een lach niet kon inhouden.

'Besef je wat voor onzin je uitkraamt, Wellens? Lady Lederland vogelde met Vanden Bulcke en in ruil overstelpte de echtgenoot haar minnaar met douceurtjes, die deze dan weer omzette in klinkende munt voor de echtgenoot? Ben je wel genezen van je hersenschudding?'

'Je wilt het niet snappen, Joosten. Verbist had geld nodig. Vanden Bulcke snakte naar prestige. Ze kregen allebei wat ze verlangden, zonder dat het hen één cent kostte. En Van den Boom had seks nodig. Overigens niet het enige waaraan ze verslaafd is.'

'Is ze lesbisch?'

'Petra? Dat is nieuw. Waar heb je dat gehaald?'

'Getuigen hebben me zoiets verteld. Op de dvd staat trouwens een foto waarop je kunt zien hoe ze de Boisy een tongetje draait.'

'Waar? Waar? Dat heb ik gemist!'

Geo haalde het uitvergrote fragment met de wazige hoofden te voorschijn. Wellens staarde naar de vlekken op het scherm.

'De Boisy is een pot,' mijmerde hij. 'Altijd geweest. Valcke is waarschijnlijk de enige vent met wie ze ooit naar bed is geweest. Wat heel veel zegt over sommige talenten van Valcke.'

'En over de club waarin jij je beweegt,' grinnikte Geo vol leedvermaak.

'Ach,' zei Wellens. 'Nu lijkt het natuurlijk een mestpoel, maar tot voor kort was iedereen best tevreden...'

'Zolang iedereen tevreden is, wordt er niemand vermoord.'

'Er is inderdaad iets misgelopen,' kreunde de kunstgoeroe. 'Eerst iets tussen Kurt Valcke en Steve Verbist of Petra Van den Boom, zo erg dat hij er zijn subsidie door kwijtraakte. En ten slotte heeft iemand zo een finale hekel aan hem gekregen dat hij hem vermoordde.'

'Hij? We weten niet eens dat de moordenaar een "hij" was,' zei Geo. 'Iemand heeft me stellig verzekerd dat Valcke alleen door een vrouw vermoord kan zijn. Eén vrouw. Met de piemel van Valcke tussen haar benen.'

Weer maakte Wellens dat misprijzende gebaar.

'Pure speculatie. Let op. Ik heb ook even vermoed dat Kurt vermoord is door een van zijn vrouwen. Dat lag voor de hand. Een ontgoochelde of bedrogen minnares. Pft!'

'Volgens jou kan dat niet?' vroeg Geo.

'Nee. Voor de Boisy hem een beetje bij de hand nam, vogelde Valcke in alle hoeken van het decor, maar altijd met het slag van wijven dat het met iedereen doet. Ik kan me totaal niet voorstellen dat een van die sloeries zich bedrogen kon voelen. En jaloers genoeg werd om Valckes kop te doorboren.'

'Mijn getuige dacht er anders over...'

Het woord 'getuige' maakte indruk.

'Maar dan is de zaak toch opgelost?' riep Wellens. 'Als er een getuige is...'

'Jammer genoeg was hij niet aanwezig toen de moord werd gepleegd,' zei Geo.

Wellens zuchtte teleurgesteld. Er klonken stappen op de trap. De norse mevrouw Wellens kondigde stampend haar komst aan.

'Heb je nog veel werk?' vroeg ze haar man zonder Geo een blik te gunnen. 'Wanneer maak ik het eten klaar?'

'Ik ga al,' zei Geo. 'Ik ben blij dat je gezicht zo goed genezen is. Ik hou contact. Als ik nog iets verneem, geef ik je wel een belletje...'

Wellens sloot de dvd af met een flinke klik.

'Heb je een exemplaar voor me?' vroeg hij. 'Om straks in alle rust te bestuderen?'

'Je mag deze kopie houden. Het is bootleg, hou daar rekening mee. Ik heb mijn officiële auteursexemplaar nog niet gekregen.'

De kunstgoeroe had niet geluisterd. Traag, nog meer lispelend dan tevoren, zei hij:

'Wat een puinhoop. Ik kan er niet meer van slapen. Een moord. En dan een dvd maken over het leven van die maniak en dat kunst noemen. Straks verzinnen ze er nog een over het kunstwerk dat de moord heeft gepleegd. Bah.'

'Een kunstwerk dat een moord heeft gepleegd?' vroeg Geo. 'Hoe moet ik dat interpreteren?'

Met een pijnlijke trek rond zijn mond, die voor een glimlach moest doorgaan, zei de kunstgoeroe:

'Als je Valckes uitspattingen kunst noemt, kun je zijn moordenaar toch even goed uitroepen tot kunstwerk?'

‘Hoeveel kunstenaars heeft De Glorie van Vlaanderen onder contract?’ vroeg Geo aan Estelle op de redactie van AQS.

‘Tientallen. Ik heb net de nieuwste catalogus ingekeken.’

‘Hoeveel brengt dat spelletje op?’

‘Een en ander. Ik weet het niet. Het kost niet veel om een werk te huren, maar door het grote aantal verhuringen tikt het waarschijnlijk aardig aan.’

‘Moet zo een vzw dan geen jaarrekening publiceren? Kun je die ergens raadplegen?’

‘Joosten! Daar begin ik niet aan. Om te beginnen weet ik niet waar te zoeken. En ik zou toch niets begrijpen van al dat gecijfer. Ik weet alleen dat de vzw zwaar gesubsidieerd wordt door Vlaamse Cultuur en nog wat andere instellingen van de Gemeenschap. Vorig jaar kreeg De Glorie een dik miljoen euro.’

Bij het horen van dat bedrag kneep Geo in de hoorn.

‘Een miljoen?’ hijgde hij. ‘Ben je daar zeker van?’

‘Ik heb de cijfers op mijn scherm staan,’ antwoordde Estelle trots, want ineens voelde ze zich weer een echte journaliste. ‘De Glorie krijgt dat bedrag voor haar werkingskosten. Kantoor. Personeel. Verzekering. Transport.’

‘En de inkomsten? Wat gebeurt daar dan mee?’

‘Weet ik veel. Ik zei je toch dat ik daar niets van afweet. En doe niet zo hanig, want jij snapt er ook geen bal van.’

‘Dat klopt,’ gaf Geo ootmoedig toe.

‘Waarom ben je zo opgewonden? Ben je iets op het spoor gekomen?’

‘Volgens Wellens subsidieert Verbist de kunstzaken van Vanden Bulcke. Tussen het bespringen van mevrouw Verbist door overhandigt mijnheer VDB het echtpaar een ruim part van de winst die hij met de aldus gesubsidieerde kunst maakt.’

‘En is Valcke daarom vermoord?’

‘Nee. Als je meer wilt weten, doe ik een voorstel. Kom naar een bepaald adres in Borgloon om hutspot van schaap te eten en een stuk kaastaart toe.’

'Borgloon? Hoe kom ik daar?'
'Met de auto.'
'Ik heb geen auto.'
'Leen er dan een van AQS.'
'Ik bel je nog wel.'

De overbuur van wijlen Kurt Valcke peuterde met een aardappelmesje onkruid uit de voegen van zijn natuurstenen oprit. Hij keek verstoord omdat Joosten de Defender op de stoep parkeerde. En verontrust toen de vreemdeling naar hem toe liep. Hij wierp een schichtige blik achterom. Misschien om te schatten of hij zich nog uit de voeten kon maken. Of wilde hij controleren of zijn vrouw niet afkeurend toekeek terwijl hij een onbekende haar eigendom liet betreden?

'Ik moet je wat vragen,' begon Geo zonder tijd te verliezen met beleefdheden. 'Ik heb destijds foto's gemaakt van de moord op Valcke. Hiertegenover. En sindsdien loop ik rond met een hoop vragen.'

'Ik heb alles wat ik weet al aan de politie verteld,' pareerde de man.

'Dat heb ik gehoord, ja,' antwoordde Geo. 'Ik heb niets met de politie te maken. Ik ben journalist. Fotograaf. En omdat ik me zo bij de zaak betrokken voel, wil ik je een paar vraagjes stellen.'

'Liever niet,' wees de man hem af.

'Eigenlijk zit ik met een probleem in verband met de auto die je gehoord hebt, de nacht van de moord,' ging Geo onverstoorbaar door. 'Wat voor geluid maakte die auto?'

De man keek weer nerveus over zijn schouder. Blijkbaar verbaasde het hem dat zijn vrouw nog niet was komen opdagen. Hij vermeed zorgvuldig in Joostens ogen te kijken.

'Het was niets,' fluisterde hij. 'Het was gewoon het geluid van een auto.'

'Een diesel? Klonk het zoals het geluid dat mijn auto maakte?'

De man monsterde de oude terreinwagen. Auto's en de geluiden die ze voortbrachten was een mannenzaak. Hij moést antwoorden. Of toegeven dat hij een mietje was. Of een pantoffelheld, even erg.

'Nee,' zei hij met veel overtuiging. 'Wat ik hoorde, rammelde meer. Tak-tak-tak en plof-plof-plof. Dat soort lawaai.'

'Het geluid van een vrachtwagen?' drong Geo aan.

'Dat weet ik niet. Een vrachtwagen of een jeep zoals die van jou, dat klinkt toch bijna hetzelfde? Tenzij je heel goed luistert, maar wie doet dat in het holst van de nacht?'

'Mm. Misschien was het een gewone personenauto met een kapotte knalpot?'

De man zweeg. Geo had nog niets in de gaten, maar Valckes overbuur was getraind in het waarnemen van zijn vrouw. Een lichte beweging van een gordijn was genoeg geweest om hem te alarmeren.

'Dat is alles wat ik weet,' zei de man en hij liep naar achter met een bos onkruid.

Geo zag achter een gordijn vaag de contouren van een vrouw. Hij glimlachte en wuifde naar haar. Ze negeerde hem.

'Dat heb ik nog nooit meegemaakt!' riep Petrus Wuyts.

Hij ontving Geo in het keukenhok, waar hij het avondeten voor zijn zoon en schoondochter klaarmaakte. Een berg aardappelen, een hoop gestoofde witte kool en genoeg worsten om een hele scoutsgroep een week lang te voeden.

'Hij heeft iets tegen je willen zeggen!' ging hij verder met een veelzeggende hoofdbeweging naar het huis van zijn overbuur. 'Waarover had je het?'

'We hebben over een kapotte uitlaat gesproken,' antwoordde Geo en maakte plaats bij het aanrecht, want de oude begon driftig spattend te roeren in een pot half ontdooide, natuurlijk zelfgemaakte, diepvriessoep.

De uitleg bleek te volstaan. De oude stelde geen vragen meer. Hij wist immers alles over het geluid dat de buurman gehoord had.

'Heb jij nog nieuws?' vroeg Geo.

'Niets. Volgens mij lossen ze die zaak nooit op. Omdat ze niet willen dat het opgelost geraakt. Er zijn te veel dikkoppen bij betrokken. Mamenneman! Dikkoppen!'

'Zo is dat,' zuchtte de fotograaf. 'Ze doen alsof ze zoeken, maar ze kijken de verkeerde kant uit om niets te moeten vinden.'

'Net wat ik erover denk.'

'Ik heb wel nieuws. Ik heb gehoord dat die vriendin van Valcke het liever met vrouwen deed. Lesbisch, zoals ze zeggen.'

Wuyts wreef over zijn kale schedel en liet de mededeling bezinken.

'Dat verwondert me!' zei hij, terwijl hij elke lettergreep extra nadruk gaf door met een vork stukjes soepijs te pletten. 'Die teef deed het volgens mij met iederéén. Zeker in het begin. Toen zou ze zich zelfs hebben laten dekken door een ezel, wanneer er geen vent bij de hand was. Echt waar. Maar later was het afgelopen daarmee. Toen deed ze het alleen nog met de artiest. Zo is het gegaan. Lesbisch? Ik vrees dat iemand je blaasjes heeft willen verkopen.'

'Een mens vraagt zich af waarom iemand dat zou doen.'

'Ja, jongen, dat vraag ik me ook af.'

'Kwam ze hier niet met een magere vrouw? Eentje met kort stekelhaar. Bruin verbrand vel. Ze rijdt met een sportwagen van Audi of met een VW-bus. Weet je over wie ik het heb?'

'Mamenneman! Of ik dat weet! Ja, ja. Die kwam regelmatig op bezoek.'

'En?'

Wuyts goot de soep in een kookpan boven een klein vuurtje. Hij was misschien geen begaafde kok, maar wel een voorzichtige.

'Die magere met haar sportkarretje?' vroeg hij. 'Wat die deed? Niets, voor zover ik weet, maar ik heb ook niet altijd alles kunnen zien. Als er een fuif was op de binnenplaats, kon ik niet binnenkijken. En als er een feest was in het atelier, gebeurde het wel dat ze een net spanden, een soort tent. Waarschijnlijk om het gezellig te maken, ik weet niet waarom, misschien omdat het er dan op een circus leek? Mamenneman! Wat ik allemaal heb moeten meemaken sinds die vuilak hier is komen wonen!'

'Ik heb nieuws,' zei Piet Schraepen. 'De gast die het kunstwerk van Valcke op De Gielenhof wilde kapotmaken, heeft zelfmoord gepleegd.'

'En?' vroeg Geo.

'Verder niets. Hij heeft zich opgehangen. Dat spel met die Freyja heeft dus al twee doden geëist.'

'Of vier.'

'Vier? Wie zijn de andere twee?'

'Het echtpaar in het veld.'

'Dat schijnt toch het werk te zijn van een stroper. Of een gluurder. Iemand met een geweer, die het koppel betrapt heeft bij het vrijen en van hitsigheid door het lint is gegaan. Het parket heeft een verdachte op het oog. Het schijnt dat iemand gekletst heeft in een kroeg.'

'Je hebt de lijken gezien,' zei Geo. 'Die twee waren niet aan het vrijen.'

'Nee.'

'Dus?'

'Ja, Geo, jongen, je kent Van de Besien. Moet ik er een tekening bij maken?'

Bij De Glorie van Vlaanderen antwoordde een machine. Om je als nieuw lid te laten inschrijven, toets 1. Ben je lid en wil je inlichtingen over verhuring, toets 2. Voor algemene informatie, toets 3. Voor specifieke vragen, toets 4.

Geo koos 4.

'Welkom bij De Glorie van Vlaanderen,' zei een synthetisch gezoete vrouwenstem. 'De vereniging die Vlaamse kunst tot in uw bedrijf of bij u thuis brengt. Even geduld, al onze lijnen zijn bezet. We beantwoorden zo meteen uw oproep.'

'De Glorie van Vlaanderen, met Bea.'

'Joosten. Mag ik mevrouw Van den Boom? Ik ben de fotograaf die de opnamen gemaakt heeft voor de dvd van Kurt Valcke.'

'Ik verbind u door.'

'Welkom bij De Glorie...' begon de zoete stem, abrupt onderbroken door Van den Boom: 'Met Petra.'

'Joosten. Goedemiddag. Ik vroeg me af of mijn exemplaar van...'

'Dat ligt klaar om op de post te gaan.'

Ze had haar directeursstem aanstaan. Hak-hak-hak. Dominante teef, dacht Geo.

'Doe geen moeite,' zei hij. 'Ik kom het persoonlijk ophalen. Nu meteen, als je nog een uurtje open bent. Met de post weet je immers nooit.'

'Geen probleem. Tot straks.'

Klik.

Teef.

Geo duwde het gaspedaal tot op de plank. Een Defender was niet gemaakt om over gladde autowegen te razen, maar toen hij na enige tijd vaart begon te maken, was er niets dat de logge terreinwagen nog kon tegenhouden. Daar zorgde zijn gewicht wel voor.

Het kantoorvolk dat de straat van De Glorie bevolkte, begon naar huis te gaan. Parkeerruimte in overvloed. Geo parkeerde voor de deur van de vzw, achter een Caravelle, waarvan de achterklep openstond. Twee meisjes laadden grote, platte dozen in de bus. Kunstwerken onderweg naar nieuwe klanten, vermoedde de fotograaf.

Hij liep zonder te bellen naar binnen, recht naar Van den Booms kantoor. Haar deur stond open. Petra staarde zo ingespannen naar het scherm van een laptop dat ze niet eens merkte dat hij binnenkwam. Een spannend, mouwloos jurkje van rood leer perste haar borsten zodanig samen dat je er zelfs geen sigarettenvloeitje meer tussen kon schuiven.

'Hallo?' zei hij.

Ze schrok van zijn stem. Hij grijnsde stout. Zij keek boos.

'Had je me niet zo snel verwacht?' vroeg Geo, totaal overbodig.

'Je komt voor de dvd,' antwoordde ze en ze duwde haar stoel achteruit, liet hem in dezelfde beweging ronddraaien en stak tegelijk haar hand uit naar een geel-witte enveloppe in de kast. Geo noteerde dat ze geen kousen droeg en dat hij het driehoekje van een rood broekje kon zien. Ze deed geen poging om het te verbergen.

Hoe zou het voelen om verslaafd te zijn aan seks, vroeg Geo zich af.

'Alstublieft,' mompelde ze en ze stak de enveloppe naar hem uit.

'Ik heb gehoord dat je er behoorlijk succes mee hebt gehad in Londen,' zei Geo.

'Dat gaat,' antwoordde ze. 'Een beetje. Het is te vroeg om victorie te kraaien. Binnenkort in Parijs. Dan zullen we het weten.'

'Wat voor reacties waren er op mijn foto's?' vroeg Geo.

'Heb je het over de artistieke kwaliteiten?'

'Ja.'

'Geen. Had je daar dan op gerekend?'

'Ik weet het niet...'

'Je moet het essay lezen dat Frits erover geschreven heeft. Hoe toevallig gevonden inhoud vormen kan bepalen en hoe context toevallige vorm en inhoud tot kunst kan maken. Het Leven als Kunst. Life'sArt. Interessant.'

'Tja... Dat gaat mijn petje te boven,' veinsde Geo. 'In elk geval... Bedankt...'

Hij deed alsof hij dreigde te verdwalen in zijn verwarde gedachten. Zoals die eenogige detective Columbo van de Amerikaanse serie met de oude Peugeot décapotable. En toen vroeg hij, helemaal in de stijl:

'Bedoelt Franken daarmee dat ik kunst heb gemaakt zonder het te beseffen? Gewoon omdat ik toevallig aanwezig was?'

'Zoiets ja,' hakte Van den Boom, terwijl ze met een duwtje van haar voet de stoel weer tot bij de tafel liet rollen. Het rode driehoekje verdween uit Joostens blikveld.

'Ik kan er niet bij,' zei hij, 'dat iets kunst kan zijn omdat het zich bij toeval op de ene plaats bevindt en niet op een andere. Of dat een banaliteit tot kunst wordt gebombardeerd omdat iemand er een verhaaltje bij heeft verzonnen.'

Van den Boom had niet naar hem geluisterd.

'Is een gele boormachine kunst omdat ze dwars door het hoofd van een mens in een balk is gedreven?' vroeg Geo.

Dat hoorde ze wel. Ze keek met een ruk op. Haar ogen schoten vuur. Minder dan een seconde, toen bedwong ze zich en wrong ze haar lippen tot een flauwe glimlach. Ze strekte haar armen uit en legde haar handen naast de laptop op het dure tafelblad, alsof ze een houvast zocht voor wat ze ging zeggen.

'Niet de boor is het kunstwerk,' doceerde ze traag en lijzig, alsof ze iets moeilijks uitlegde aan een klein kind. 'Ook de moord is dat niet. Het leven dat tot de moord en de boor heeft geleid, dát is het kunstwerk. Omdat het leven bewust in beeld is gezet. Omdat het bewust gemáákt is. Geschapen. En jouw toevallige beelden maken toevallig deel uit van dat artistieke geheel, mijnheer Joosten, maar dat maakt ze *an sich* nog niet tot kunst.'

'Als ik dat zo hoor, zou ik haast gaan geloven dat Valcke zich liet vermoorden bij wijze van artistieke expressie?'

'Wat een onnozele redenering.'

Van den Boom had de tafel losgelaten. Haar handen rustten in haar schoot. Ze leunde achterover. Geo trotseerde haar blik. Ze was woedend. Hij wachtte rustig af. Het zou even duren, besefte hij, tot ze zichzelf weer onder controle had. Hij genoot ervan dat hij haar in een hoek had gedrukt, maar toen er geen einde kwam aan de stilte, begon hij toch maar.

'Als de moord geen kunstwerk was, wat was het dan wel? Een afrekening? Passie? Haat?' vroeg hij.

'Ik zal de laatste zijn die op al die vragen kan antwoorden. Helaas.'

'Sommigen beweren dat Valcke vermoord is door iemand uit zijn naaste kennissenkring,' blufte Geo. 'Ze zijn ervan overtuigd dat er een relatie bestaat tussen de moord en, eh, een bepaald web van zakelijke en amoureuze belangen.'

'Komen die hersenspinsels morgen in de krant?' vroeg ze dreigend.

'Voorlopig niet. Alleen als ik ergens bevestiging krijg van mijn vermoedens.'

'Goed. Je zult hard moeten zoeken, vrees ik,' zei ze en ze deed alsof ze weer aan het werk ging.

'Overigens, nu ik toch hier ben, kun jij me iets meer vertellen over wat men met een web van zakelijke én amoureuze belangen kan bedoelen?' vroeg Geo.

‘Wat voor web?’ snauwde ze.

‘Ach, dat is zomaar een woord, vermoed ik,’ zei hij schijnheilig. ‘Wat mijn bronnen daarmee bedoelen? Volgens mij denken ze daarbij aan zaken zoals de banden tussen personen en instanties die zich om Valckes werk bekommerden. Zoals het web dat De Deken en Scheffers en De Glorie en De Gielenhof met elkaar verbindt. De transacties die nodig waren om de vzw toe te laten Valckes werk los te peuteren bij de anderen. Zoiets. Ja, toch?’

Van den Boom lachte. Het klonk gemaakt. Geo wachtte.

‘Er viel niets los te peuteren,’ zei ze toen. ‘Die twee charlatans hadden er in hun overmoed op gegokt dat Valcke van de ene dag op de andere een commercieel succes zou worden, maar dat is niet uitgekomen. Terwijl hij perfect in het pakket van ons bedrijf, ik bedoel, van onze langetermijnvisie, paste. Aardige werken, ideaal om een kantoor of een hal mee op te fleuren. Een mooie basis voor een kunstenaar die zich tot de top wil opwerken. Iets waar De Glorie mee kan scoren en een gewone galerij niet. Niets louches aan.’

‘Waarom kreeg Valcke geen subsidie meer?’

‘De juiste redenen? Dat moet je niet aan mij vragen. Dat is een zaak van de commissie. En van het beleid.’

‘Je man moet daar toch alles van weten?’

‘Wij spreken minder vaak over ons werk dan jij vermoedt, mijnheer Joosten.’

Geo keek alsof hij overliep van begrip, maar hij vroeg wel:

‘Wat kunnen mijn bronnen bedoelen met “amoureuze belangen”?’

Geo had gehoopt dat die nieuwe insinuatie haar weer uit het lood zou slaan, maar Petra Van den Boom vertrok ditmaal geen spier.

‘In de dvd doen we objectief uit de doeken dat Kurt Valcke een nogal turbulente levensstijl had,’ antwoordde ze. ‘Zonder iets te insinueren, zoals je anonieme bronnen. We leggen rustig uit dat seks een grote rol in Valckes leven speelde, zowel privé als in zijn oeuvre. Eigenlijk is dat een publiek geheim. Zeker na de gebeurtenis op De Gielenhof, zoals jij beter dan wie ook zou moeten weten.’

Met de blik van een strenge schooljuf besloot ze haar lesje.

'Uit jouw reactie kan ik alleen afleiden dat wie zijn seksualiteit durft te uiten in Vlaanderen onvermijdelijk het slachtoffer van een roddel- en moddercampagne wordt.'

Een ingestudeerd lesje. Geo wierp alle reserves overboord en vroeg onbeschaamd:

'Was jij een van zijn minnaressen?'

'Nee,' antwoordde ze bliksemsnel.

'Ik had het ook niet verwacht. Excuseer me dat ik het vroeg. En bedankt dat je zo eerlijk wilde antwoorden.'

'Ik weet niet wat je van plan bent, mijnheer Joosten, maar als over dit alles ook maar één letter in de krant verschijnt... Wacht, laat me duidelijker zijn. Als je mij of De Glorie op deze manier in opspraak durft te brengen, krijg je met mijn advocaat te maken.'

Geo wist dat het verstandiger was zonder commentaar te vertrekken, maar hij kon het niet laten.

'Ik zie je het liefst als je boos bent, mevrouw Verbist,' zei hij. 'Dan komt je ware aard het zuiverst boven.'

14.
Lady Godiva met kort haar

Wim Dirix leek door het dolle heen. De jonge misdaadverslaggever had de hele middag afwisselend naar Joostens antwoordapparaat en naar zijn voice-mailbox gebeld, met steeds dringender klinkende verzoeken contact met hem op te nemen.

'Krijg de stuipen,' foeterde Geo, toen hij 's avonds de tijd vond om de boodschappen te beluisteren.

Hij belde niet terug. De snotneus moest het nog maar eens zelf proberen. Sinds hun eerste ontmoeting op de dag dat Valckes lijk was gevonden, had hij een hekel aan de jongeman. Een hooghartige wijsneus met een dikke nek. Een bleek opscheppertje. Een vals profiteurtje. Geo had de lijst scheldnamen eindeloos kunnen maken, maar toen rinkelde de telefoon en hing Wim Dirix aan de lijn.

'Ik heb een mooie scoop,' bazuinde de jongeman zonder goededag te zeggen. 'Een exclusief interview met Catherine de Boisy. Je weet toch wie dat is?'

'Fris mijn geheugen even op,' knorde Geo en het verbaasde hem niet dat Dirix niet doorhad dat hij hem aan het pesten was.

'Het lief van Valcke! De minnares van de vermoorde kunstenaar!' riep de jongen.

'Ach, die.'

'Ik heb een afspraak met haar. Morgenvroeg om tien uur.'

Natuurlijk om tien uur, dacht Geo. Hoefde het kereltje niet vroeg op te staan, kon hij rustig zonder files naar de Boisy rijden. En mooi klaar zijn op de middag, zodat hij uitgebreid kon lunchen op kosten van zijn werkgever, vooraleer in perfecte rust zijn stukje te schrijven. Een ontspannen dagje, helemaal gevuld met één simpel opdrachtje.

'Geert heeft beslist dat jij de foto's moet maken,' zei Dirix.

'O.k.'

Geo had er zich bij neergelegd dat de chef-nieuws over zijn hoofd heen bepaalde hoe hij zijn dag moest indelen en opdrachten gaf zonder te vragen of ze wel in zijn werkschema pasten. Chefs-nieuws konden zich blijkbaar niet voorstellen dat freelancers een eigen agenda hadden. En als ze het beseften, trokken ze er zich toch niets van aan.

'Waar?' vroeg Geo.

Hij wist dat hij nors klonk, maar dat was opzet. Dirix mocht voelen dat hij geen hoge pet van hem op had. De snotneus mocht daarentegen absoluut niet aan de weet komen dat Geo dolblij was met de kans om met de Boisy te praten.

'Bij haar thuis, ergens in het Walenland. Ik moet het nog gaan zoeken op de landkaart. Bij een dorp dat Peve heet, of Pef, of zoiets. Tussen Pef en Vilaire. Heb jij er enig idee van waar dat kan zijn?'

'Tussen Paifve en Villers-St.-Siméon. Net over de grens als je van Tongeren naar Luik rijdt.'

'Grens? Welke grens?' zei Dirix verbaasd.

'Die tussen Vlaanderen en Wallonië, Dirix. Of de taalgrens, als je dat beter begrijpt.'

'Spreekt ze Frans?'

Geo noteerde vergenoegd de onzekerheid in Dirix' stem. Bang dat het interview in het Frans zou moeten verlopen? Waarom? Had hij de afspraak met de Boisy dan niet zelf gemaakt? Was hem zelfs dat voorgekauwd door iemand anders?

'In welke taal heb je met haar gebeld?' vroeg hij.

'In het Nederlands.'

'Wel...'

'O.k. Ik zie je morgen. Om tien uur. Ja?'

Klootzak.

'Dirix heeft me gebeld. Of ik hem enkele vragen voor de Boisy kon suggereren,' zuchtte Piet Schraepen doodongelukkig. 'Stel je dus niet te veel voor van dat interview. Het zal trouwens niet over de moord gaan, maar over hoe ze leeft met de herinnering aan haar vermoorde vriend en andere kouwe kak. Je kent dat wel. Boekjesgezeik.'

'Hoe is hij op het idee gekomen?' vroeg Geo. 'Is er nieuws opgedoken waar ik niets van afweet?'

'Breek daar je hoofd niet over. Het is altijd hetzelfde. Brouns die in een oude krant bladert en zich afvraagt wat er van de een of ander geworden is. Dan moet zo een jongen alles laten vallen waar hij mee bezig is en maar zien dat hij een reden vindt om een verhaal te schrijven dat de moeite van het publiceren waard is.'

'Zonder de opdrachten van Brouns zou die snotneus helemaal niets uitvoeren,' verdedigde Geo zijn chef.

'Klopt. Tragisch. Ik zou zo niet kunnen werken.'

'Nee,' beaamde Geo. 'Jij niet en ik niet, maar al die dure ventjes wel.'

'Ik heb natuurlijk nagevraagd of er nieuws was,' zei Schraepen. 'Voor het geval. Liesens liet weten dat ze het onderzoek onverminderd voortzet, maar wat dat concreet betekende, wist ze me niet te vertellen. Of ze wilde er niets over lossen. Dus voorlopig valt er officieel niets te melden over de moord op Valcke.'

'Tja, Piet... En wat weet jij?'

'Dat de procureur razend is omdat Liesens geen resultaten boekt. En dat Louis Van de Besien drie keer per dag zijn eigen mensen en die van alle lokale politiekorpsen in de regio de huid volscheldt en met sancties dreigt. En dat het allemaal boter aan de galg is.'

'Leuk.'

'Moment. Laat me uitspreken. Het wordt nog leuker. Mijn vriend Lomme, maar dat mag je onder geen voorwaarde verder vertellen, had tussen neus en lippen voorgesteld eens te luisteren naar de auto's van mensen uit de omgeving van Valcke. Heel verstandig, vond ik toch. Het lawaai dat die buurman hoorde is tenslotte de enige aanwijzing die overeind is gebleven. Ja? Wel! Lomme is meteen ontboden bij korpschef Frenske in eigen persoon. Hij verwachtte felicitaties, maar in de plaats kreeg hij een schrobbering van formaat. Of hij zot geworden was? Of hij wel wist wie de mensen uit de omgeving van Valcke waren? Of die het ermee eens zouden zijn dat hun reilen en zeilen onderzocht werd? Alleen maar omdat een lompe boer vermoedde dat hij iets in zijn slaap gehoord had?'

'Voorstel afgewezen.'

'Totaal finaal.'

'Ze willen niet zoeken. Bedoel je dat?'

'Gesnopen!' riep Schraepen. 'De procureur en de hoofdcommissaris tieren alleen maar om te camoufleren dat ze het onderzoek in feite hebben stilgelegd. Het zou kunnen betekenen dat ze op iets gestoten zijn, maar het te gevaarlijk vinden om verder te boren. Ze hebben met andere woorden geen zin om hun nek uit te steken voor een Kurt Valcke, die dood meer waard schijnt te zijn dan levend.'

'En ook niet voor een keukenmeid en een arbeider?'

'Dat is een andere zaak.'

'Misschien.'

Geo Joosten was ruim een half uur te vroeg op de afspraak. Hij zag meteen waarom de Boisy niet definitief was ingetrokken in het huis van haar vermoorde vriend. Haar adres was een schitterend gerestaureerde hofstee, een voorbeeld voor wat iemand met smaak en veel geld kon maken van een verwaarloosde armemensenhoeve.

Catherine de Boisy kwam met een kruiwagen mest uit een stal. Ze droeg de werkkleding van de gemiddelde vrijetijdsboerin. Rubberlaarzen, een mouwloos T-shirt en een in de was verkleurde sportshort. Het leek haar totaal niet te deren dat de fotograaf haar in die kleren zag, noch dat hij te vroeg was.

'Hoi,' groette ze kort, terwijl ze de kruiwagen neerzette.

'Ik ben Geo Joosten. Goedemorgen.'

'Ah! De man van de sensationele foto's!'

Het klonk niet bitter of verwijtend, wat Geo verwacht had, maar eerder alsof ze blij was kennis met hem te maken.

'Ze waren nogal spectaculair,' gaf hij toe. 'Ik ben blij dat ze je niet geschokt hebben.'

'Waarom dacht je dat?'

Haar vraag sloeg hem uit het lood. Hij wendde instinctief zijn blik af, keek naar de kruiwagen en stamelde:

'Nou... Ik dacht... Het leek zo...'

'Natuurlijk was ik wél geschokt,' zei ze. 'Je man zo in de krant zien, met al dat bloed en die vreselijke boor en alle griezelige details. Zou jij niet geschokt zijn?'

'Ik denk het wel, ja.'

'Maar ik neem je niets kwalijk. Je hebt waarschijnlijk je werk gedaan zoals je baas het van je verwachtte.'

'Ik denk het wel, ja.'

'Moment.'

Ze reed weg met de kruiwagen. Vroeger had een mesthoop de helft van de binnenplaats in beslag genomen. Die ruimte was nu ingenomen door bakken en potten met een ongelooflijke hoeveelheid bloemen in blauw, geel en rood. De nieuwe mesthoop bevond zich buiten, achter een smalle deur, waar de Boisy haar last op een drafje doorheen duwde, zonder ook maar even te vertragen. Ze had duidelijk ervaring.

Ze wás behoorlijk mollig, bedacht Geo, terwijl hij haar goed gevulde broekje monsterde. Mollig en sensueel. En geen katje om zonder handschoenen aan te pakken, dat had ze hem al meteen laten voelen. Het soort vrouw waar hij bang voor was. In tegenstelling tot kenaus van Van den Booms slag. Een de Boisy kon hem met één vraag een gevoel bezorgen dat hij alleen kon vergelijken met de sensatie van een doktersvinger die naar zijn prostaat tastte. De Van den Booms trokken alleen maar aan zijn piemel.

'Zo. Klaar,' zei de Boisy.

Ze parkeerde de laarzen, bij de stal waar een paard liet horen dat het zijn bazin gezien had.

'Stil jij!' beval de vrouw. 'Straks mag je naar de weide.'

Ze wreef haar handen schoon aan het broekje en wees toen naar een zithoek met tafeltje en stoelen tussen de bloemen.

'Gaan we zitten?'

Ze had alles netjes klaargemaakt voor het bezoek. Kopjes. Glazen. Een blikken doos met koekjes. In de schaduw van de bloembakken een thermos en een koelbox met frisdrank en bier.

'Iets fris?' vroeg ze. 'Koffie? Of beginnen journalisten hun werkdag met iets straffers?'

'Koffie is prima voor mij.'

Geo nam plaats op een stoel met zijn rug naar de zon. De Boisy schonk koffie in. Melk. Suiker. Koekje. Ze geurde naar zeep. Ze was in bad geweest voor ze de stal uitmestte. En ze had na dat karwei haar handen niét gewassen.

'Geen bezwaar dat ik alvast een paar foto's maak terwijl we op mijn collega wachten?' vroeg Geo.

'Zoals je wilt. Zeg maar wat ik moet doen.'

Hij voelde weer de doktersvinger. Nog nooit in de loop van zijn carrière had hij een vrouw ontmoet die zonder te aarzelen wilde poseren in de lorren die de Boisy droeg. Die niet eerst wat anders wilde aantrekken, haar haar kammen, haar oogschaduw bijwerken, haar lippen stiften.

'Blijf gewoon zo zitten,' was het enige wat hij kon antwoorden.

Ze zat kaarsrecht op een stoel, met haar schouders lichtjes naar achteren en haar boezem naar voren, helemaal niet uitdagend, maar net daardoor provocerend, tepels waar geen man naast kon kijken en toch niet naar keek, omdat zijn aandacht afgeleid werd door haar halfblote, ronde, zachte schouders. En de man die daarnaar keek, kon niet anders dan ook naar haar gezicht kijken, het spottende glimlachje en de lachende oogjes, die bij nader toezien helemaal niet lachten, maar hard en zelfverzekerd in de lens staarden. Achter haar veroorzaakten geraniums een lawine van beenhard magenta, waardoor de lichte hennaschijn op de Boisy's haar nog roder kleurde dan ze al was.

'Goed zo,' zei hij en hij schoot in één ruk door een reeks portretten. 'Ben je ooit model geweest?'

'Nee. Tenzij voor Valcke. Hij zei dat ik een natuurtalent was. Ik zou niet weten waar het vandaan komt.'

'Waar kom je dan vandaan? Uit deze streek?'

'Omdat ik een Franse naam heb? Nee. Ik ben afkomstig van Woubrechtegem. Ken je dat?'

'Nooit van gehoord.'

'Bij Herzele. Tussen Zottegem en Denderleeuw. Oost-Vlaanderen.'

'De streek van Piet Vanden Bulcke?'

'Min of meer.'

'Ik ga wat portretten ten voeten uit maken.'

'O.k.'

Hij hoefde geen instructies te geven. Ze liep meteen naar de hoek van de verweerde buitenmuur en de stal. Perfecte lichtinval. Rustieke kleuren van twee soorten baksteen. Een ideale achtergrond.

'Beter kan niet,' zei Geo.

Ze trok het broekje wat hoger en streek het T-shirt glad over haar buik. Geo keek in de zoeker. De Boisy tilde de hiel van haar blote rechtervoet een paar centimeter op om haar knie lichtjes te plooien en de illusie te wekken dat ze niet statisch had geposeerd, maar gekiekt was in volle beweging.

'Houden zo.'

'Zolang je wilt.'

'Geef me wat profiel. Niet te veel. Zo.'

Ze gehoorzaamde alsof ze haar leven lang mannequin was geweest.

'Is het mogelijk om een paar foto's te maken met het paard?' vroeg Joosten.

'Met of zonder zadel?'

'Doe maar zonder.'

Ze schoof de grendel van de staldeur. Een rossige merrie kwam spontaan naar buiten en legde haar hoofd tegen de Boisy's schouder. Geo knipte een foto.

'Wil je dat ik erop ga zitten?' vroeg ze.

'Prima.'

'Zoals Lady Godiva?'

Hij lachte.

'Daarvoor is je haar niet lang genoeg.'

'Grappig. Dat zei Valcke ook.'

'Valcke maakte nochtans geen foto's voor een familiekrant.'

'Nee. Daarom heeft hij Lady Godiva gefotografeerd met kort haar.'

Ze trok zich op aan de manen van de merrie en hees zich op haar rug. Zonder stijgbeugel, maar wel moeiteloos. Elegant. En meteen in de juiste houding voor de foto.

'Je houdt ervan gefotografeerd te worden,' zei Geo.

'Ja.'

'Je toont graag je lichaam.'

'Ja.'

'Waarom?'

'Wat bedoel je?'

'Je stelde spontaan voor in je blootje op je paard te gaan zitten. De meeste vrouwen zijn verlegen als ze zich naakt moeten vertonen. Jij vroeg er zelf om. Waarom?'

'Omdat ik me goed voel in mijn vel. Vermoed ik. Ik heb er nooit over nagedacht. Voel jij je goed in je vel?'

'Figuurlijk? Ja. Letterlijk? Nee. Ik heb nu eenmaal geen figuur om me goed bij te voelen.'

Ze lachte.

'Nu zou ik kunnen antwoorden dat ik het daar niet mee eens ben, maar dat zou je niet vertrouwen. Je zou je afvragen wat ik daarmee bedoel. Of het alleen maar een flauw beleefdheidje was of dat er meer achterzat. Dus zeg ik het maar niet.'

Ze sprong van het paard.

'Ik ga haar in de weide loslaten. Achter het huis. Loop je mee?' vroeg ze.

De merrie kende de weg door het deurtje even goed als zijn bazin. Ze boog lang op voorhand haar hoofd. Haar flanken raakten de muur net niet. Achter de deur lag een grote modderplas. Pap waarin Geo tot boven zijn enkels wegzonk. De Boisy stapte er blootsvoets doorheen. Geo's schoenen vulden zich met smurrie.

'Ju!' riep de vrouw en de merrie galoppeerde weg.

'Valcke had een hekel aan paarden,' zei ze.

'Ben je daarom hier blijven wonen?'

'Onder andere.'

'Was er nog meer waar hij niet van hield?'

'Hopen.'

'Hoe heb je hem eigenlijk leren kennen? Frequenteerde je dezelfde kringen? Je lijkt me niet het type dat met kunstenaars omgaat.'

'Wat voor type ben ik dan wel?'

Geo glimlachte om tijd te winnen. Voor de zoveelste keer voelde hij zich betrapt. Ze speelde met hem als een ervaren kat met een hulpeloze muis.

'Waarom vraag je dat aan mij?' vroeg hij omdat hij niets anders kon verzinnen. 'Jij bent degene die geïnterviewd wordt. Ik niet.'

Ze glimlachte. Een spottrekje rond haar lippen.

'Je hebt gelijk,' zei ze toen. 'Ik had totaal niets met kunst te maken. Of met kunstenaars. Ik deed in vastgoed. In de zaak van mijn familie. Wallonië was mijn regio. Ik had me gespecialiseerd in renovatieprojecten. Objecten zoals mijn hoeve. Ik was zeer geïntrigeerd door wat er met De Gielenhof gebeurde. Ja?'

'Vind je het erg als ik een foto van je maak terwijl je door de modder stapt?'

'Ik heb je nog niet verteld hoe ik Valcke heb leren kennen.'

'Bij de restauratie van De Gielenhof.'

'Mis. Je bent te snel met je conclusies. Dat schijnt een vervelende karaktertrek van je te zijn. Althans volgens mijn vrienden.'

'Zo?'

'Ik had iemand leren kennen op De Gielenhof. Ze vertelde me dat een kennis van haar, een nogal uitbundige schilder-beeldhouwer, vrouwen zocht voor een performance rond liefde en extase. Een opvoering met dans en beweging en bodypainting. Zo heb ik Valcke ontmoet.'

'Een makelaarster die voor een live publiek uit de kleren ging.'

'Het was een bevrijding. In meer dan één opzicht. Ik heb me laten uitkopen door de andere vennoten in de firma. Om als een vrije vrouw te gaan leven.'

'Maken we die foto?'

'Wat ga je eronder schrijven?'

'Ik? Niets. Ik maak geen bijschriften. Ik ben maar fotograaf. Je bent te snel met je conclusies.'

'Ha, ha.'

Ze ging niet gewoon in de blubber staan. Op een of andere manier slaagde ze erin te suggereren dat ze bang was dat de vloeibaar geworden zwarte aarde haar zou opzuigen, maar terzelfder tijd straalde ze het zinnelijke genot uit dat het voetbad in de zachte, strelende modder haar bezorgde.

'Briljant,' zei Geo.

De Boisy bedankte met een glimlach.

'Ik heb alle foto's die ik nodig heb,' zei hij. 'Schitterend.'

'Nog één.'

'Wat?'

'Ik wil dat je nog één foto maakt. Ginder.'

Ze wees naar de merrie bij een afgedankte badkuip. De traditionele Vlaamse drenkbak. De weide daalde steil de helling af, op een afstand leek het alsof de kuip aan de rand van een ravijn stond. Geo volgde de vrouw. Bij de waterbak beval ze:

'Ga op je knieën zitten en laat de rand van de kuip samenvallen met de onderkant van het beeld.'

Hij gehoorzaamde. In de zoeker zag hij op de voorgrond de zon in het water schitteren. Links kwam het hoofd van de merrie in beeld. Haar lippen beroerden lichtjes het water. Rechts stapte de Boisy met haar kleren aan in de drenkbak. Ze liet zich in het lauwe water zakken tot alleen haar hoofd er nog boven uitstak.

Geo drukte af. Paardenhoofd. Water en zon. Vrouwenhoofd. Daartussen een gigantisch panorama. Gele en groene rechthoeken. Akkers als tapijten uitgerold over de bolle heuvels. Hij drukte nogmaals af, foto na foto. De Boisy glimlachte triomfantelijk. Hij wist dat dit het beeld was dat morgen paginabreed in de krant zou prijken.

'Mag ik meekijken?' vroeg ze.

Hij liet haar zien wat hij gefotografeerd had.

'Prima,' zei ze en ze stapte uit het water. 'Zelfs beter dan wat Valcke er ooit van gebakken heeft. Maar toen scheen de zon niet en was de lucht niet zo helder als vandaag.'

'Halloooo!?'

Honderd meter hogerop, bang zijn schoenen vuil te maken in de modderplas, wuifde Dirix naar hen. Catherine de Boisy trok haar hemdje uit en zwaaide ermee naar de jongeman.

'Is dat je collega?' vroeg ze.

'Ja,' grijnsde Geo, want zelfs van ver kon hij zien dat de verslaggever als van de hand Gods geslagen naar haar blote borsten staarde.

'Dan mogen we hem niet laten wachten,' besloot de Boisy.

Terwijl ze het water uit het hemd wrong, liep ze de heuvel op. Geo schoot tersluiks een paar foto's. Hij hoopte dat ze het niet in de gaten kreeg en schaamde zich omdat hij dat hoopte. Bij de modderplas trok de Boisy haar shirt weer aan.

'Het zal wel verder drogen in de zon,' zei ze, meer tegen Dirix dan tegen Joosten.

De jongen antwoordde met een schor keelgeluid.

Het interview was een marteling voor Geo. Buiten enkele afgezaagde standaardvragen had Dirix nog een tiental trefwoorden op een papiertje gekrabbeld. Dat leverde vragen op in de trant van:

'Hoe organiseer je je leven nadat je vriend zo wreed vermoord is?'

'Wat doe je om het plotse, dramatische verlies te verwerken?'

'Hoe ga je om met het professionele wantrouwen van de politie en het gerecht?'

En blablabla en blablabla.

Catherine de Boisy wikkelde de jongeman om haar vinger door precies die antwoorden te geven die hij verwacht had. Ze voedde zijn bandopnemertje met fijn gedoseerde porties drama, medelijden, zelfbeklag en moed in het aangezicht van het onvermijdelijke. Woorden die ze zonder te verpinken gebruikte.

Over wat er destijds in Valckes kring gebeurd was, repte ze met geen woord. Over wat mogelijk een verklaring kon zijn voor de moord op haar vriend, loste ze geen zuchtje.

Over seks sprak ze maar één keer, maar dan wel tot grote tevredenheid van Dirix.

'In de kunst van mijn vriend speelde sublieme seks een grote rol,' zei ze. 'Subliem, maar gesublimeerd. Een rijke, rijpe ervaring, die het lichaam van genot vervult maar tevens de geest verheft.'

Geo wist meteen welke kop de volgende dag boven Dirix' verhaal zou prijken.

Seks verheft de geest.

Aardig in combinatie met een foto van haar in een badkuip in openlucht. Geo smeekte in stilte dat de eindredacteur het paardenhoofd niet zou wegknippen.

'Hoe verwerk je het verlies van die sublieme ervaring, mevrouw de Boisy? Nu je vriend er niet meer is om je eh... te helpen?' vroeg Dirix, blozend als de collegeneuker die hij was.

'Ach,' zei de Boisy triest. 'Ach. Het is nog zo recent, nietwaar? Het verbaast me elke dag meer hoe lang een mens kan leven van herinneringen.'

Geo beet op zijn lip en zweeg.

'Piet, je moet iets voor me doen,' zei Geo nadat hij de misdaadverslaggever uitvoerig over het interview had verteld. 'Je moet uitvissen of in het dossier staat hoe lang Vanden Bulcke en de Boisy elkaar al kennen.'

'Omdat?'

'Omdat ze uit dezelfde streek komen. Zij uit een nest dat Woubrechtegem heet en hij uit Haaltert. En omdat ze in dezelfde branche werkten. Wist jij dat de Boisy haar boterham verdiende als makelaar? En wist je dat ze gespecialiseerd was in het opknappen of verpatsen van oude hokken?'

'Nee.'

'Snap je waar ik naartoe wil?'

'Ja, maar niet waar je wilt uitkomen.'

'Dat leg ik je nog wel eens uit. Zodra ik het zelf weet.'

'Kun je me in ruil een foto van de Boisy in haar blootje mailen?'

'Binnen de minuut. Maar alleen voor jouw ogen. O.k.?'

'Mevrouw Draps,' begon Frits Franken aan de telefoon. 'Ik dacht net aan ons gesprek in de Eurostar. Over veertien dagen moet ik spreken bij de opening van een tentoonstelling in Lommel. Jammer genoeg ontdek ik nu dat ik andere, dringender verplichtingen heb. Zou je me willen vervangen?'

Estelle wist even niet wat te zeggen. Franken interpreteerde haar aarzeling als twijfel.

'Kom, niet bang zijn, je kunt het,' drong hij aan. 'Het gaat om een paar kunstenaars over wie je in AQS al zeer zinnige dingen geschreven hebt. En je hoeft het ook niet gratis te doen. De organisatoren betalen driehonderd euro, plus de verplaatsing. En ze trakteren je op een soupeetje. Wat denk je?'

'Eh... Ja... Ik moet even mijn agenda inkijken... Ik bel je terug. Over een minuut of tien. O.k.?'

Ze belde meteen naar Geo. Hij was thuis. Gelukkig. Toen hij hoorde dat de tentoonstelling in Limburg zou plaatshebben, riep hij meteen:

'Pas op! Dat is het territorium van Wellens. Franken boekt je waarschijnlijk in zijn plaats. Als je wilt, check ik het even bij een van mijn vrienden in het noorden.'

'O.k.'

Bijna binnen de minuut vernam Geo dat op de uitnodigingen inderdaad te lezen stond dat Wies Wellens de inleiding zou verzorgen.

'Ik doe het niet!' foeterde Estelle. 'Ik ben geen ersatz-Wellens. Ik weiger me te laten misbruiken voor de intriges van Franken!'

'En toch moet je zijn voorstel aannemen,' drong Geo aan. 'Franken voelt zich blijkbaar sterk. Mans genoeg om zomaar gunsten uit te delen. En af te pakken. Schurk jij je voorlopig maar tegen hem aan. Je weet nooit of hij je niet in vertrouwen neemt en zijn mond voorbijpraat.'

'Ik zie niet in waarom ik hem moet helpen Wellens te vernederen.'

'Dat is nobel van je, maar je bent Wellens' hoedster niet. Laat die zeiker maar zijn eigen boontjes doppen. Misschien maakt je optreden hem zo woest dat hij eindelijk de hele waarheid uitbrengt over wat zijn oude vriendjes allemaal uitgevreten hebben!'

'Je bent gek, Joosten. Hou op met voor detective te spelen. Voor het spelletje je zuur opbreekt.'

'Kan ik niet, schat. Ik begin het elke dag leuker te vinden. En spannender.'

'Pft.'

'Zeg maar tegen Franken dat je het doet. Als beloning stuur ik je twee foto's van de Boisy. Eentje die volgens haar mooier is dan een probeersel dat Valcke ooit van haar gemaakt heeft. En de andere... Wel... Die moet absoluut geniaal zijn, want Piet Schraepen heeft een exemplaar gevraagd voor zijn privécollectie.'

Later zou Piet Schraepen schrijven dat de aanslag uitgevoerd was door amateurs, maar zo zag het er niet uit toen Geo Joosten in het holst van de nacht gewekt werd door een overbuurman, die in paniek op de voordeur bonkte.

'Brand! Opstaan! Brand! Brand!' schreeuwde de man.

Geo rook de stank van benzine, brandend hout, smeulend plastic en zag door de gordijnen heen vlammen oplaaien. In een reflex waarvan hij nooit had beseft dat hij die bezat, graaide hij essentiële dingen bij elkaar. Een laken, kleren, zijn cameratas, een laptop.

Op het paadje naar zijn huis brandde benzine. De brand had zich uitgebreid naar een spar, waarvan de vlammen al aan de garagepoort likten.Vandaar klommen ze langs de gevel omhoog tot bij het slaapkamerraam.

'De brandweer!' riep hij.

'Op komst!' antwoordde de buurman.

Geo sloeg met het laken op de vlammen. Voor de rest van zijn leven zou hij zich dat moment herinneren, een poedelnaakte man die met een lapje stof metershoge vlammen te lijf ging zonder te beseffen hoe pathetisch belachelijk hij eruitzag.

Schraepen maakte er in zijn bericht een heldhaftige strijd tegen de vuurzee van. Het scheelde niet veel of hij had gesuggereerd dat 'onze fotograaf Joosten' op zijn eentje het gevecht gewonnen had, en niet de brandweer.

De spuitgasten kwamen eraan toen de hitte van de brandende poort het glas van het slaapkamervenster deed springen. Eén sissende schuimwolk volstond om erger te voorkomen. Een tweede wolk bluste de poort. Eén waterslangetje was genoeg om de den te doven.

'Ik was net opgestaan om naar mijn werk te gaan,' zei de buurman. 'Ik hoorde een autootje stoppen en direct daarna volgde een slag. Whoempf! Bijna op hetzelfde ogenblik vertrok de auto. Voor ik naar buiten kon kijken, was hij al verdwenen. Ik zag de vlammen en kwam je wekken, terwijl mijn vrouw de brandweer belde.'

'Dat is geen grap,' zei een brandweerman. 'Dat is een aanslag!'

'Godverdomme,' zei Geo.

'Je hebt geluk gehad. Als ik niet wakker was geweest!' meende de buurman.

'Ik moet blijven tot het parket komt,' zei de brandweerman. 'Ga jij maar kleren aantrekken. Het kan nog even duren voor de expert er is.'

Geo had niet veel tijd nodig om de schade op te nemen. Versplinterd glas en brandlucht in zijn slaapkamer. De poort *total loss*. Brandlucht in de garage. Roet op de gevel. Een kale den. Dat was alles. Het had erger kunnen zijn.

Erger? Godverdomme! Iemand had een aanslag op zijn leven gepleegd! Iemand had geprobeerd hem te laten verkolen! Was dat niet erg genoeg?

'Je bent mooi de dans ontsprongen,' vond Piet Schraepen, die weleens de neiging vertoonde te spreken met dezelfde clichés die hij in zijn berichten gebruikte.

'Als ik niet met de vroege had gestaan,' zei de buurman.

'Een aanslag met een molotovcocktail. Wie haalt het in zijn zieke hoofd een brandbom te gooien naar een simpele fotograaf in een simpel stadje zoals Borgloon?' vroeg Schraepen zich af.

'Ik moet naar mijn werk. Tot later,' besloot de buurman.

'Bedankt. Je hebt een magnum champagne te goed. En een diner. Met je vrouw,' beloofde Geo.

Een jonge inspecteur van de gerechtelijke dienst en een brandexpert waren allerlei dingen aan het opmeten. Met een pincet raapten ze scherven op van wat ze steevast 'de bom' noemden. Een fles met benzine en een vod als wiek. De basisversie van de molotovcocktail.

'Weet je wat ik denk? Tussen jou en mij?' vroeg Schraepen.

'Je denkt dat er maar één reden kan zijn waarom iemand mijn hok in brand kan steken,' antwoordde Geo. 'Omdat ik te veel in de zaak-Valcke heb zitten peuteren, denk je.'

'Juist. Iemand wil je de stuipen op het lijf jagen.'

'De boodschap had wel een beetje duidelijker mogen zijn. Ik weet niet wie me bang wil maken. En ik weet niet waarom. Wat schiet ik daarmee op?'

'Misschien krijg je nog wel een telefoontje of een briefje.'

'Misschien.'

'Anderzijds had dat echtpaar in de Ford ook geen brief gekregen,' mompelde Schraepen.

'Je zei dat er geen verband was tussen hen en Valcke,' reageerde Joosten.

'Dat beweerde ik nu ook weer niet. Ik bedoel maar dat er nog aanslagen worden gepleegd zonder dat iemand ze opeist.'

'Twee keer in dezelfde streek? Twee keer op mensen die iets weten of proberen te weten te komen in verband met dezelfde moordzaak?'

'Tja.'

De inspecteur kwam vragen stellen. Routine. Bij de standaardvraag of hij vijanden had, grinnikte Geo:

'Bij het parket van Tongeren of elders?'

De jongeman kon er niet om lachen en Geo had geen zin om zijn flauwe grapjes te verklaren ten behoeve van politiemannen die nog nat achter de oren waren.

Terwijl een troep timmerlui zich om de verkoolde garagepoort bekommerde en de glazenmaker het slaapkamervenster repareerde, probeerde Geo zijn buurman aan de lijn te krijgen.

De brandweer had hem de vaklui aanbevolen. Kerels die altijd klaarstonden voor een snelle klus in noodgevallen, hadden ze gezegd. Waarschijnlijk waren de aanbevolen klusjesmannen duurder dan hun collega's en deelden ze een portie van de buit met de brandweer.

'Toine Marguiller?' vroeg de vrouw aan de telefoon, geïrriteerd omdat iemand wilde spreken met een personeelslid van zo lage rang dat ze niet eens zijn naam kende. 'Op welke dienst werkt hij?'

'Weet ik niet. Hij staat met de vroege.'

'Arbeider,' snauwde de vrouw. 'Ik weet niet of ik die aan de telefoon kan krijgen.'

'Probeer het toch maar,' gromde Geo. 'Hij heeft me vanmorgen uit een brandend huis gered.'

Haar toontje veranderde op slag.

'Echt waar? Ben jij de fotograaf die aan de dood ontsnapt is? Wel, wel... Het verhaal heeft al de ronde gedaan in de fabriek. Goh... Moment.'

Ze schakelde door naar een telefoon die, te oordelen naar de geluiden op de achtergrond, in een productiehal stond. Buurman Toine werkte in een bedrijf dat profielbalken maakte van aluminium, staal en gewapend beton. Een activiteit die niet mogelijk was zonder immense herrie.

'Toine?'

'Ja.'

'Waarom zei je vanmorgen dat je een autootje gehoord had?

'Omdat ik dat gehoord had.'

'Hoe kun je nu horen of een auto groot of klein is?'

'Ik heb in een garage gewerkt. Herinner je je dat niet meer?'

'Juist. Jawel.'

'Wel. Dat is iets wat je in een garage leert. Na een dag of twee hoor je al van een kilometer ver het verschil tussen een viercilinder en zo een naaimachine met drie cilindertjes. Je moet maar eens naar een Japannertje luisteren. Zelfs voor jou zal het duidelijk zijn dat het als een kleine auto klinkt.'

'Verdomme,' zei Geo.

'Waarom moest je dat zo dringend weten? Ah! Natuurlijk. Voor het parket. Vertel ze maar met mijn groeten dat het een kleine Japanner was. En zeg er maar bij dat ik me nog nooit vergist heb.'

'Toine, je hebt zojuist nog een tweede magnum en een extra diner verdiend.'

'Merci.'

15.
BV verdacht van moord

Als op aangeven van een weinig geïnspireerde regisseur klonk de eerste donderslag toen Estelle aanbelde. De tweede volgde op het ogenblik dat Geo de deur opendeed. Het onweer kwam zo snel opzetten dat de eerste hagelbolletjes al op de in AQS-kleuren geschilderde auto kletterden voor Estelle helemaal binnen was.

'Wat een show,' zei Geo.

'Aangekomen met vuurwerk.'

Het was van maanden voor de echtscheiding geleden dat ze nog een voet had gezet in het huis in Borgloon. Op het eerste gezicht leek alles nog zoals op de dag dat ze was weggegaan. De lange, brede gang met vierkante plavuizen van zwetende, grijze natuursteen. De lambrisering van bruingeschilderd stucwerk met daarboven ruig gewit behangpapier. De eiken trap met zijn rond uitgesleten treden. Rechts een deur met raampjes van geslepen glas naar 'de goede plaats', links een massief houten deur naar een kantoor, dat altijd 'de kamer' had geheten. Aan het eind de deur naar de binnenplaats met roodbruin glas in lood, warme aardekleuren uit het zuiden, om onverklaarbare redenen gekozen door Geo's grootouders, fruitboeren, handelaars in alles en nog wat, rijk genoeg om lang voor hun pensioenleeftijd te gaan rentenieren.

'Je kent de weg nog?' vroeg hij.

'Je hebt niets veranderd.'

'Niet veel. Geen tijd gehad. Loop maar naar het terras.'

Aan de rechterkant nog een deur met geslepen glas, de eetkamer, direct daarna de massief houten deur van de keuken. Ze duwde de buitendeur open. Het terras onder een afdak van ouderwets dun serreglas, een massieve gietijzeren constructie op krullen en zuilen. Een handelaar in tweedehands bouwmateriaal zou er een klein fortuin voor neertellen.

Hagel en regen kletterden oorverdovend op het glas en pletsten dansend op de roze, ronde kinderkopjes tussen het afdak en de loods.

Dikke stralen gutsten uit pijpen die het water van drie daken moesten slikken: het woonhuis, een oude fruitloods en de tegen het woonhuis aangebouwde garage. De gootjes rond de binnenplaats leken bergbeekjes en draaikolken wervelden rond de roosters van de afvoerbuis, die helemaal naar het riviertje achter de boomgaard liep.

'Herinner je je ons eerste onweer nog?' vroeg Geo.

'En of.'

'We hadden morsdood kunnen zijn.'

Ze woonden toen nog maar een paar weken samen. Als verliefde kalveren uit een romantische Tsjechische komedie in zwart-wit hadden ze in de stortregen door de boomgaard gedanst, blij met de afkoeling na een drukkend hete zomerdag.

Nat tot op hun huid en naar Tsjechisch filmvoorbeeld hadden ze door het gras gerold en het regenwater van elkaars gezicht gelikt. Maar net toen hij de doorweekte kleren van haar lijf begon te rukken, was er een verblindende flits geweest, gevolgd door een knal en een elektrische schok en stonk het naar zwavel en ozon en brandend hout.

De bliksem was ingeslagen in een kersenboom, geen tien meter van hen vandaan. Hij had de boom doormidden gespleten en een krachtige stroomstoot in de grond ontladen, tienduizenden volt die door de natte bodem knetterden en hen hadden kunnen roosteren als ze dichter bij de smeulende stam hadden gelegen.

'De boom staat er nog altijd,' zei Geo. 'Ik heb er deze zomer zelfs enkele emmers kersen van geplukt. Zoveel als ik kon met de kleine ladder.'

Het onweer begon te luwen, even snel als het gekomen was. De donder rommelde in het noordwesten.

'We gaan eten,' kondigde Geo aan.

'Heb je gekookt?' vroeg Estelle.

'Wacht maar!'

Na het eten – hutspot van schaap, zoals hij had beloofd – had Geo erop aangedrongen dat ze een rondje maakte door het huis. Ze had zijn voorstel eerst afgehouden, maar toen hij aandrong, durfde ze niet langer nee te zeggen, bang dat ze hem zou kwetsen.

Een paar nieuwe details vielen haar op, hoe onbeduidend ze ook waren. Een stoel. Een bijzettafeltje. Nieuw behang in de 'goede plaats'. Een tapijt.

Alleen 'de kamer' zag er echt helemaal anders uit. De stapels archiefdozen met foto's en negatieven had Geo verhuisd naar het kleine vertrek achter het kantoor, waar destijds de brandkast van zijn voorouders had gestaan en een papierkast, zoals de oudjes hun archief hadden genoemd. In haar tijd was het de donkere kamer geweest. Alle toestellen stonden er nog, werkloos, op elkaar geperst om plaats te maken voor archiefdozen.

In plaats van film en fotopapier en chemicaliën was elektronica gekomen, een hele wand vol. Macs, pc's, laptops, grote en kleine schermen, grijze en beige dozen met knopjes en draadjes waarvan Estelle zelfs niet bij benadering kon raden waarvoor ze dienden. Telefoons. Faxen. Printers. Rekken met cd-schijfjes en diskettes.

'Waar dient dat allemaal voor?' vroeg ze.

'Om foto's te maken.'

'Een kat vindt haar eigen jongen niet in die chaos.'

'Ik heb een systeem, ik heb je dat al uitgelegd. Test me.'

Omdat ze niet meteen iets moeilijks kon bedenken, vroeg ze de foto die Piet Schraepen geniaal had gevonden. Geo klikte een scherm tot leven en tikte 'de Boisy' in. Een paar beige dozen zoemden en het scherm van een monitor vulde zich met kleurige rechthoekjes. Hij klikte er een aan en de gevraagde foto floepte te voorschijn.

'Voilà.'

Catherine de Boisy in de boomgaard, blootsvoets, nat plakkend sportbroekje, naakte borsten, een verfrommeld hemdje in haar handen.

'Ik had het kunnen raden,' grinnikte Estelle. 'Mannen...'

'Heb je de foto in de krant van vanmorgen gezien?'

Natuurlijk had ze Geo's krant niet bekeken. Het sensatieblad, zoals iedereen het noemde op de deftige AQS-redactie, was ondanks dat vaak en luid uitgesproken misprijzen toch zo populair dat alleen heel vroege vogels een kans kregen om het in te kijken.

'Hier,' zei Geo en hij presenteerde het beeld met paardenhoofd, badkuip en vrouwenhoofd op het grootste scherm dat hij ter beschikking had.

'Gut!' riep Estelle. 'Dat is pas geniaal! Schit-te-rend!'

'Hij stond paginabreed in de krant. Mooi gedaan.'

'Is dat de foto die mooier is dan die van Valcke?'

'Dat beweerde de Boisy toch.'

'Ik wist niet dat hij fotografeerde.'

'Ik ook niet,' zei Geo en hij sloeg zich met vlakke hand tegen het voorhoofd.

'Wat krijg je nu?'

'Waar zijn zijn foto's?' vroeg hij. 'Wat heeft hij ermee gedaan?'

'Ze liggen waarschijnlijk ergens in een doos,' veronderstelde Estelle. 'Zoals de meeste foto's. Wat anders?'

'Kom nou, meisje! Denk! Denk! De Glorie van Vlaanderen verpatst álles wat Valckes ooit heeft aangeraakt. Als hij een koperdraad dubbel plooide, liet Van den Boom het ding prompt op een plankje monteren om het als een plastiek te verhuren aan een patjepeeër! Maar in heel haar catalogus is er geen spoor van foto's. En op de dvd evenmin.'

'De foto's waren privé. Is het zo vreemd dat privésouvenirs niet verkocht worden?'

'Privé? Dat telt niet. Die foto's zijn geld waard. Dat telt. De enige reden die ik kan verzinnen waarom ze niet te koop worden aangeboden, is dat die wolven er niet de hand op hebben kunnen leggen!'

'Of er staan dingen op die de buitenwereld niet mag zien,' veronderstelde Estelle.

'Inderdaad. Andere mogelijkheid. Blijft de vraag waar ze zijn. Liggen ze nog in het atelier? Heeft het parket ze in beslag genomen? Of heeft de Boisy ze stilletjes achterovergedrukt?'

'Hoe kom je daarbij?'

'Omdat ze het zomaar terloops over zijn foto's had. Achteloos, zoals iemand spreekt over kiekjes in een familiealbum.'

'Onschuldige prentjes, dus.'

'Het is maar de vraag wat je onschuldig noemt. Iemand die zomaar tussen neus en lippen voorstelt dat een persfotograaf haar poedelnaakt kiekt op de rug van een paard, houdt er andere normen op na. Onschuldig betekent voor haar iets anders dan voor jou en mij.'

'Waarom begin je daar weer over? Heb je haar ook nog te paard in haar blote flikker gekiekt?'

'Ik heb het beleefd afgewezen. Niet geschikt voor een familiekrant.'

'Je had er Schraepen blij mee kunnen maken. En de andere venten die van zogenaamd geniale prentjes houden.'

'Beloof je dat je me niet uitlacht? Ik wilde haar niet naakt op dat paard, oprecht, omdat ik bang van haar was. Omdat ik bang was van wat me kon overkomen, helemaal alleen met haar in haar blootje.'

'De eerste keer dat je bang was van een model.'

'Modellen zijn onschuldige gansjes. Dat mens is een vampier. Neem het van mij aan.'

'En dus in staat een bloederige spektakelmoord te plegen. Is het dat wat je probeert te zeggen?'

'Eerlijk?'

'Eerlijk.'

'Goed. Mijn eerlijke opinie. Nee. Volgens mij was ze oprecht smoor op Valcke. Ze aanbad hem als een afgod. Ze deed alles voor hem. Zelfs haar seksuele geaardheid verloochende ze voor hem. Ze heeft hem niet vermoord.'

'Wat heeft ze dan gezegd dat je daar zo overtuigd van bent?'

'Het is niet wát ze zei, maar hóé ze het zei. Een gevoel. Intuïtie.'

'Plus je angst voor vampiers,' spotte ze.

'Dat ook, ja,' antwoordde Geo in volle ernst.

Piet Schraepen deed verlegen toen hij Estelle een handje gaf. Hij had de AQS-auto op straat zien staan en had getwijfeld of hij wel zou binnengaan. Maar de zaak waarvoor hij kwam, was zo belangrijk dat hij het er wel op moest wagen.

'Misschien hebben ze zich verzoend en ben ik de eerste die het goede nieuws verneemt,' maakte hij zichzelf wijs, terwijl hij naar oude boerengewoonte zonder aan te bellen achterom liep.

'Wel, wel, Estelle... Wat een verrassing,' stamelde hij. 'Wel, wel... Zijn jullie... Ben je... Is Geo, eh, is...'

Geo zette hem meteen een dessert voor. Vanillepap met een dikke saus van ingekookte zoete kersen. De misdaadverslaggever schrokte de zoetigheid op als een uitgehongerde wolf en schraapte zelfs de laatste restjes uit het kommetje.

'Wat voor nieuws breng je?' vroeg Geo.

'Vertrouwelijk.'

'Estelle is op de hoogte. Alles wat ik weet, weet zij ook. Of toch bijna alles.'

'Het is heel vertrouwelijk.'

'Piet, godverdomme, je werkt niet voor de Staatsveiligheid!'

'Ze hebben de moordenaar van Valcke,' flapte de verslaggever eruit.

Het bleef even doodstil. Schraepen staarde in het lege kommetje. Estelle staarde naar hem. Geo staarde naar het glazen dak.

'Wie?' vroeg de fotograaf.

'Dat weet ik nog niet. Het is geheim. Zeer geheim. Twee mannen van de gerechtelijke zijn hem gaan ophalen. Zonder iets te zeggen tegen hun collega's. Toen ze met hun mannetje terugkwamen, zijn ze rechtstreeks de garage binnengereden en hebben ze hem met een kap over zijn hoofd meegenomen naar een kantoor. Volgens de man die voor de auto's instaat, hadden ze ongeveer tweehonderd kilometer gereden. Het zou een Bekende Vlaming zijn.'

'Tweehonderd kilometer, Tongeren-Brussel en terug,' zei Estelle.

'Zoiets, ja.'

'En het was een man?' vroeg Geo. 'Zeker?'

'Ja. Hij wordt ondervraagd in een kamertje achter het kantoor van Van de Besien. Met aan de straatkant een venster van melkglas. Onmogelijk er naar binnen te kijken.'

'Een mannelijke BV uit Brussel of omgeving? Godverdomme, Piet, wie kan dat zijn? Verbist? Is dat een BV? Vanden Bulcke himself? Hij is in elk geval een BV. En Franken? Die is met zijn kop op televisie geweest, dat maakt hem ook tot beroemdheid!'

'Geen idee wie het is. Mijn contacten weten absoluut niet meer dan wat ik je verteld heb. Op het marsorder was geen naam of adres ingevuld. "Verdachte ophalen voor ondervraging", meer stond er niet op.'

'Je hebt wel heel goede contacten dat je dat allemaal weet,' vond Estelle.

'Bof...'

'Bel Liesens,' stelde Geo voor.

Schraepen schudde heftig met zijn hoofd.

'Bel haar. Bluf,' drong Geo aan.

'Nee! Als ik bel, is mijn tipgever verbrand.'

'Mm.'

'Hoe lang kunnen ze een verdachte vasthouden?' vroeg Estelle.

'Officieel? Of in werkelijkheid?'

'Wat is realistisch?'

'Realistisch is dat ze die vent de hele nacht door en morgen nog tot een eind in de middag gaan bewerken,' antwoordde Schraepen. 'Tenzij hij bekent, natuurlijk. Anders zullen we pas ten vroegste morgenavond meer weten, als de advocaten zich beginnen te roeren.'

'Als jij het niet doet, bel ik Liesens op!' dreigde Geo.

'Je wilt me kapotmaken!' riep Schraepen.

'Ik doe het toch. Luister mee. Geef me een teken als ik te ver ga. Ik zal meteen zwijgen.'

Schraepen kromp in elkaar. Geo toetste het nummer van de onderzoeksrechter in. Ze nam bijna onmiddellijk op.

'Mevrouw Liesens!' riep de fotograaf alsof hij hoogst verbaasd was haar zo laat nog op kantoor aan te treffen. 'Wat een verrassing!'

'Mijnheer Joosten. Ik hoop dat het belangrijk is, want ik heb het druk.'

'Je mag gerust zijn, het is belangrijk. Ik denk dat ik nog iets over de aanslag ontdekt heb. Een getuige heeft me aan het piekeren gezet. Hij zei dat hij een driecilindertje hoorde wegrijden, direct na de ontploffing. Ik ken iemand die met zo een auto rijdt. Een Suzuki Alto om heel precies te zijn.'

Het was muisstil aan de andere kant. Even stil als onder Geo's afdak, waar Piet Schraepen en Estelle Draps voor het eerst van de Suzuki hoorden.

'Is de eigenaar van die Suzuki... is dat iemand, eh, is dat een persoon die je in staat acht een brandbom naar je huis te werpen?' vroeg Nadine Liesens na een tijdje nadenken.

'Dat vraag ik me dus ook af,' antwoordde Geo. 'Ja. En nee. Daar ben ik nog niet uit. Het is namelijk een persoon die met de zaak-Valcke te maken heeft.'

Liesens hield zich weer zeer stil. Geo wachtte. Estelle en Schraepen staarden hem aan.

'Heb je een naam voor me?' vroeg de onderzoeksrechter.

'Dat is heel pijnlijk voor mij, mevrouw Liesens. Ik wil je helpen, want ik wil heus wel dat die zaak opgelost raakt, maar een verklikker ben ik niet.'

'Doe niet flauw, mijheer Joosten. Je belt me zelf op, uit vrije wil, omdat je iemand verdenkt, en nu wil je me zijn naam niet geven? Kom nou! Even ernstig zijn. Verspil mijn tijd niet.'

'Ik... Eh... Ik heb je toch al een aantal gegevens meegedeeld? Kun je op basis daarvan niet verder zoeken? Kijk. Ik kan je nog een detail geven. De persoon over wie ik het heb, bezit ook een oude Volkswagen Caravelle met dieselmotor en een tamelijk versleten of zeer recent gerepareerde knalpot.'

Hij knipoogde naar Estelle en Schraepen, die er nog altijd geen idee van hadden wat voor spelletje hij speelde. Liesens zuchtte. Het was een lange dag geweest. Een moeilijke, spannende dag. Ze had een bevel getekend om een belangrijke Vlaming voor ondervraging op te brengen. Een man die, als hij onschuldig bleek te zijn, zoveel herrie kon schoppen dat ze de komende jaren zeker niet op promotie hoefde te rekenen. Ze was helemaal niet in de stemming om spelletjes te spelen met die verdomde fotograaf.

'Mijnheer Joosten, ik zal je helpen,' stelde ze voor. 'Ik ga enkele namen noemen. Jij hoeft alleen maar "ja" te zeggen als ik bij de persoon kom die jij verdenkt. Dan hoef je zelf de naam niet uit te spreken. Lost dat je gewetensprobleem op?'

Geo grijnsde breed. De truc waarmee generaties van leraren schoorvoetende klikspanen over hun drempel heen hadden geholpen. De techniek waarmee politiemensen en magistraten straffeloos hun zwijgplicht konden omzeilen. Net wat hij van Liesens verwacht had.

'O.k.'

'Frits Franken?'

Geo zweeg, maar stak zijn duim op.

'Catherine de Boisy.'

Geo zweeg.

'Steve Verbist?'

Geo zweeg.

'Petra Van den Boom.'

'Ja.'

'Bedankt. Ik zorg voor de rest.'

'Bedankt, mevrouw Liesens.'

Hij knipte de telefoon uit en keek triomfantelijk naar Schraepen.

'Ze begon met Frits Franken,' zei hij. 'Haar verdachte numero uno. Ik hoef er geen tekening bij te maken, zeker? Franken is opgepakt.'

'Maar dát zet ik niet in de krant,' mopperde Schraepen. 'Niet op basis van zomaar een vaag vermoeden.'

'Nee, maar ik bel nu wel naar Franken,' zei Geo. 'Ik wil weten of hij thuis is. Indien niet, dan...'

Bij Franken rinkelde de telefoon. Tien keer. Twintig keer. Niemand nam op. Zelfs geen antwoordapparaat. Niets.

'Het ís Franken,' besloot Geo. 'Wedden?'

'Wat voor bewijzen zouden ze tegen hem hebben?' vroeg Estelle.

'Dat gaan we helaas pas morgen vernemen,' zei Geo. 'Morgen. In het beste geval.'

Schraepen zuchtte diep.

'Wat betekende dat gedoe over Van den Boom en haar Suzuki?' vroeg hij.

'Intuïtie,' lachte Geo geheimzinnig. 'Iets zegt me dat Lady Lederland door het lint is gegaan en me een overdreven boodschap heeft gestuurd.'

'Je intuïtie maakt overuren,' spotte Estelle.

'Hé! Je geeft me een gouden idee!' riep Geo en hij tikte het nummer van Catherine de Boisy.

'Heb je de foto gezien?' vroeg hij haar.

'Ik vond hem mooi. Het origineel is zeker nog veel mooier?'

'Dat valt mee. Als je wilt, mail ik je een kopie.'

'Bedankt. Graag. Je hoeft het interview er niet bij te voegen.'

'Ik zal het aan Dirix laten weten.'

'Liever niet,' reageerde de Boisy.

'Heb je gehoord wat er met Franken gebeurd is?'

'Franken?'

Het klonk zo spontaan en zo onschuldig dat het haast niet anders kon of ze wist nergens van. Of ze kon even goed komedie spelen als poseren.

'Het schijnt dat hij aangehouden is,' antwoordde Geo zonder een spier te vertrekken.

Piet Schraepen keek hem aan alsof hij elke seconde een hartaanval kon krijgen. Estelle hield haar adem in. Geo knipoogde naar hen als een kwajongen die een stel oude tantes zit te provoceren.

'Aangehouden?' riep de Boisy. 'Waarom?'

'In verband met de moord op Valcke natuurlijk.'

Geo hoorde Catherine de Boisy ademen met de telefoon dicht tegen haar mond. Hij wachtte tot ze zou spreken. De pauze duurde pijnlijk lang. Bijna had hij het opgegeven, maar toen zei ze:

'Hij was de laatste die ik tot zoiets in staat had geacht.'

Eén ademtocht later voegde ze eraan toe:

'Hoewel... De laatste... Hij speelde dubbel spel.'

Estelle en Piet spitsten de oren. Geo keek nog triomfantelijker.

'De plasscène...' begon de Boisy. 'Franken deed wel verontwaardigd, maar oorspronkelijk was het zijn idee. Hij wilde dat de meisjes plasten. Provocerende symboliek, zo noemde hij het. Valcke wilde er eerst niet van weten, maar uiteindelijk zwichtte hij om van Frankens gezeur verlost te zijn. Dat hij zelf zijn plasser zou bovenhalen, was niet in het scenario voorzien. Dat deed hij om Franken en Verbist te jennen.'

'Symboliek! Franken moet toch geweten hebben dat de plasscène heel slecht zou vallen bij het publiek van die middag!' riep Geo.

'Net wat Kurt zei.'

'Waarom gaf hij dan toe?'

'Omdat Franken hem gek had gemaakt met zijn nieuwe project. Life'sArt. Kurt moest het kunstwereldje uit zijn lethargie halen, zodat zijn carrière een nieuwe start kon nemen. De levende kunstenaar als kunstwerk.'

'Ondanks het gevaar dat hij Vanden Bulcke zodanig voor het hoofd zou stoten...' begon Geo, maar de Boisy onderbrak hem.

'Kurt wist dat Vanden Bulcke even zou tieren en brullen, maar hij rekende erop dat hij daarna zou bijdraaien. Frits Franken had hem verzekerd dat hij wel olie op de golven zou gieten. Zowel bij Vanden Bulcke als bij Verbist.'

'Kunnen we daar morgen verder over praten?' vroeg Geo. 'Als het nieuws van Frankens arrestatie bevestigd is?'

Haar toon veranderde.

'Bevestigd?' riep ze. 'Wil je zeggen dat je er nog niet zeker van bent of hij wel aangehouden is? Heb je me dat allemaal alleen maar verteld om me uit mijn tent te lokken?'

'Zoiets, ja,' gaf Geo brutaal toe, terwijl hij zich nogmaals realiseerde dat Catherine de Boisy geen simpel gansje was. Integendeel.

'Je bent een even grote rotzak als de anderen!' tierde ze en ze hing op.

'Nu hoor je het ook eens van een ander,' grijnsde Estelle.

Piet Schraepen klemde zijn kiezen op elkaar.

De lokale krant hanteerde volgens de ronkende beginselverklaringen van de redactie de hoogste ethische normen. Maar alleen als dat van pas kwam, zo bleek uit de praktijk.

Schraepens concurrent meldde in grote opmaak dat volgens bepaalde geruchten een Bekende Vlaming ondervraagd werd in de zaak-Valcke. Een bevestiging van het nieuws had de krant niet, noch enig bijkomend detail, maar de eindredacteur met dienst pepte het gerucht uit de garage van het gerechtsgebouw op tot een bericht van dertig regels met twee paragrafen geschiedenis over de moord en over Kurt Valcke. Tot slot suste hij zijn geweten en dat van de zeldzame kritische lezers door onderaan te schrijven dat 'verhoord worden nog niet gelijk staat met beschuldigd zijn en helemaal niet betekent dat men ook schuldig is'. Erboven kopte hij met twee vette regels over zes kolommen.

BV VERDACHT VAN
MOORD OP SCHILDER

Geert Brouns was witgloeiend omdat de concurrentie hem geklopt had. Toen Schraepen tot overmaat van ramp bekende dat hij het vage nieuws bewust stil had gehouden om zijn tipgever niet te verraden, ontplofte de chef-nieuws. En dat was nog maar een peulenschil vergeleken met zijn volgende uitbarsting, toen de verslaggever zo naïef was te verraden dat Geo Joosten de vermoedelijke identiteit van de verdachte had kunnen achterhalen.

Brouns vergastte hem op een exposé, uitsluitend bestaande uit scheldwoorden en eindigend met de merkwaardige stelling: 'Als ik mijn zin mocht doen, schafte ik Limburg af.'

Geo's commentaar was korter en eenvoudiger. 'Het spel is aan de gang,' was alles wat hij zei, toen Schraepen hem voor dag en dauw de stunt van de concurrentie meldde.

Nadine Liesens organiseerde met zeven haasten een persconferentie om mee te delen dat ze in het belang van het onderzoek niets mee te delen had. Ze gaf alleen toe dat de vorige avond een persoon voorgeleid was. Hij werd nog steeds ondervraagd. Hij was niet in staat van beschuldiging gesteld. Ze had geen arrestatiebevel uitgevaardigd.

'Is het een BV?' vroeg een blondine van de VRT.

'Geen commentaar.'

'Geef ons ten minste de beginletter van zijn naam,' bedelde de verslaggever van de lokale krant.

'Niet in dit stadium.'

'Waarom is hij voorgeleid?' vroeg een brunette namens RTL-TVI.

'Op grond van bepaalde elementen.'

'Welke elementen?' riep Schraepen.

'Geen commentaar. Te vroeg.'

'Houden jullie wel iemand vast?' vroeg een zwartlokje van VTM.

'De persoon is voorgeleid voor ondervraging, maar niet gearresteerd.'

Geo Joosten kwam de zaal binnen. De collega's hadden het zo druk met Liesens dat ze hem niet in de gaten hadden.

'Ik heb nog eens naar Frankens huis gebeld,' fluisterde hij in Schraepens oor. 'Een vent nam de telefoon op. Hij wilde niet zeggen wie hij was. Waarschijnlijk een flik. Huiszoeking.'

'Stelt het parket op dit ogenblik nog andere onderzoeksdaden?' vroeg Schraepen.

De onderzoeksrechter negeerde de verslaggever en antwoordde met haar ogen strak op Joosten gericht.

'Geen commentaar.'

'Is er niet toevallig een huiszoeking aan de gang?' drong Schraepen aan.

Geroezemoes in de zaal. Liesens kneep haar lippen samen en bekeek de verslaggever zoals alleen moderne vrouwelijke managers dat kunnen. Het zaaltje werd muisstil.

'Geen commentaar,' herhaalde ze.

Ineens riep iedereen door elkaar. Liesens stak een gemanicuurde hand op om stilte te vragen.

'Dit is een moeilijke zaak,' zei ze. 'Een zeer gevoelige zaak. Daarom vraag ik jullie nog een klein beetje geduld te oefenen. Zodra een doorbraak is gerealiseerd, breng ik jullie daar meteen van op de hoogte. Mag ik op dat kleine beetje begrip rekenen?'

'Beschuldig haar van een lek ten voordele van de concurrentie,' fluisterde Geo.

Voor één keer zette Schraepen zijn schroom opzij. De uitbarsting van Geert Brouns lag hem nog te vers in het geheugen.

'Waarom moeten wij begrip opbrengen, terwijl andere kranten zomaar primeurs toegeschoven krijgen?' vroeg hij.

'Het lek zit niet bij het gerecht,' antwoordde de onderzoeksrechter boven het aanzwellende rumoer uit.

'Niet bij het gerecht!' riep de verslaggever van de lokale krant. 'Wij hebben heus wel andere bronnen!'

'Aangezien alleen het gerecht op de hoogte was, kan het lek zich alleen in dit gebouw bevinden,' hield Schraepen vol.

'We worden behandeld als kleine kinderen,' foeterde de blonde van de VRT, niet rechtstreeks tegen Nadine Liesens, maar wel luid genoeg opdat de rechter en alle perslui in de zaal het móésten horen. Ze kreeg onmiddellijk bijval.

'Ik verzeker je op mijn erewoord dat het lek níét bij ons te vinden is,' herhaalde Liesens haast wanhopig.

Ze vluchtte het zaaltje uit voor iemand haar nogmaals kon tegenspreken.

Geo Joosten had intussen Geert Brouns aan de lijn.

'De gerechtelijke politie is het huis van Frits Franken aan het doorzoeken,' fluisterde hij achter zijn hand. 'En als je nog een paar man hebt, stuur die dan maar naar de villa van Petra Van den Boom in Keerbergen en naar het kantoor van De Glorie van Vlaanderen, want die komen zeker ook aan de beurt.'

'Waarom moet ik dat van jou horen en niet van Schraepen?' mopperde Brouns.

'Omdat Piet het te druk heeft met de onderzoeksrechter onder druk te zetten.'

'Mooi. Dat is het betere werk. Ik laat Dirix uitrukken.'

'Jij bent de baas, maar als die aap nog in mijn buurt durft te komen, sla ik hem de hersens in.'

'Waar is je zachtzinnige aard gebleven?'

'Die ligt bij mijn gevoel voor humor. In de diepvries.'

Toen Geo Joosten het gerechtsgebouw wilde verlaten, hield een inspecteur van de gerechtelijke dienst hem tegen.

'De hoofdcommissaris wil je spreken,' zei hij.

'Vrijwillig?'

'Hoe anders?'

Geo volgde de jongeman door gangen waar het publiek nooit kwam, een discrete doolhof, die uitmondde bij het grote kantoor met het dictatorenbureau. Louis Van de Besien zag eruit als een verfomfaaide caudillo na een nacht uiterst onkatholiek stappen. Verweerd. Het gaf hem iets menselijks.

'Je verdenkt Petra Van den Boom ervan dat ze de aanslag op je huis heeft gepleegd,' zei hij zonder verdere inleiding. 'Je noemde haar als verdachte in de zaak-Valcke.'

Hij had duidelijk geen tijd voor loos gebabbel of beleefde niemendalletjes. Geo antwoordde met een hoofdknik.

'Waarom denk je dat?' vroeg de politieman.

'Eén. Mijn buurman, die een open oor heeft voor zulke dingen, hoorde dat de bommengooier met een Japanse driecilinder reed, een Suzuki Alto, bijvoorbeeld. Petra Van den Boom heeft een oude Alto op de oprit staan. Twee. Een getuige hoorde de nacht van de moord een auto die een bepaald geluid maakte, voor Valckes huis staan. Hij dacht dat het een vrachtwagen was. Ik gok op de VW-bus van Van den Boom. Met een kapotte knalpot. Drie. Valcke is vermoord door iemand die hem goed kende. Hij heeft hem of haar als vriend of vriendin binnengelaten. Petra Van den Boom was een van zijn sekspartners. Ik vermoed dat dat volstaat om haar een vriendin te noemen. Vier. Een getuige heeft me ervan overtuigd dat Valcke moet zijn vermoord tijdens een bijzonder vettig seksspelletje met een vrouw. Van den Boom is perfect tot zulke spelletjes in staat. Vijf. Petra Van den Boom is een pokkenwijf en Piet Schraepen, die alle boekjes over het onderwerp heeft gelezen, beweert dat Valcke door een pokkenwijf is uitgeschakeld.'

Louis Van de Besien krabbelde nerveus trefwoorden in een net schriftje op zijn nette tafel.

'Hoe ben je Frits Franken op het spoor gekomen?' vroeg Geo.

'Wie is Frits Franken?'

'Doe niet flauw. De man die jullie op dit ogenblik ondervragen in het hok achter je rug. Wiens huis jouw mannetjes op dit moment aan het doorzoeken zijn.'

'Waar haal je dat vandaan?'
'Ik heb zo mijn bronnen.'
'Welke?'
Geo scrollde naar de voorlaatste oproep op zijn mobiele telefoon. Het nummer van Franken. Hij drukte het in en gaf de gsm aan Van de Besien. De hoofdcommissaris knipperde zelfs niet met zijn ogen toen een van zijn agenten de hoorn opnam.
'O.k., touché,' zuchtte hij en hij drukte op de knop.
'Hoe ben je Franken op het spoor gekomen?' vroeg Geo.
'De boor was betaald met een kredietkaart.'
'In de Brico.'
'Het heeft heel wat voeten in de aarde gehad,' zei de hoofdcommissaris. 'Een geluk dat die winkel een goede boekhouding heeft.'
'De dikke nekken in Brussel beschouwen jullie hier in Tongeren als provinciale pummels,' glimlachte Geo. 'Zullen ze nu hun mening herzien?'
Van de Besien snapte niet dat de fotograaf hem een compliment maakte.
'Eén woord daarover in de krant, mijnheer Joosten, en ik maak je het leven zuur,' dreigde hij. 'Zo zuur dat je liever nooit geboren was.'
'Een beetje rancune onder vrienden, dat moet kunnen,' spotte Joosten.
Van de Besiens ogen schoten vlammen.
'Waarom heeft Franken de schilder vermoord?' vroeg Geo doodgemoedereerd.
'Als je het weet, mag je het me zeggen,' gromde de politieman.
'Welke rol speelde Van den Boom?'
'Het gesprek is afgelopen, mijnheer Joosten.'
'Er staan fotografen op wacht bij de villa van Van den Boom. En bij haar kantoor.'
'Laat ze. Desnoods tot ze wortel schieten.'
'Je hebt haar al opgepakt?'
Eindelijk viel Van de Besien uit zijn rol. Hij glimlachte.

'Geen commentaar, Joosten,' zei hij. 'En bedankt voor de tip. Al ben je een lastpost, Joosten.'

Op weg naar Catherine de Boisy stopte Geo bij Finneke Crets, die in de loop van haar leven emmers bloed had laten aftappen en daarvoor gevierd werd. Op de terugweg uit Paifve hoopte hij tijd over te hebben voor een zekere Vitus Mombers, die met een actiegroep een geding wilde aanspannen tegen het Vlaams Gewest omdat bij elk onweer tonnen modder uit een ruilverkaveling door zijn huis stroomden. Het gewone werk moest doorgaan.

Verder dan Finneke raakte hij niet. Brouns kwam aan de lijn.

'Er is niemand thuis in de villa van Van den Boom,' meldde hij. 'En mijlen in het rond valt er geen flik te bespeuren.'

'Ook niet bij De Glorie in Mechelen?' vroeg Geo.

'Daar loopt wat personeel rond, maar de bazin is niet komen opdagen.'

'En?'

'En wat?'

'Waarom is ze niet komen werken?'

'Hoe moet ik dat weten? Vraag het zelf aan de fotografe die er op wacht staat. Ik geef je haar nummer.'

De bloedgeefster en een deftige dame van het Rode Kruis sloegen Geo gade. Een echte reporter in actie. Kort, krachtig, onverstaanbaar voor buitenstaanders. Spannend. Joosten belde de fotografe in Mechelen.

'Ze is er niet,' zei de vrouw. 'De receptioniste heeft me gezegd dat dit wel vaker gebeurt. Een directeur hoeft blijkbaar niet te laten weten of ze op haar werk verschijnt of niet.'

'Verdomd.'

'Kwam de tip van jou?'

'Ja.'

'Van de politie is er ook niemand. En voor zover ik weet, blijft dat zo. Ik heb een contactman bij het parket. Die wist nergens van.'

'O.k. Bedankt. Spreek af met Brouns.'

'Heb je het altijd zo druk?' vroeg de bloedgeefster.

'Meestal,' schepte Geo op. 'Mag ik nog snel één telefoontje afwerken? Als het niet stoort?'

'Doe rustig verder.'

Hij belde Estelle bij AQS. De telefoon ging vijf keer over, toen klonk een akelig muziekje en na eindeloos getokkel kwam er een telefoniste aan de lijn.

'Ik geef je de redactie,' beloofde ze.

'Redactie,' mompelde een man.

Hij kon onmiddellijk antwoorden op Geo's vraag. Estelle was die ochtend niet komen opdagen. Hoogst vervelend, want een collega had de redactiewagen nodig gehad en was uiteindelijk met een auto van de promotiedienst op reportage vertrokken.

'Toch niet die met de grote, rode aluminium letters op het dak?' vroeg Geo met leedvermaak.

'Jawel. Die.'

Hij belde Estelles huis. Hij belde haar gsm. Vruchteloos. Zijn maag kromp ineen. Hij zweette. De dames keken bezorgd.

'Is er een ongeval gebeurd?' vroeg die van het Rode Kruis.

'Ik hoop van niet,' antwoordde Geo en zijn nare voorgevoel werd nog groter. 'Ik probeer een collega te bereiken, maar ze antwoordt niet. Mag ik jullie telefoongids gebruiken?'

Het nummer dat hij zocht, stond er niet in. Geen wonder. Wie laat het nummer van zijn buitenverblijf in de telefoongids afdrukken?

16.
The Suicidal Pole Dancers

Zoals veel mensen met een stressbestaan kon Estelle Draps het beste nadenken in de auto. Het was een van de redenen waarom ze Geo's aanbod had afgewezen om in de gastenkamer te blijven slapen.

'Ik wil je niet op ideeën brengen,' had ze kunnen antwoorden als ze eerlijk was geweest. Om hem geen pijn te doen, had ze zich beperkt tot haar tweede reden.

'Ik wil rustig nadenken,' had ze geantwoord. 'Van hier tot Evere heb ik daar de tijd voor.'

'Waarover?'

'Pft... Over Vanden Bulcke en Valcke. Franken. En over Van den Boom. Vooral over Van den Boom. Hoe een mens zo onherkenbaar kan veranderen. Bijvoorbeeld.'

Ze zag dat hij teleurgesteld was, maar tot haar grote opluchting liet hij haar zonder verdere discussie vertrekken.

'Later. Misschien,' had ze nog gefluisterd, hoewel ze het niet echt meende, meer om de pil te vergulden.

Dus nam ze niet de korte weg naar Sint-Truiden, maar de omweg over Tongeren. En in plaats van daar de autoweg te nemen naar Luik, reed ze naar Spouwen, want ze kon zich het buitenverblijf van Van den Boom niet meer precies voor de geest halen. Omdat Lady Lederland een steeds groter wordende hoofdrol speelde in haar overpeinzingen, leek dat detail om halftwee 's nachts uitermate belangrijk.

Haar geheugen bleek uiteindelijk beter dan ze gevreesd had. Zelfs in het donker verdwaalde ze niet één keer. Feilloos vond ze het slordig geasfalteerde stukje landweg, dat een paar meter voorbij de inrit van Petra's tweede verblijf in een ruig karrenspoor overging.

Estelle knipte de verstralers aan om naar de rest van het pad te kijken. Twee diepe voren tussen het graan met in het midden hoog opgeschoten gras. Een kaarsrechte tunnel, alsof de landweg niet door

Haspengouwse boeren getrokken was, maar door Amerikaanse landmeters uit de school van Mason en Dixon.

Hoewel de koplampen niet sterk genoeg waren om het einde van het pad te verlichten, besefte ze met een schok waar het uitmondde. Op de weg Membruggen-Vlijtingen, geen honderd meter van de plek waar het echtpaar vermoord was.

Ze rilde bij de gedachte en voor haar fantasie een spook met tweeloop uit het koren liet springen, schakelde ze in achteruit. Takken krasten over de carrosserie. Te dicht bij de haag die de boomgaard bij Van den Booms domein afsloot. Ze reed opnieuw vooruit en probeerde het nog eens. De smalle weg maakte een flauwe bocht en Estelle ontdekte dat ze niet handig genoeg was om die in achteruit te nemen.

Draaien op het kruispunt met de landweg naar het buitenverblijf lukte ook niet. Het pad, geperst tussen doornhagen, bleek zo smal dat de AQS-auto op beide flanken nog meer schrammen opliep. Estelle zuchtte en reed ten einde raad naar het huisje. Voor het hek, herinnerde ze zich van jaren geleden, was een kleine parkeerplaats. Daar zou ze wel ruimte hebben om de auto te keren.

Tot haar verbazing brandde er licht in het buitenverblijf. Flikkerende kleuren. Iemand zat nog televisie te kijken. Estelle maakte zich geen zorgen. Het huis was ver genoeg van de parkeerplaats vandaan opdat de televisiekijker haar niet zou zien of horen.

Nog terwijl ze dat dacht, flitste een zaklamp aan. De lichtbundel scheen recht in haar ogen en voor Estelle de tijd had om in paniek te gillen, hoorde ze een stem, waarvan ze meteen veronderstelde dat het die van Petra van den Boom was.

'Wel, wel, wat een verrassing! Mevrouw Draps! Wat brengt jou hierheen? In het holst van de nacht?'

'Je zult het niet geloven,' loog Estelle. 'Ik ben verdwaald.'

'O, maar ik geloof je wél!' lachte Van den Boom. 'Toch het eerste deel. Toen je zei dat ik je niet zou geloven.'

'Sorry... Maar het is echt waar,' probeerde Estelle nogmaals.

'Ach. Wat geeft het. Nu je toch de moeite gedaan hebt om tot hier te komen. Kom nu maar mee naar binnen.'

Estelle volgde haar. Ze had geen andere keuze. Tenzij gas geven en Petra Van den Boom overhoop rijden een 'keuze' was.

Steve Verbist keek niet op toen zijn vrouw de onverwachte bezoekster binnenleidde. Hij zat in een hoek van de benauwend lage woonkamer en staarde intens naar een pornofilm voor lederfetisjisten. Lijven in glanzend zwart met koperwerk beslagen leer deden van alles met lijven zonder leer, maar toch even overvloedig beslagen met koperwerk op, rond en in alle lichaamsdelen.

'Estelle was verdwaald, schat,' zei Van den Boom.

'Mm,' bromde de man zonder om te kijken.

'Je komt op een slecht moment,' verontschuldigde Van den Boom hem. 'Dat is een van zijn lievelingsfilms.'

'Het was puur toeval,' loog Estelle met nog meer overtuiging. 'Het spijt me. Ik wilde niet storen. Eigenlijk zou ik al op weg naar huis moeten zijn.'

'Dat zal dan even moeten wachten. Nu je bij ons bent, kun je toch van de gelegenheid gebruikmaken? Niet?'

'Welke gelegenheid?' wilde Estelle vragen, maar ze hield haar mond om toch maar geen interesse te tonen.

Petra nodigde haar uit plaats te nemen op de bank om mee naar de film te kijken. Daarin wrong een vrouw in zwart leer een colaflesje in de gapende anus van een man met ringen door zijn balzak. Er hingen kerstlampjes aan, flikkerend in rood, wit en blauw.

'Je weet dat Frits Franken aangehouden is?' fluisterde Van den Boom discreet, alsof ze de kreun- en steungeluiden van de film niet wilde storen.

'Ik heb gehoord dat hij ondervraagd wordt.'

'Natuurlijk heb je dat gehoord! Daarom ben je immers hier!'

'Toch niet.'

'*Whatever.* Vertel het me. Wat weet je over Frankens toestand?'

'Ik? Niet veel. Ik heb het toevallig gehoord van Piet Schraepen en Geo Joosten. Hoe die erachter gekomen zijn, weet ik niet. Misdaadverslaggevers zijn niet erg loslippig.'

'Is dat zo?' zei Van den Boom met gespeelde verbazing. 'Mm. Ik ben niet thuis in die kringen. Maar als jij het zegt... Mag ik je een glaasje fris aanbieden? Of iets sterkers? Excuseer Steve, hij wil het einde van de film zien. Daarna komt hij bij ons zitten en dan kunnen we bijpraten.'

'Dank je, maar ik denk niet dat ik nog iets ga drinken.'

'Uit geweest? Bang voor de blaaspijp?'

'Een beetje toch, ja.'

'Een momentje.'

Een paar tellen later bracht ze Tönissteiner en Evian. Ze had zich omgekleed en droeg het gele leren pak waarmee Estelle haar op De Gielenhof had gezien. Dezelfde hoge laarsjes. Dezelfde spannende broek, maar nu met het jasje open om tepelpiercings te laten zien en een gouden kettinkje van de ene borst naar de andere.

Wat Estelle het meest opviel, waren donkere vlekken in het leer.

Bloedvlekken?

'Steve, schat?' vroeg Petra.

'Nog even,' antwoordde hij op de zeurtoon van een verwend kind.

'Vind jij porno ook zo spannend?' vroeg Petra aan Estelle.

'Ik heb ooit één film helemaal uitgekeken. Ik heb me slap gelachen. Daarna hoefde het voor mij niet meer.'

'Dat hoor ik vaker. Misschien komt dat lachen door een gebrek aan empathie. De psychologen zijn het daar niet over eens.'

Verbist zette de televisie uit en nam plaats in de stoel tegenover zijn vrouw. Het contrast kon niet groter zijn. Zij de karikatuur van een floezie uit hete scholierendromen, hij een ambtenaar in ruste op pantoffels, met een grijze stretchpantalon en een wit overhemd zonder das. Hij zag er mak en moe uit, helemaal niet opgehitst zoals Estelle had verwacht van een man die pas een overdosis gore porno achter de kiezen had.

'Wie begint?' vroeg Lady Lederland.

'Doe jij maar,' antwoordde haar man.

'Steve heeft net afscheid genomen van zijn meest geliefde film,' zei Petra. 'Hij wilde hem nog één keer zien voor we er een einde aan maken.'

Als kind had Estelle in ontelbare snertromannetjes gelezen dat de heldin het bloed in haar aderen voelde verstijven. Nu begreep ze dat zoiets ook werkelijk kon gebeuren, want haar hart leek te bevriezen en ze kreeg kippenvel als een rasp.

'Einde?' hijgde ze hees. 'Wat bedoel je? Toch niet dat jullie...'

'Ja, kind, dát bedoel ik. Je kunt er later alles over lezen. Later. Als het voorbij is. Het document met alle nuttige uitleg ligt daar.'

Ze wees naar een map op de salontafel. Over het logo van De Glorie van Vlaanderen had ze in grote viltstiftletters 'EINDE' gekrabbeld.

De kamer duizelde om Estelle heen. Het echtpaar praatte over zelfmoord alsof het een uitstapje naar Bobbejaanland betrof. Of hielden de twee haar voor het lapje met een cynisch spelletje? Nee, want de ernst op de gezichten was te echt om gespeeld te zijn.

'Je komst is een onverwachte meevaller,' zei Van den Boom. 'We waren bang dat ons testament in handen van het gerecht zou vallen. De bange magistraatjes waren er beslist mee naar Vanden Bulcke gelopen. En aangezien de inhoud hier en daar onprettig voor hem is, had hij het document gegarandeerd laten verdwijnen.'

Verbist knikte tevreden. Er speelde een glimlachje om zijn mond.

'Zo zie je maar, schat,' zei hij. 'Ons laatste probleem is vanzelf opgelost geraakt. Weet je wat? Om verdere ongelukjes te vermijden leg je de papieren meteen in haar auto. Dan vallen ze zeker niet in verkeerde handen. Het zal haar een mooie primeur opleveren. Ja? Afgesproken?'

'Zelfmoord... Brief... Primeur... Bij AQS doen we niet...' stamelde Estelle.

Ze was zodanig gehersenspoeld dat ze bijna verkondigd had dat zelfmoorden niet pasten bij de stijl van haar blad, maar ze hield zich op tijd in. Geo zou er wél raad mee weten, bedacht ze. Zijn krant zou de afscheidsbrief maar al te graag publiceren. Daarna kon AQS er probleemloos een berispende commentaar bij leveren en het sensatieverhaal afdrukken tussen paragrafen vol gespeelde verontwaardiging.

'Je zult een stervende toch haar laatste wens niet weigeren?' vroeg Petra.

'Nee, natuurlijk niet, maar...'

‘Geef haar meteen ook de Valcke-files,’ suggereerde Verbist en tegen Estelle zei hij: ‘Daar zit ook stof in voor een sappig stuk.’

‘Prima idee, schat.’

Van den Boom liep zonder verder omhaal met de mapjes naar de AQS-auto. Estelle snapte niet hoe ze aan de sleutel gekomen was. Uit het slot getrokken nadat ze uitgestapt was? Was ze zo in de war geweest zijn, dat ze dat niet gemerkt had?

Verbist staarde haar roerloos aan. Estelle sloeg haar ogen neer. Gelukkig kwam Petra snel terug. Ze legde de autosleutel op tafel.

‘Gesloten en wel,’ zei ze. ‘Daarmee weten we dat hij er morgen nog staat.’

‘Morgen?’ riep Estelle in paniek. ‘Ik wil helemaal niet tot morgen blijven!’

‘Het zal moeten,’ zei Verbist. ‘Helaas. Sorry.’

‘Je hebt geen keuze,’ voegde Lady Lederland eraan toe. ‘We kunnen niet toelaten dat je probeert ons tegen te houden.’

‘Maar ik...’ begon Estelle.

Verbist maakte een gebaar dat ze moest zwijgen.

‘Ik heb haar nodig,’ fluisterde hij, verlegen als een collegejongen die voor het eerst een bordeel betreedt.

‘Hoe?’ snauwde zijn vrouw. ‘Waarom heb je haar nog nodig?’

‘Voor we eruitstappen zoals de helden in *The Tragic Pole Dance*, wil ik met haar nog *Rogue Kisses* spelen. Asjeblieft!’

Estelle begreep dat het duo het over pornofilms had. De ‘paaldans’ was een overduidelijke verwijzing naar Valckes voorkeursstandje. En waarschijnlijk ook naar diens dood. Maar de andere titel? Die waarin zij een rol zou spelen?

‘Alleen als je je beperkt tot het begin,’ eiste Lady Lederland.

‘Alleen de eerste scène, dan blijft er meer dan genoeg voor jou over, schat,’ stelde Verbist haar gerust.

‘Jullie zijn ziek! Zot! Ziek! Waanzinnig!’ schreeuwde Estelle het uit.

Verbist glimlachte. Hij had drugs geslikt, schoot het door Estelles hoofd. Iets waardoor hij ontzettend kalm en vreselijk onderdanig en onmenselijk stroperig was geworden.

'Ziek?' vroeg hij. 'Ach, wat zou het, meisje, we zijn gewoon speelvogels. Ik corrigeer. We wáren gewoon speelvogels. Tot Valcke ons spel kapotmaakte met zijn Life'sArt.'

'Valcke? Je zult Franken bedoelen? Life'sArt is toch zijn idee!' riep Estelle.

'Nee, nee. Valcke. Hij heeft Franken nooit begrepen,' antwoordde Petra.

Zij had zonder twijfel andere drugs gebruikt dan haar man. Haar pupillen stonden wijd. Ze ademde snel. Op haar voorhoofd en bovenlip blonk zweet.

'Valcke kon geen maat meer houden,' zei Verbist op een toon waaruit bleek dat hij diep ontgoocheld was. 'Hij wilde de speelvogels in zijn werk opnemen. Alle speelvogels. Open en bloot.'

Estelle hoefde geen uitleg te vragen. Van den Boom kwam haar man onmiddellijk te hulp. Ze praatte als een schooljuf.

'De speelvogels waren Valckes idee. Een stimulerend privékringetje op de maat van Steve en mezelf. Dat Kurt een geweldige kunstenaar was, maakte ons spel nog spannender en beschaafder.'

'Speelvogels?' vroeg Estelle. 'Bedoel je swingers? Sleutelparty's? Partnerruil?'

'Doet de benaming terzake?' beet Petra haar toe.

'Wij verkiezen "speelvogels",' verklaarde Steve Verbist op een zalvende bromtoon. 'Het was een leuke naam.'

'Tot de dag dat Frits Franken zijn baan bij de televisie kwijtraakte,' zei Petra. 'Hij zocht een andere bezigheid en daarom stelde hij Valcke voor dat die zijn eigen leven tot kunstwerk zou verbouwen. Als we tóén geweten hadden wat de gevolgen zouden zijn...'

'Het is te laat om daarover te treuren, schat,' zuchtte Verbist.

'Franken bedacht scenario's, Valcke regisseerde acts en performances,' zei Van den Boom. 'Eigenlijk was dat in het begin best prettig, is het niet, schat?'

'Tot hij eisen begon te stellen.'

'Wie?' vroeg Estelle.

'Valcke.'

'De foto's!' riep Estelle. 'Chanteerde hij jullie met de foto's waarover de Boisy het heeft gehad?'

Van den Boom reageerde alsof ze door een schorpioen gestoken was.

'De Boisy heeft geen foto's. Ze heeft niks! Zwijg over haar. Ik wil niet dat je Catherine hierin betrekt!'

'Wie heeft ze dan?' vroeg Estelle.

'Wist ik het maar!' schreeuwde Van den Boom. 'Verdomme! Wist ik het maar!'

Er viel een ongemakkelijke stilte. Van den Boom en Verbist vermeden het elkaar aan te kijken.

'Is Valcke daarom vermoord?' vroeg Estelle. 'Omdat hij eisen stelde waarop jullie niet konden ingaan? Vroeg hij geld? Veel geld?'

Tot haar verbazing slaagde ze erin haar stem even beheerst te laten klinken als bij een routine-interview. Het was haar enige kans, besefte ze. Kalm blijven, het gesprek rekken, tijd winnen. Misschien veranderden de twee gekken toch nog van gedachten.

'Pft!' deed Verbist met een uitgestreken gezicht. 'Geld... Alsof geld alles is in het leven!'

Estelle beet op haar lip.

'Schijnheilige bastaard!' had ze de ambtenaar willen toeroepen.

'Voor geld deed je alles! Knoeien. Ritselen. Bedriegen!' had ze hem in het gezicht willen schreeuwen.

Verbist staarde haar minzaam aan, alsof hij wilde dat ze haar woede ongeremd liet ontploffen om zich daarna opgelucht te voelen.

De man is gedrogeerd door hypocrisie, noteerde Estelle in het laatste stukje van haar hersenen waar nog plaats was voor verlossende ironie.

'Valcke was geen afperser,' hoorde ze Van den Boom oreren. 'Hij was een uitperser. Hij eiste mensen op. Hun liefde. Hun passie. Alles.'

Lady Lederland was een onovertrefbare partner in schijnheiligheid.

'Hij verloor alle zin voor maat en proportie,' dreunde ze door. 'Wij waren voor hem geen mensen meer, maar materiaal. Ruwe grondstof voor zijn kunst. Hij kneep ons uit als oude verftubes.'

'Ik heb hem gewaarschuwd,' zei Verbist. 'Ernstig. Ik heb hem uiteindelijk zelfs al zijn subsidies afgepakt om te laten voelen dat ik me niet liet ringeloren. Hij moest onze grenzen respecteren. Onze menselijkheid. Onze emoties. Hij mocht niet in gevaar brengen wat Petra en ik hadden opgebouwd. Het kunstbeleid, de vzw, het centrum.

Helaas, hij wist niet van ophouden. Hij was bereid tot het uiterste te gaan om zijn ego te voeden. Je hebt zelf gezien hoe hij mij en Piet bezeikt heeft. Pure minachting... Je kunt toch niet ontkennen dat hij het zelf gezocht heeft?'

'In naam van de kunst wilde hij al onze geheimen in de openbaarheid brengen,' voegde Petra eraan toe. 'Dat konden we niet toestaan.'

'Valcke deed toch alleen maar wat Franken hem influisterde,' zei Estelle.

Van den Boom haalde minachtend haar schouders op.

'Franken is een nul.'

'Hij heeft de demon Valcke uitgevonden,' sprak Estelle haar tegen.

'Hij verloor de controle over zijn schepping. Dat bewijst dat hij zwak is.'

'Jij en je man hadden Valcke ook niet meer in handen.'

'Wij hebben wel gereageerd.'

'Te laat.'

Van den Boom knikte.

'Eén dag te laat,' gaf ze toe. 'Omdat we *Freyja's Penetratie* niet in gevaar wilden brengen. Dat werk was te belangrijk voor De Glorie van Vlaanderen. We hadden er geen rekening mee gehouden dat Valcke zo wild tekeer zou gaan. Inschattingsfout. Sorry.'

'We hadden genadeloos moeten zijn. Zoals Valcke ook genadeloos was,' trad Verbist haar bij.

'Wie heeft hem vermoord?' vroeg Estelle.

'Ik,' antwoordde Van den Boom emotieloos.

Estelle staarde vol afschuw naar het echtpaar. Freaks van gigaformaat. Hoe kon ze uit hun klauwen ontsnappen?

Steve Verbist leek haar gedachten te lezen.

'Je hoeft niet bang te zijn,' suste hij. 'Ik zal je geen pijn doen. Pijn is het laatste. Het ultieme. Daar ben je nog niet klaar voor.'

'Ik zal hem nooit toestaan je pijn te doen, meisje,' beloofde Petra, maar wel op de hakbijltoon van Lady Lederland.

'Je hebt Valcke vermoord omdat hij jullie openbaar te schande ging maken!' hernam Estelle. 'Want dat moest ervan komen als hij met jullie uitpakte in zijn Life'sArt!'

'Niet alleen dat, hij heeft Catherine pijn gedaan,' zei Verbist. 'Catherine hield van Petra en zij hield van haar, is het niet, schat?'

'Catherine hield ook van Valcke!' wees Petra hem scherp terecht. 'Hij was de enige man die haar kon bevredigen op de manier waarop vrouwen elkaar kunnen bevredigen. Daar had ik geen bezwaar tegen. Integendeel, is het niet, schat?'

Verbist knikte.

'Hoe kon ik er iets op tegen hebben dat mijn geliefde hemels genot beleefde?' vroeg hij op de toon van een Agalevpater.

Toen was het alsof hij een spuit met een ander product had gekregen, want plots beefde hij van woede.

'Valcke wilde Catherine misbruiken om weer bij mij in de gratie te komen!' bulderde hij. 'Hij wilde haar in mijn bed stoppen! "De pot zal je leren wat goddelijke seks is," zei de vuilspuiter. "Zij zal je penetreren zoals Freyja in haar krijgers binnendrong." Stel je voor! Hij hoopte dat zij al zijn feilen en fouten goed zou kunnen maken! Eerlijk. Stel je voor...'

'Dubbel verraad!' riep Van den Boom, even boos en opgewonden als haar man. 'Hij wilde de arme Catherine dwingen niet alleen mij definitief op te geven, maar ook haar eigen aard. De harteloze smeerlap.'

'Dus trok je maar in het holst van de nacht naar het atelier van Valcke en deed je alsof je hem kwam bevredigen aan de paal en draaide je een boor door zijn hoofd op het ogenblik dat hij klaarkwam?' vroeg Estelle.

'Exact.'

Man en vrouw zeiden het tegelijk. Estelle moest naar lucht happen.

'Dat belette je niet verder te gaan met Life'sArt!' riep ze vol misprijzen. 'Uitgerekend met de man die Valckes noodlottige kunstjes bedacht had!'

'Huh!' deed Verbist verachtelijk.

'Franken is een nul!' herhaalde Petra.

'Hij kocht wel het moordwapen,' zei Estelle.

'Wist hij veel.'

'Hij was de eerste die wist wie de moord gepleegd had.'

'Je had ook hem moeten penetreren, schat,' kwam Verbist tussenbeide.

Van den Boom zuchtte. Er blonken tranen in haar ogen.

'Opnieuw mijn schuld,' fluisterde ze. 'Ik wilde dat hij de zaak in Parijs nog afhandelde. Hoe had ik ooit kunnen voorzien dat de politie hem via een domme kassabon kon opsporen?'

'Je hebt te lang gewacht omdat je te goedhartig was,' troostte Verbist haar.

'Jullie zijn monsters!' riep Estelle.

'Kom,' zei Petra. 'Het meisje wordt moe. Het is tijd.'

'Is er nog niet genoeg bloed gevloeid?' vroeg Estelle. 'Eerst Valcke, toen dat echtpaar! En nu...'

'Dat echtpaar was overbodig,' zei Verbist.

'Zij was een kwekmuil,' spuwde Lady Lederland uit.

'Tut! Tut!' protesteerde haar man. 'Ze vertelde alleen verhaaltjes over "speelvogels".'

'Nee!' protesteerde Petra. 'Ze was een getuige en ze had ons aan de galg kunnen praten!'

'Soms neem je overhaaste beslissingen, schat.'

'Ik weet niet wie van jullie de ziekste is...' begon Estelle, maar Petra Van den Boom legde een vinger over haar lippen.

'We houden je niet langer op, meisje. Zoals mijn man zei, het is tijd.'

'Leg haar nu maar uit hoe je held het doet in *Rogue Kisses*,' zei ze tegen Verbist.

'Jij speelt het verdoofde meisje,' beschreef hij de pornoscène. 'De man legt haar over een bank en terwijl ze vredig slaapt, likt hij haar anus. Intens, met luide, natte slobbergeluiden die gedempt worden in haar duistere hol.'

'Genoeg! Meer mag je niet!' vermaande Petra hem. 'Ik moet ook nog wat krijgen.'

'Jij krijgt alles, schat.'

'Nee!' riep Estelle. 'Jullie zijn ziek! Ik ga. Ik bel de 100. Jullie moeten je dringend laten verzorgen.'

'Geen sprake van,' snauwde Petra.

Voor Estelle zich kon verzetten, had Van den Boom haar in een houdgreep. Hoe mager en benig ze ook was, ze bleek ontzettend sterk. Als een volleerde judoka dwong ze Estelle op de grond.

'Ik geef je iets waar je zoetjes van zult slapen,' beloofde Verbist. 'Een lekkernijtje, waar ik vanavond ook al van gesnoept heb.'

'Gebruik maar een dubbele dosis,' beval Petra. 'Ze hoeft niet per se wakker te blijven.'

Machteloos in Petra's greep moest Estelle toezien hoe Verbist naderbij kwam met een wegwerpspuitje. Ze voelde de prik nauwelijks. Van den Boom loste haar greep. Estelle probeerde overeind te komen, maar haar benen waren slap als elastiekjes.

'Kom,' beval Petra.

Man en vrouw droegen Estelle naar een kaal vertrek achter de woonkamer. Daar stonden gymnastiektuigen en een tafel. Aan ringen in de muur bengelden kettingen.

Het tweetal zette haar op een Zweedse bank. Van den Boom hield haar overeind terwijl Verbist haar uitkleedde. Daarna dwongen ze haar voor de bank te knielen.

Het laatste wat Estelle zich herinnerde, waren piercings en een gouden ketting die voor haar ogen bengelde. Lady Lederland liet haar voorover zakken met haar middel op de bank. Toen verloor de kunstredactrice van AQS het bewustzijn.

Zonder Landrover zou Geo het nooit gewaagd hebben het hobbelige karrenspoor te nemen. Zelfs niet nu zijn hart in paniek bonkte en zijn mond droog was van angst om wat hij in Van den Booms buitenverblijf vreesde aan te treffen.

'Je wéét nog helemaal niet of ze er wel is,' had hij zichzelf toegeroepen, maar waarom zou hij zichzelf geloven? Waar anders kon Estelle zijn?

Vlak bij het dorp, waar het asfalt begon, leunde een stuntelig getimmerde, houten brievenbus tegen een doornhaag. Twee rode sporen van baksteenafval liepen naar een lang, laag huis in een afgeleefde boomgaard. En daar, voor een open hek, stond de redactiewagen van AQS.

Geo hamerde op de claxonknop. De toeter kuchte amechtig, het geluid paste eerder bij een kleuterfietsje dan bij een terreinwagen, maar in de stille omgeving klonk het als de stoomfluit van de Titanic in doodsnood. En toch reageerde niemand erop.

'Hallo!' riep Geo. 'Iemand thuis?'

Het bleef stil. Hij voelde aan het portier van Estelles auto. Het was op slot. Op de achterbank lag een laptop. Haar handtas stond op de passagiersstoel.

'Hallo!' herhaalde Geo en hij stapte door het hek.

Alles ademde tweede verblijf uit. De verkeerd onderhouden haag waartegen ten einde raad een afsluiting van staaldraad was geplakt om loslopende honden buiten te houden. Kortgeschoren weidegras. Bloemen in afgedankte emmers, vaten, gebroken drinkbakken, gebarsten potten van Leuvense kachels.

'Iemand thuis?' riep Geo.

Hij sloop langs de voorgevel. Klopte op de deur. Stilte. Tikte tegen een venster. Stilte. Hij probeerde naar binnen te kijken. Donker.

'Hallo?' herhaalde hij, terwijl hij door de verwaarloosde groentetuin naar de achterkant van het huisje liep.

Een zwembad. Eigen knutselwerk, vermoedde hij. Grondwerk van een buur met een kleine graafmachine, wat lappen vijverplastic uit de lokale Aveve, een pomp met filter in een hokje van asbestplaten, gefikst. Of niet, want het water zag eruit als drab, nauwelijks beter dan wat Haspengouwse koeien in hun drinkpoelen aantroffen.

'Iemand thuis? Hallo?'

De achterdeur stond op een kier. Geo klopte aan. Geen reactie. Hij duwde de deur voorzichtig verder open. Een verzaagde dwarsligger als drempel. Daarachter ongelijke, niet bij elkaar passende vloertegels in een gangetje dat recht naar de voordeur liep.

'Hallo?'

Links een staldeur, de bovenste helft open. Hij keek naar binnen en zag de rug van Estelle. Geen twijfel mogelijk. De rug die hij uit duizenden kon herkennen.

Ze was naakt en lag over een turnbank heen, met haar knieën aan de ene kant en met haar voorhoofd op de vloer aan de andere kant. Geo vreesde dat ze dood was.

De twee andere personen in het kamertje waren wel degelijk dood, daar twijfelde hij geen seconde aan.

De ene was een naakte man, die in dezelfde houding als Kurt Valcke tegen een muur zat. Hij werd overeind gehouden door een ketting aan twee ringen, waar ooit vee aan gebonden was geweest. De schakels sneden in zijn borst.

De man had geen gezicht meer. Hij had ook zo goed als geen hoofd over. Een torso met een hals en daarop nog wat flarden van vlees en bot, dat was alles. Achter het ontplofte hoofd blonken rode spatten op de witgekalkte bakstenen. Bloed en vlees en beenderen en hersenen, op en in de muur geschoten.

Voor zijn voeten lag een vrouw, ook zonder hoofd, met een tweeloop in haar hand. Ze droeg een broekpak van geel leder, zo goed gesneden dat het een tweede huid had kunnen zijn. Ze had haar finale schot zo haarfijn berekend dat er niet overdreven veel bloed op het gele leer was gemorst.

Geo duwde de halve deur open met zijn knie. Misvormd door jaren van misdaadseries, vermeed hij iets met zijn vingers aan te raken. Hij knielde bij Estelle. Haar gezicht en haar zagen rood van het bloed. Hij tastte met een wijsvinger naar de slagader in haar hals, althans, naar de plek waar hij die vermoedde. Haar huid was warm. Hij vond de ader niet meteen, maar hij voelde wel haar adem in de haartjes op zijn handrug.

'Estelle?'

Hij tilde haar hoofd op. Het bloed was kleverig als dunne stroop. Hij walgde ervan. Zijn leven lang al was hij vies geweest van bloed, zeker dat van anderen. Als kind kokhalsde hij wanneer hij in zijn vinger had geprikt en hem in zijn mond moest steken om het bloeden te stelpen. Hij bedwong zijn walg en zocht verder naar de wond in Estelles hoofd. Hij kon ze niet vinden.

'Hoor je me? Estelle!'

Ze ademde diep in en liet de lucht met een zucht uit haar longen ontsnappen. Geo liet haar hoofd weer zakken en zocht de knoop in het touw waarmee ze op de bank gebonden was. Het was in haar knieholte om haar benen gewikkeld en om haar dijen gedraaid, tussen haar benen onder haar buik door getrokken en om de bank heen geslagen. Ten slotte ging het helemaal rond haar lichaam en weer onder de bank door en daar was het vastgesjord in een dikke, plompe knoop. Geo vergat de lessen uit de misdaadseries ('Nooit iets aanraken op de plaats van de misdaad!') en sneed het touw over met zijn zakmes. Hij ging op de bank zitten en nam Estelle in zijn armen.

'Wakker worden,' fluisterde hij. 'Estelle? Wakker worden. Ik ben er. Geo. Het is voorbij. Ze zijn dood.'

Ondanks zijn afkeer dwong hij zich haar bebloede hoofd opnieuw te onderzoeken. Geen spoor van verwondingen, zelfs geen schram. Het bloed kon niet van haar zijn! Het was van een van de twee die daar op de grond lagen! Bloed en hersenen en verpulverd vlees van vreemde mensen! En dat had hij met blote handen aangeraakt! Kon het walgelijker?

Hij vermande zich.

'Estelle!' riep hij terwijl hij tegen haar wang tikte, zoals kostschooljuffen in Engelse tv-series plegen te doen met in zwijm gevallen leerlingen.

Het hielp. Ze deed haar ogen open. Een paar tellen maar. Ze glimlachte. Een glimp van een glimlach. Toen was ze weer bewusteloos.

Geo haalde met zijn bebloede hand zijn gsm uit zijn zak. Bloed op zijn broek. Op de telefoon. Walgelijk. Vies. Hij probeerde er niet aan te denken en tikte het nummer van Piet Schraepen.

'Van den Boom heeft zelfmoord gepleegd. Ze heeft eerst nog een man overhoopgeschoten. Haar eigen vent, vermoed ik. Steve Verbist. Ik zit bij hun lijken in Spouwen. Estelle is er ook. Ze is verdoofd. Maak dat je hier bent, voor de flikken komen. Ik wacht nog tien minuten voor ik naar de 100 bel.'

De verslaggever hapte hoorbaar naar lucht. Geo drong aan:

'Meteen komen. Ik maak foto's van wat er zich hier heeft afgespeeld. Gruwelijk. Zorg dat je op tijd bent om de foto's uit de klauwen van Liesens te houden. Begrepen?'

'Tien minuten!' riep Schraepen. 'Komt in orde!'

'Estelle? Wakker worden?' vroeg Geo zachtjes en het leek te helpen.

'Laat me...' kreunde ze. 'Slaap.'

Geo spreidde zijn jasje op de vloer en legde haar erop. Toen deed hij waar hij voor betaald werd. Hij schoot een serie foto's, op een zeldzame uitzondering na veel te gruwelijk voor zijn krant. Misschien wilde een buitenlandse klant ze kopen? Daar waren er bladen genoeg die gelezen werden door lui die op horror kickten.

In een paar minuten was hij klaar. In de vlucht legde hij dezelfde beelden nog een keer vast. Een reserveschijfje om eventueel door het parket in beslag te laten nemen. Toen hoorde hij een auto stoppen en Schraepen roepen.

De noodarts bracht Estelle in een paar tellen weer bij bewustzijn. Even vlug stelde hij vast dat ze geen verwondingen had opgelopen, op een minuscuul prikpuntje in haar bovenarm na.

'Wat hebben ze haar ingespoten?' vroeg Geo.

'Ik hoop dat de politie de verpakking vindt,' zei de dokter. 'Anders wordt het een hopeloze zoektocht in het lab. De apotheken liggen vol spul waarmee je mensen kunt verdoven.'

'Is ze verkracht?' vroeg Geo.

'Ben jij haar man?'

'Haar ex-man.'

'Dat is gevoelige informatie. Die kan ik je niet zomaar geven. Technisch gesproken zijn jullie niet eens verwant.'

'Doe niet belachelijk. We hebben nog altijd een goede relatie. We zijn vrienden. We hebben geen geheimen voor elkaar. Wel?'

'De gynaecoloog van het ziekenhuis zal haar onderzoeken.'

'Wat heb jij dan gedaan? Was dat geen vaginaal onderzoek? Ik heb je bezig gezien.'

De noodarts keek naar de inspecteur die de wacht hield bij de deur. Het kon niet anders of die had de discussie gehoord. Als het een paragrafenvreter was, zou hij de arts het leven zuur kunnen maken als hij vertrouwelijke, intieme informatie prijsgaf aan iemand die slechts een gewezen verwante was.

'Wel?' drong Geo aan.

'Het spijt me,' antwoordde de arts, maar toen fluisterde hij in Estelle oor, luid genoeg opdat Geo het ook kon horen. 'Je stelt het wel, mevrouw. Je zult nog een tijdje suf zijn van het product dat ze hebben ingespoten. En je zult behoorlijk pijn hebben omdat je al die tijd met je buik op een dikke knoop hebt gelegen.'

'Dank je,' zei Geo.

'En nu moet de patiënte naar het ziekenhuis,' beval de dokter.

Piet Schraepen kende iedereen, dus ook de mannen die Estelle in de ambulance droegen. Het kostte hem weinig moeite hen ervan te overtuigen de 'man' van het slachtoffer te laten meerijden. Het viel hem zelfs extra gemakkelijk, omdat de federalen van Liesens en Van de Besien er nog altijd niet waren en de inspecteurs van de lokale politie het te druk hadden met het isoleren van de hoeve in afwachting van de overrompeling door de pers die Geo aangekondigd had.

Op weg naar Bilzen ontwaakte Estelle uit haar versufte toestand.

'Hoe heb je me gevonden?' vroeg ze.

'Intuïtie,' lachte hij. 'Lady Lederland was niet op haar werk en jij was niet op jouw werk. Jullie waren geen van beiden thuis en AQS miste een redactiewagen. En jij was van plan over Lady Lederland na te denken. Ziezo...'

'Hebben ze haar aangehouden?'

'Van den Boom? Nee. Weet je dan niet wat er met haar gebeurd is?'

'Verbist heeft me een spuit gegeven. Ik herinner me alleen nog dat hij me heeft uitgekleed en vastgebonden met mijn billen omhoog op die bank en...'

Ze zweeg abrupt.

'Hij heeft je niet verkracht,' stelde Geo haar gerust. 'De noodarts heeft geen sporen gevonden.'

'Goed. Daar was ik bang voor.'

'Terwijl jij uitgeteld was, heeft Van den Boom wel grote opruiming gehouden,' zei Geo. 'Met een tweeloop. Patronen met grove hagel. Zoals bij Gerda en Bjorn. Ben je sterk genoeg om het te horen? Het is gruwelijk.'

'Vertel het toch maar.'

'Ze heeft hem tegen de muur gebonden in de stijl van Valcke en toen vakkundig zijn hoofd weggeschoten. Daarna heeft ze de tweeloop tegen haar kin gehouden en haar eigen kop weggeblazen.'

'Zij heeft Valcke vermoord. Ze heeft het me verteld. Het staat ook allemaal in de papieren die ze in mijn auto heeft gelegd.'

De ambulanciers rolden Estelle naar Spoedopname. Geo stampte ongeduldig met zijn voet omdat Schraepen niet onmiddellijk opnam. Toen de verslaggever eindelijk aan de lijn kwam, riep hij: 'Piet! Van de Besien en zijn mannen mogen onder geen beding in Estelles auto beginnen te rommelen.'

'Daar bestaat geen gevaar voor. Om de lokale flikken te helpen heb ik de oprit vrijgemaakt. Jouw kar en die van AQS staan mooi naast elkaar geparkeerd op het dorpsplein.'

'Prima, vent! Kom me nu ophalen. Met de auto van AQS. O.k.?'

'Maar Liesens gaat een persconferentie geven!'

'Laat haar naar de kloten lopen. Het hele verhaal ligt in die auto. Sensatie gewaarborgd. Een bekentenis op papier! Geschreven door de moordenaars zelf! Wil je soms dat Liesens de documenten in beslag neemt?'

'Er is iemand van Belga. Ik zal straks wel uit zijn verslag halen wat ik nodig heb.'

'Gesproken als een grote reporter, Piet.'

'De beste kop vond ik die van de Sunday Mirror,' meende Geo. '*The Suicidal Pole Dancers*'. Goed gevonden.'

Niemand van het gezelschap in Taverne De Vierweg sprak hem tegen. Geo Joosten had een tafel gereserveerd voor Estelle, Piet Schraepen en zichzelf. Met ruimte voor een stapel kranten waarin de foto's van de zelfmoord paginabreed waren uitgesmeerd.

'Ik trakteer,' zei Geo. 'Jullie hoeven echt niet op een cent te kijken.'

Hij had een goede reden om gul te zijn. Tussen de papieren in Estelles auto had hij zijn contract met De Glorie van Vlaanderen gevonden. Het enige bewijs dat hij geld van Vanden Bulcke had ontvangen.

Hij had het papier niet alleen verbrand. Hij had de as verkruimeld en daarna uitgestrooid in het riviertje achter zijn huis.

'Ik betaal!' riep Armand Vanspauwen. 'Ik trakteer op biefstuk van een stier die ik speciaal heb laten vetmesten. Gegarandeerd hormonenvrij en niet kapotgefokt met korrels of andere vuiligheid.'

Gratis eten van topkwaliteit? Welke journalist kon dat weigeren?

'Wie heeft mijn nichtje vermoord?' vroeg Vanspauwen toen ze na rijstpap en vlaai aan de cognac toe waren. 'Wie heeft de trekker overgehaald?'

'Petra Van den Boom heeft geschoten,' zei Geo. 'Zo stond het in haar afscheidsbrief. Maar het was Verbist die Gerda naar het bietenveld lokte met de belofte haar een bom zwijggeld te geven. Hij heeft je nichtje en haar man naar de slachtbank geleid en zijn lederen lady heeft hen vermoord.'

'Wat voor een beest moet je zijn om zoiets te doen?' vroeg Vanspauwen.

'Beesten?' mijmerde Piet Schraepen. 'Waren Van den Boom en Verbist de enige beesten op De Gielenhof?'

'Vanden Bulcke...' zei Geo.

Zijn disgenoten knikten. Zonder woorden. Ze wisten precies wat Joosten bedoelde. De makelaar had de voorbije dagen alle registers open getrokken om buiten schot te blijven. Een batterij dure advocaten had overtuigend gepleit dat alle misdaden totaal zonder zijn medeweten gepleegd waren. Ze hadden gepraat en gepraat, tot zelfs de publieke opinie geloofde dat hij bedrogen was door trouweloze medewerkers.

'Een mes in mijn rug' was de kop boven een interview in Dag Allemaal.

'De verraden mecenas', blokletterde Knack.

'Ik laat mijn levenswerk niet kapotmaken', knarsetandde AQS.

'Vermoorde schilder breekt records in Parijs', meldden de kwaliteitskranten.

'Ook Franken zal de dans ontsnappen,' voorspelde Joosten na de derde cognac. 'Let op mijn woorden. Hij krijgt hoogstens een maand voorwaardelijk. Als de zaak al niet geseponeerd wordt. Medeplichtig aan moord? Franken? Ach, nee!'

'Een gele boor kopen is geen moord,' mopperde Schraepen. 'En een dwaze artiest opjutten tot seksspelletjes is ook geen moord. Waarvoor wil je dat ze hem veroordelen?'

'Inderdaad!' lachte Geo. 'Seksspelletjes zijn kunst. Zeiken op je publiek is een nieuwe kunststroming. Nietwaar, Estelle?'

'O.k., Joosten. Draai het mes niet rond in de wond. Je wint op punten, maar ik pleit wel verzachtende omstandigheden. Ik kon niet weten dat de act zo platvloers zou worden opgevoerd.'

'Mm.'

'Als je me die vergissing vergeeft, zal ik bewijzen dat ik je geen kwaad hart toedraag,' zei ze.

'Hoe?'

'Door je een snippertje nieuws cadeau te doen.'

'Wat?'

'Vanden Bulckes project met het oude station is goedgekeurd,' meldde Estelle, trots omdat ze de twee professionele nieuwsjagers kon overtroeven. 'Hij krijgt twee miljoen euro van de Vlaamse Gemeenschap voor het culturele luik.'

'Voilà,' zuchtte Schraepen met een gezicht waar misprijzen in hoofdletters op te lezen stond. 'De carrousel draait verder.'

'En kunnen jullie raden wie er directeur wordt?' vroeg Estelle.

Vragende gezichten keken haar aan.

'Wies Wellens!'

'Natuurlijk!' riep Schraepen. 'Want die valserik heeft de foto's!'

'Welke foto's?' vroeg Armand.

'Foto's van mooi volk, levend of dood, met de billen bloot en de piemel omhoog,' antwoordde Geo. 'Prentjes waarmee je ander mooi volk kunt chanteren.'

'Volgens mij heeft Wellens die foto's níét,' zei Estelle. 'Ik wed dat Franken ze heeft. Dat is de ware reden waarom het gerecht zo voorzichtig met hem omspringt. Van de Besien durft geen vuurtje te stoken bij iemand die een kist buskruit in handen heeft.'

'Ik tip erop dat Catherine de Boisy de foto's in haar bezit heeft,' meende Geo.

'Niet volgens Van den Boom,' sprak Estelle hem tegen.

'Ik heb een voorstel,' grijnsde Geo. 'Willen we met zijn drieën die zaak uitspitten? Met onze ervaring moet dat lukken.'

'Nee, dank je,' zuchtte Estelle.

Geo bracht Estelle in de Defender naar het station van Sint-Truiden. De verankering van de linker achterbank had het begeven en het ding ratelde oorverdovend.

'Hoe kun je dat kabaal verdragen?' foeterde ze toen hij eindelijk halt hield op het stationsplein en ze weer tegen elkaar konden spreken zonder te moeten schreeuwen.

'Morgen vind ik wel een passende schroef en dan staat de bank in no-time weer muurvast.'

'Een roestige tweedehands schroef zeker? Vrek!

'Ach.'

'Hoeveel hebben de zelfmoordfoto's van Lady Lederland en Verbist je opgebracht? Een paar honderdduizend euro's?'

'Ach.'

'Je verdient geld als slijk en toch leef je als een Haspengouwse boerenvrek, Joosten. En dat zal zo blijven tot je je laatste adem uitblaast!'

'Dat is niet eerlijk,' protesteerde Geo. 'Als ik een geldwolf was, had ik jou samen met de lijken gefotografeerd. Dat zou pas hebben opgebracht!'

Estelle werd bleek van woede. Ze kneep haar handen tot vuisten.

'Smeerlap!' tierde ze. 'Hoe durf je? Ik lag daar uitgestald als een beest! Ik ben nog nooit in mijn leven zo vernederd geweest! Rotzak! En het enige waar jij godverdomme aan kon denken, was geld! Je bent een stinkende, vettige, modderige vlooienzak!'

'Maar Estelle! Ik heb die foto's toch niet gemaakt! Precies omdat... Omdat...'

Ze sprong uit de auto en knalde het portier met een allemachtige klap dicht.

'Omdat ik eigenlijk nog altijd van je hou,' maakte Geo zijn zin af.

Ze rende met grote, boze passen naar het station. Hij keek haar verslagen na. De rug die hij uit duizend kon herkennen. Te brede schouders, te slanke taille, te ronde heupen, te dikke dijen, te gespierde kuiten, te kort rokje, te diep decolleté.

'Te goed voor mij,' mompelde Geo.

Het was een zin die hij Piet Schraepen ooit had horen zuchten.